CW00820972

DI BIANCA PITZORNO

BIANCA PITZORNO

POLISSENA DEL PORCELLO

Illustrazioni di Quentin Blake

www.ragazzimondadori.it

© 1993 Arnoldo Mondadori Editore S.p.A., Milano
© 1993 Quentin Blake, per le illustrazioni
© 2015 Mondadori Libri S.p.A., Milano
Prima edizione nella collana "Contemporanea" aprile 1993
Prima edizione nella collana "Junior +10" aprile 2001
Prima edizione nella collana "Junior +11" marzo 2006
Prima edizione nella collana "Oscar junior" aprile 2010
Stampato presso ELCOGRAF S.p.A.
Stabilimento di Cles (TN)
Printed in Italy
ISBN 978-88-04-59917-3

Anno 2017 - Ristampa   17 18 19 20 21

PARTE PRIMA

A Cepaluna

Capitolo primo

Come succede spesso a molti bambini, anche Polissena Gentileschi, nei suoi undici anni di vita, aveva fantasticato più volte sul fatto di non essere veramente figlia dei suoi genitori.

Questo accadeva per esempio quando sua madre, per punirla di qualche disobbedienza, la mandava a letto senza cena. Rigirandosi tra le coperte, tormentata più dalla stizza che dalla fame (la vecchia Agnese trovava sempre il modo di infilarle un pandolce sotto il cuscino) Polissena covava il suo risentimento rimuginando tra sé e sé: "Morirò di fame. Domattina mi troveranno stecchita tra le lenzuola. Una donna tanto crudele non può essere la mia vera madre. Mi tratta così perché in realtà io non sono sua figlia, ma una trovatella, una figlia di genitori sconosciuti allevata per carità."

E, in attesa del sonno, inventava una storia ogni volta diversa, nella quale però i suoi veri genitori erano sem-

pre persone ricchissime e importanti che per qualche motivo l'avevano perduta e che adesso la stavano cercando per mare e per terra. E che presto sarebbero arrivati a riprenderla e a vendicarla di tutti i torti subiti da parte dei genitori adottivi.

La mattina dopo, seduta al tavolo della colazione con le due sorelle minori, neppure si ricordava di queste fantasticherie. Oppure giudicava i pensieri della notte come ridicoli e infantili. I torti subiti non erano poi così tremendi: la privazione di un dolce o di una passeggiata in calesse quando si era comportata particolarmente male; qualche sgridata; la minaccia di non farle fare un nuovo vestito bello a Pasqua se si ostinava a trattare senza riguardo quello vecchio, sporcandolo o strappandolo con giochi troppo violenti, mentre sapeva benissimo che tra due anni lo avrebbe dovuto indossare sua sorella Ippolita…

Passato il primo momento di rabbia, Polissena si rendeva perfettamente conto che suo padre e sua madre la trattavano meglio e con più affetto di quanto non facessero con i loro figli gli altri genitori di Cepaluna. Per esempio, non ricordava che le avessero mai messo le mani addosso, tranne forse qualche sculacciata quando era molto piccola. Suo padre, al ritorno da ogni viaggio, le portava sempre qualche regalo, di poco valore, ma scelto con molta cura, e altrettanto faceva con le due bambine più piccole. Sua madre le risparmiava la noia dei lavori domestici, sebbene Polissena fosse già abbastanza grande da aiutare e soprattutto da imparare come si governa una casa.

Quello a cui sua madre teneva moltissimo erano le lezioni, che venivano impartite alle due figlie più grandi da una mezza dozzina di insegnanti, mentre a Petronilla era lei stessa che insegnava a leggere e a scrivere. Polissena e Ippolita ricevevano lezioni di musica, canto, danza, pittura, ricamo e buone maniere, come ogni ragazzina di buona famiglia. Polissena aveva già cominciato a studiare anche un po' di aritmetica, di storia, di grammatica, di latino e di greco. L'insegnante di greco le aveva spiegato che il suo nome, "Polisséna", era quello di una delle tante figlie del re Priamo e che era sbagliatissimo pronunciarlo "Polìssena" con l'accento sulla i, come facevano qualche volta le cameriere o i garzoni di stalla. E, di nascosto dal mercante, i servi, giù in magazzino, insegnavano alle tre sorelle a guidare i carri tirati dalle mule, che trasportavano le merci da un capo all'altro del regno.

Per la maggior parte del tempo Polissena era dunque piena d'affetto nei confronti dei genitori. Voleva bene a sua madre, ed era orgogliosa della sua grande bellezza, famosa in tutta la regione. Voleva bene a suo padre, col quale aveva molta più confidenza di quanto usasse nelle altre famiglie di sua conoscenza, a Cepaluna e nei dintorni.

Questo non impediva però che alla prossima occasione – quando per esempio il babbo la rimproverava perché era stata sgarbata con Petronilla, o perché aveva lasciato scappare la mula dalla stalla – Polissena ricominciasse a fantasticare che il suo vero padre era in realtà un principe e sua madre una bellissima principessa tenuta prigioniera in una torre da qualche perfido tiranno. Queste storie Polissena le conosceva dai libri o dai racconti della vecchia Agnese. Nella realtà di trovatelli o di principesse in carne e ossa non le era mai capitato di incontrarne.

Capitolo secondo

Una domenica pomeriggio Polissena se ne stava a giocare a "palla a' muro" con le sorelle e con le altre ragazzine di Cepaluna nella piazza del Municipio. Il mercante e sua moglie erano andati in calesse a trovare la zia Rosalìce nella sua tenuta di campagna, ma le tre bambine non avevano voluto accompagnarli, perché la vecchia zia puzzava di tabacco in modo disgustoso e insisteva per baciarle all'arrivo e alla partenza, nonostante avesse due ciuffetti di baffi ispidi e pungenti.

Nei mesi a venire Polissena si sarebbe pentita amaramente del suo rifiuto. Mille volte meglio essere trafitta dai grigi baffi spinosi e inondata dalla saliva marrone della zia, e costretta a passare il pomeriggio immobile come una mummia sul divano, piuttosto che fare quella terribile scoperta!

A un certo punto, lanciata in modo maldestro da Petronilla, la palla volò troppo in alto e andò a finire oltre il muro del giardino del marchese. Dal gruppo delle ragazzine si levò un mormorio di disappunto. Il giardiniere del marchese era conosciuto come un vecchio terribile, che avrebbe confiscato la palla e sarebbe andato a lamentarsi con i loro genitori, col parroco, col comandante delle guardie, col giudice, insomma con tutte le autorità.

Ma Polissena senza una parola si rimboccò la gonna del vestito della festa, si tolse le scarpette con i nastri di seta e cominciò ad arrampicarsi sul tronco del glicine che, tutto contorto com'era, offriva un facile appiglio. Quella di arrampicarsi era una sua specialità. Fin da quando era piccolissima non c'era in paese roccia o muro, tetto o campanile, tronco d'albero o covone di fieno che i suoi piedi non riuscissero a scalare. Sua madre strillava preoccupata: — Ti romperai la testa! — Agnese alzava le braccia al cielo e invocava tutti i santi. Ma le due sorelline la guardavano piene d'ammirazione. E Polissena, invece di vergognarsi, era molto orgogliosa di quella abilità più da gatto o da scimmia che da ragazzina di buona famiglia. Perciò quel pomeriggio, una volta recuperata la palla, non seppe trattenersi e, invece di scendere subito con un salto, si pavoneggiò in una breve passeggiata in equilibrio sul muro.

Gli occhi sgranati di meraviglia delle amiche, i loro gridolini di paura lusingavano la sua vanità. Ma quella invidiosa di Serafina, la figlia del farmacista, che non l'aveva mai potuta soffrire, la guardò con disprezzo e disse con voce alta e chiara: — Abbassa la cresta, signorina! Hai poco da vantarti delle tue abilità. Nessuna ragazza di buona famiglia mostrerebbe le gambe a tutti come la figlia d'un saltimbanco. Ma già! Te, chissà dove ti hanno raccolta le suore prima di affidarti al mercante e a sua moglie.

Polissena restò folgorata da queste parole. Che lei stes-

sa avesse pensato un paio di volte d'essere una trovatella era un conto. Ma che Serafina la accusasse pubblicamente di essere stata raccolta chissà dove… — Ritira
immediatamente quello che hai detto! — strillò dall'alto
del muro.

— Nemmeno per sogno. Lo sanno tutti in paese che i
tuoi sono andati a prenderti dalle monache di Betlemme.

— Bugiarda! — gridò Polissena calandosi minacciosa
lungo il glicine.

— Bugiarda! — strillò Ippolita, dando un calcio e un
pugno alla figlia del farmacista, mentre Petronilla affon-
dava i denti nel polpaccio calzato di seta di Serafina.

Ma questa, strillando dal dolore, riuscì a liberarsi e scappò verso casa. — Chiedilo alla Madre Superiora! — disse
perfidamente prima di rifugiarsi dentro al portone.

E adesso? Tutte le altre ragazzine guardavano con occhi inquisitori Polissena che si rimetteva le scarpe. Davvero era un'orfanella lasciata da qualcuno nella ruota delle monache?

— Andiamo a casa — disse Ippolita, prendendo per mano la sorella maggiore che avvampava di vergogna.

Lungo la strada, mille pensieri contrastanti si facevano la guerra dentro la testa di Polissena. Com'era possibile che nelle sue vene non scorresse lo stesso sangue di Ippolita e di Petronilla quando tutti dicevano che le tre figlie del mercante si somigliavano come tre gocce d'acqua? Eppure, a pensarci bene, qualche differenza c'era, nei loro lineamenti. La prima impressione nasceva dal fatto che avevano tutte e tre capelli e occhi neri. Ma bastava? Petronilla aveva il naso un po' schiacciato del babbo. Ippolita quello dritto e severo della mamma. E lei?

— Polissena ha il naso della nonna Assarotti, preciso

identico — diceva Agnese. Peccato che nessuno potesse controllare questa somiglianza, perché il viso della nonna era così pieno di rughe che a stento si riusciva a capire se avesse gli occhi aperti o chiusi. E l'attaccatura dei capelli che solo sulla fronte di Polissena formava una V?

Però Polissena e Ippolita avevano la voce così simile che neppure i genitori sapevano distinguerla. E a Polissena, quando si arrabbiava, veniva una macchia rossa tra le sopracciglia, esattamente come al babbo.

— Non crederai mica a quella invidiosa di Serafina? — cercava di consolarla Ippolita. — Se fosse vero che in paese tutti lo sapevano, com'è che nessuno te l'ha detto prima?

"Per compassione. Per non farmi soffrire" pensava Polissena. Per la stessa ragione era certa che non avrebbe mai saputo la verità dai genitori. O meglio, dal mercante e da sua moglie. Era meglio che si abituasse a considerarli così. E neppure da Agnese. Non avrebbero avuto il coraggio di darle una delusione così tremenda.

— Senti, vuoi farmi un favore? — chiese a Ippolita quando furono in vista della loro casa. — Io vi aspetto qui. Tu vai avanti con Petronilla e quando incontri Agnese le dici: «Serafina va a raccontare in giro che Polissena è stata abbandonata in fasce nella ruota delle suore.» Vediamo cosa ti risponde.

— Va bene — disse Ippolita tranquilla. Era sicura che la vecchia governante avrebbe liquidato come sciocchezze le perfide insinuazioni di Serafina e avrebbe rassicurato una volta per tutte la sorella maggiore.

Agnese le aveva viste nascere tutte e tre. Era stata la bambinaia della mamma e l'aveva seguita nella sua nuova casa di sposa. Se c'era qualcuno che poteva testimoniare senza ombra di dubbio sulla nascita regolare di Polissena, quella era Agnese.

Agnese era in cucina, da sola, perché essendo domenica le altre donne erano andate chi ai vespri, chi a trovare i parenti, chi a ballare. La vecchia governante invece diceva il rosario nella penombra, seduta di fianco al focolare, e faceva la guardia alla casa. Si accorse subito che Ippolita era turbata. — Cosa c'è che non va, colombella? Vieni e dillo alla tua tata.

Ippolita recitò tutto d'un fiato: — Pensa che poco fa quella perfida di Serafina ha detto davanti a tutti che Polissena è stata affidata al babbo dalle suore, che l'avevano trovata nella ruota.

Polissena non si era fermata ad aspettare fuori del cancello come aveva promesso, ma aveva seguito passo passo le sorelle senza farsene accorgere, e ora stava addossata al muro del corridoio, proprio dietro la porta della cucina. Il cuore le batteva nel petto come un uccello prigioniero. Sperava con tutta l'anima che Agnese esclamasse ridendo: "Ma che stupidaggini! Serafina è sempre stata una bugiarda. Ho raccolto io stessa Polissena con le mie mani quando è uscita dal grembo di vostra madre."

Anche Ippolita era certa di ricevere una risposta di questo genere. Ma la vecchia Agnese, presa alla sprovvista, diventò rossa, cominciò a tremare e balbettò con voce strozzata: — Serafina... ma ha solo dodici anni! Chi glielo ha detto? Come fa a saperlo?

Ippolita restò di sasso. Dunque era tutto vero? E chi glielo diceva adesso a Polissena? Se almeno in casa ci fosse stata la mamma per consigliarsi...

— Ascolta! — le disse Petronilla, tirandole un lembo della gonna e indicando la porta. Dal corridoio arrivava un suono di singhiozzi soffocati.

— Polissena! — gridò Ippolita. Sentì un suono brusco,

metallico, come d'un secchio rovesciato, poi il rumore veloce e cadenzato di passi in corsa.

— Ha sentito tutto!

— Bambina, lascia che ti spieghi! — gracchiò turbata
Agnese alzandosi a fatica.

Ippolita si lanciò all'inseguimento. — Polissena! Polissena! Aspetta!

Ma il corridoio era deserto.

Agnese fece buttare all'aria la casa e i magazzini delle
merci. Sguinzagliò i domestici per la campagna intorno.
Mandò gente a cavallo in tutti i villaggi della regione. Ma
di Polissena si era persa ogni traccia.

Era calata la notte, ma la luna illuminava la strada che si stendeva come un nastro bianco lungo il fianco della montagna. Polissena era stanca. Camminava ormai da più di tre ore e non sapeva quando avrebbe potuto fermarsi. Sapeva soltanto che quella strada portava al convento delle suore di Betlemme, ma non essendoci mai stata prima d'allora, non era in grado di calcolarne la distanza.

Era stanca, aveva sete, le facevano male i piedi. Le scarpette della festa con i nastri di seta non erano le calzature più adatte per quella marcia notturna. Aveva paura. Ogni ombra le sembrava un assassino in agguato, ogni fruscio nell'erba il volo d'un fantasma, ogni richiamo d'uccello il lamento d'un'anima del Purgatorio.

Eppure doveva andare avanti. «Chiedilo alla Madre Superiora» aveva detto Serafina. L'aveva detto con cattiveria, ma in fondo si trattava di un ottimo consiglio.

Polissena non si fidava più dei suoi genitori, anzi, del

mercante e di sua moglie, doveva abituarsi a pensarli in questi termini. Se le avevano mentito per dieci anni, certamente le avrebbero mentito anche adesso, inventando chissà quale storia per giustificare l'accusa di Serafina. E se invece non avevano mentito... Polissena non riusciva ad abbandonare quell'ultimo barlume di speranza. Forse chi aveva mentito era la figlia del farmacista. Forse lei stessa aveva interpretato male la reazione di Agnese. Perché non si era fermata ad ascoltare le spiegazioni della governante? Forse suo padre e sua madre erano veramente suo padre e sua madre, e non era cambiato niente. Ma come esserne sicura?

«Chiedilo alla Madre Superiora.»

Polissena non era mai stata al convento, ma le Suore Adoratrici della Mangiatoia di Betlemme, questo era il loro nome per intero, godevano di un'ottima fama in tutta la regione. Umili, laboriose, sempre pronte a soccorrere chi si trovava in difficoltà, bravissime nel cucito, nel ricamo e nel preparare dolci squisiti. Quanto alla Madre Superiora, correva voce che fosse una santa e che non avesse mai commesso un peccato in tutta la sua vita, neppure un cattivo pensiero veloce come un battito di ciglia. Aveva quasi cent'anni, ma il suo cervello era ancora lucidissimo, tanto che molte persone andavano a chiederle consiglio nei momenti di difficoltà. Nessuno l'aveva mai vista in faccia. Riceveva tutti nascosta dietro la grata, ascoltava senza fare commenti, poi con la sua fragile voce da vecchia diceva poche parole, che però erano sempre le parole giuste. Come faceva a conoscere così bene gli affari della gente, se non era mai uscita dal suo convento sul fianco della montagna?

Qualcuno diceva che ricevesse consiglio e ispirazione direttamente dagli angeli, che invece, come è noto, svolazzano invisibili dappertutto e sono al corrente d'ogni cosa.

Polissena era certa che la santa Madre Superiora non le avrebbe mentito. Se le avesse confermato – come in fondo al suo cuore continuava a sperare – che era veramente figlia del mercante e di sua moglie, si sarebbe messa il cuore in pace una volta per tutte. Sarebbe tornata a casa, avrebbe chiesto perdono e poi sarebbe andata ad aspettare Serafina all'uscita della lezione di danza e le avrebbe dato tanti di quei ceffoni da farle girare la testa sul collo come una trottola.

Ma se la Superiora le avesse detto che davvero qualcuno l'aveva abbandonata nella ruota e che lei stessa l'aveva poi affidata alla famiglia del mercante, non sarebbe mai più tornata a casa Gentileschi e si sarebbe messa alla ricerca dei suoi veri genitori.

Sperava anzi che la Madre Superiora potesse aiutarla a risolvere il mistero delle sue origini. Magari aveva conservato delle fasce intessute d'oro, una medaglia, con impressi sopra uno stemma gentilizio, una corona… Nonostante il turbamento procuratole dalla recente rivelazione, Polissena non aveva mai pensato, nemmeno per un attimo, di poter essere figlia di povera gente. I suoi veri genitori dovevano essere per forza di sangue nobile, se non addirittura principesco. Solo questa certezza poteva consolarla del pensiero che non avrebbe più rivisto la mamma, anzi, no, la moglie del mercante, e il mercante stesso, e Ippolita e Petronilla, e Agnese e tutti gli altri domestici di casa.

Camminava lungo la strada in salita col viso inondato di lacrime, ma come sua abitudine, aveva ripreso a fantasticare. E si vedeva di ritorno al paese su un cocchio d'argento tirato da sei cavalli bianchi, con battistrada e valletti e un seguito d'ufficiali in alta uniforme con spalline d'oro e pennacchi, e trombe e tamburi. E sul bagagliaio del cocchio una montagna di regali per tutta la famiglia del mercante. A Ippolita avrebbe portato un cavallino arabo, nero come la notte, capace di saltare le siepi e di nuotare nel fiume. A Petronilla una grande bambola meccanica, un automa, di quelli che si muovono e parlano come un essere vivente... Alla figlia del farmacista, fingendo di perdonarla, avrebbe fatto consegnare una scatola d'argento tempestata di pietre preziose (falsa), e quando Serafina l'avesse aperta, ne sarebbe schizzato fuori un serpente a sonagli che l'avrebbe morsicata avvelenandola a morte.

Questi pensieri l'aiutarono a percorrere l'ultimo tratto di strada. Ed ecco, là in fondo, il convento: alti muri grigi senza finestre, come una fortezza; il portone sbarrato.

21

CAPITOLO QUINTO

22

"Mi apriranno a quest'ora?" pensava Polissena, quando vide un'ombra uscire furtiva da una macchia d'alberi e avvicinarsi all'edificio. La luce della luna era abbastanza forte perché la ragazzina potesse distinguere la sagoma di un uomo, giovane: un contadino sui diciannove anni, che reggeva all'altezza del petto un grosso involto di panni scuri.

Senza accorgersi d'esser visto, il giovanotto si avvicinò alla ruota, che si apriva nel muro del convento, di fianco al portone, e fece ruotare il cilindro di legno in modo da farne apparire all'esterno la cavità.

"Sto assistendo all'abbandono di un neonato?" si chiese Polissena, col cuore che le martellava forte nel petto. Che fosse un segno del destino?

Il giovanotto depose con precauzione il suo fardello sulla base del cilindro, poi con un colpetto lo fece ruotare, e quello trasportò il suo contenuto all'interno delle grosse mura. Si udì uno strillo altissimo. Polissena non aveva mai sentito un bambino piangere a quel modo.

Guardò con disprezzo il giovanotto, che adesso se ne veniva verso di lei, tutto allegro, come scaricato d'un peso. Sentiva di odiarlo. Perché si era disfatto a quel modo del figliolino? E la madre del piccolo era d'accordo? Cosa ne sarebbe stato di lui? Avrebbe trovato una famiglia affettuosa come quella del mercante? Non sentiva, il padre sciagurato, come piangeva forte il lattante, che urla disperate?

— Dovresti vergognarti! — disse severa quando il contadino le passò accanto. Quello sussultò. Nella sua euforia non l'aveva vista.

— Eh, sì! Dovrei vergognarmi — ridacchiò. — Lo so che ho fatto una pessima azione. E quando mio padre domattina se ne accorgerà, mi darà un fracco di legnate.

"Dev'essere un idiota" pensò Polissena. "Com'è possibile che parli di una cosa tanto seria e drammatica in tono così allegro?"

— Sono venuto di notte perché non mi vedesse nessuno — continuò il ragazzo. — Ma la Madre Superiora meritava una ricompensa.

— Una ricompensa?

— Lo sai, bambina, che Lidia, la mia innamorata, non voleva più saperne di me? Ero disperato. Allora sono venuto qui al convento, e la Madre mi ha suggerito le parole giuste per riconquistare la mia bella, il mio amoruccio, la mia rosa di maggio. Abbiamo fatto la pace e stamattina ci siamo fidanzati. Oilà! — Gettò per aria il cappello e fece un salto per riacchiapparlo al volo.

Polissena lo guardava sempre più strabiliata.

— Lei non ti voleva più perché avevi un bambino con un'altra. E tu, per farti perdonare, lo hai abbandonato, po-

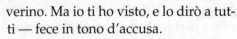

verino. Ma io ti ho visto, e lo dirò a tutti — fece in tono d'accusa.

— Sei impazzita? Di quale bambino stai parlando?

— Di quello che hai appena deposto nella ruota.

Il neofidanzato cominciò a ridere come un pazzo.

— Un bambino! Ah, ah, ah! Ma non ti sei accorta che era un porcello? Un porcellino di latte della nostra scrofa. L'ho rubato per fare un regalo alla Madre Superiora. Non potevo consegnarglielo direttamente! Mi avrebbe ordinato di restituirlo a mio padre. Così invece se lo dovrà tenere. Potrà farlo arrosto subito, se crede. È tenerissimo. Oppure allevarlo e ingrassarlo per farne salami e salsicce. Ma tu, da che mondo vieni? Non sei capace di distinguere tra i vagiti di un neonato e gli strilli di un maiale?

Polissena a quel punto non sapeva più cosa dire. Salutò frettolosamente e corse verso la porta del convento, oltre la quale gli strilli echeggiavano sempre più forti.

Bussò, e la porta fu spalancata immediatamente da una suora arrabbiatissima, la Madre Portinaia, che reggeva tra le braccia il porcellino urlante. Era roseo e grasso come un neonato e si divincolava come un ossesso.

— Che scherzi sono questi! — la aggredì la suora. — Non potevi aspettare domattina e consegnarlo tranquillamente alla Madre Cuciniera? Adesso sveglierà tutte le sorelle…

— Non sono stata io — si difese Polissena. Però non voleva tradire l'innamorato felice. — Mentre arrivavo ho

visto un'ombra allontanarsi e fuggire nella macchia. Sarà un benefattore che preferisce restare sconosciuto.

— E allora cosa vuoi a quest'ora di notte? Non lo sai che è pericoloso andarsene in giro da sola per una ragazzina della tua età?

— Devo parlare con la Madre Superiora.

— È una questione tanto urgente che non puoi aspettare fino a domattina?

— Urgentissima.

— Va bene. Allora vado a chiamarla. Per fortuna è sveglia. Sta pregando in cappella per le anime dei defunti. Tu va' ad aspettare in parlatorio.

Le mise il porcello tra le braccia, la spinse dentro una grande stanza spoglia e se ne andò.

CAPITOLO SESTO

Nel muro del parlatorio si apriva una finestrella coperta da una grata dalle maglie fittissime. Di fianco c'era una ruota più piccola di quella esterna, dove i visitatori delle monache deponevano i loro doni: frutta, uova, pollame, farina, olio, per ricambiare i consigli ricevuti.

"Forse avrei dovuto portare un regalo per la Superiora" pensò Polissena a disagio. Avrebbe voluto rimettersi un po' in ordine, allisciarsi la gonna stazzonata, sistemarsi i capelli arruffati… Ma non osava deporre a terra il porcello, che adesso si era calmato e le ciucciava un dito con grande energia.

Lo stanzone era illuminato solo da una piccola lampada a olio appesa a un gancio infisso nel muro.

Si udì un fruscio dietro la grata e una voce un po' chioccia chiese: — Cosa posso fare per te, bambina?

— Dirmi la verità — rispose Polissena.

— Io dico sempre la verità. Tutti dovrebbero dire sempre la verità. Cosa vuoi sapere?

— Mi chiamo Polissena. Ho undici anni e fino a oggi ho sempre creduto d'essere la figlia primogenita di Vieri Gentileschi, il mercante. Ma questo pomeriggio Serafina, la figlia del farmacista, mi ha detto che il mercante e sua moglie sono venuti a prendermi qui al convento, dove qualcuno mi aveva abbandonato. È vero?

Dietro la grata ci fu un lungo sospiro.

— È vero? — ripeté Polissena, stringendo forte il porcello.

— È vero — disse finalmente la Madre Superiora.

Polissena sentì che tutti i peli del corpo le si drizzavano e il sudore le si gelava addosso.

— Chi mi aveva portato? — domandò con un filo di voce. — Chi erano i miei veri genitori?

— Questo non lo so — rispose la Madre Superiora. — Però eri avvolta in una strana coperta e accanto a te, nella ruota, c'era uno scrigno che conteneva alcuni oggetti. Ho conservato tutto, anche se speravo che non ne avresti avuto mai bisogno.

— Perché il mercante e sua moglie non me ne hanno mai parlato? — chiese Polissena in tono d'accusa.

— Perché non ne sapevano e non ne sanno niente. A loro non li ho mostrati. Che motivo c'era? Ti hanno subito considerata e amata come una loro figlia. Non avevano alcun desiderio o bisogno di cercare per te degli altri genitori.

— Potrei essere la figlia di un re!

— Oppure di un mendicante. Sei stata fortunata a crescere in quella famiglia. Ti hanno voluto bene. Non ti hanno fatto mancare mai niente…

— Io voglio trovare i miei veri genitori.

— Questo è nel tuo diritto. Ma non sarà facile.

— Ci riuscirò. Ne sono certa.

— D'accordo. Aspetta un attimo, che vado a prendere la coperta e lo scrigno.

Polissena sentì i passi della vecchia allontanarsi. Il cuore le batteva forte. Ancora pochi attimi e avrebbe visto finalmente le fasce intessute d'oro, la medaglia spezzata, il sigillo reale... Ma all'eccitazione si mescolava un dolore sordo, come quello d'un colpo appena ricevuto che farà veramente male solo dopo qualche ora.

La certezza che Vieri e Ginevra Gentileschi non erano i suoi genitori, che Ippolita e Petronilla non erano sue sorelle... Non più il sospetto, ma la certezza, garantita dalla santità della Superiora, la faceva sentire sola al mondo, abbandonata, invisibile quasi, nonostante l'euforia di quelle altre grandiose speranze.

— Ecco! — disse la Madre Superiora, e fece girare la ruota. Polissena vide apparire dentro il cilindro cavo una pezza di maglia scura ripiegata più volte e un piccolo scrigno di cuoio consumato agli angoli. Voleva prenderli, ma il porcello le teneva occupate entrambe le mani.

Da dietro la grata si levò una risatina chioccia: — È un regalo che hai portato per me, quell'animale così ingombrante?

— È un regalo per voi, ma non l'ho portato io. Dove lo posso poggiare? — chiese Polissena impaziente di esaminare i suoi nuovi tesori.

— Mettilo a terra. Si è affezionato a te e non andrà lontano. — Polissena obbedì, poi afferrò avidamente lo scrigno.

— Aspetta. Non aprirlo — disse la Madre Superiora.

— Ho dato ordine a suor Zelinda di ospitarti per questa

notte in una delle nostre celle. Potrai guardare tutto con calma quando sarai sola. Io devo tornare in cappella a pregare. Buonanotte.

— E il porcello? Come faccio a darvelo? È vostro. Devo metterlo nella ruota?

— No. Tienitelo. È il mio regalo per te. Dovrai fare un lungo viaggio e avrai bisogno di denaro. Potrai venderlo alla prima fattoria che incontri lungo la strada. Buonanotte. E buona fortuna.

— Mille grazie — disse Polissena, memore delle lezioni di buone maniere. Ma lo disse al vuoto perché la vecchia Superiora si era già ritirata.

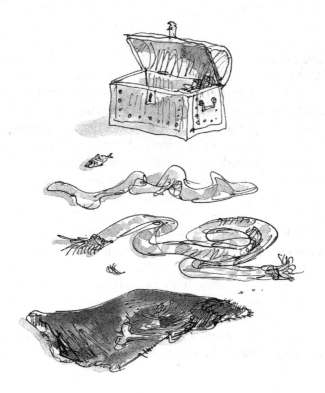

Appena fu sola nella piccola cella monacale Polissena si affrettò ad aprire lo scrigno. Suor Zelinda le aveva lasciato una tazza di latte con un po' di pane e un mozzicone di candela che diffondeva una luce bassa e tremolante. Li aveva poggiati in un incavo del muro, perché l'unico mobile della cella era un lettino stretto e duro, coperto a malapena da una coperta sdrucita. Su questo letto Polissena aveva poggiato il suo tesoro, mentre il porcello se ne andava in giro per la stanza annusando in tutti gli angoli, ma tornando di continuo a strusciarlesi contro i piedi.

Già mentre lo trasportava, Polissena si era accorta che lo scrigno era molto leggero, ma quando lo aprì, la sua prima impressione, in quella luce incerta, fu che fosse vuoto. Poi vide, sul fondo, alcuni oggetti che estrasse con gran precauzione e che dispose l'uno accanto all'altro sulla coperta.

Non somigliavano affatto a ciò che si era aspettata di trovare; niente fasce e trine, niente medaglioni, niente gioielli, niente pergamene con messaggi cifrati. L'unico oggetto che somigliava un poco ai segni di riconoscimento di cui Polissena aveva letto nei romanzi era un ciondolo di corallo a forma di pesciolino, legato poveramente in argento. A prima vista sembrava uno dei soliti corni portafortuna, ma osservandolo meglio si vedeva ch'era un pesce. La testa, le pinne, la coda erano intagliati minuziosamente nel bel corallo lucido e rosso vivo. Ma per quanto Polissena lo avvicinasse alla fiamma della candela e aguzzasse gli occhi, non riuscì a trovarci sopra una data, una scritta, una sola lettera dell'alfabeto, un segno qualsiasi che rimandasse a un luogo, una data, una persona.

Poi c'era un pezzetto di tela nera, rigida per il sudiciume, dai bordi strappati, con una macchia bianco-grigiastra su un lato. E infine c'era una calza di seta rossa. Una calza da uomo, lunga fino al ginocchio, di quelle che portano gli elegantoni. Ma, rossa? Polissena non aveva mai incontrato nessuno che indossasse calze di quel colore, né ne aveva mai visto nelle partite di merci di suo padre, cioè del suo ex padre, del mercante Gentileschi.

Svolse con mano esitante la coperta di lana grigia ripiegata e vide che più che d'una coperta, si trattava di una fascia stretta e molto lunga, lavorata ai ferri a strisce di colore più chiaro e più scuro. Quale neonato era mai stato avvolto in bende così grossolane, così poco igieniche, così raspose per la sua pelle delicata?

Non riusciva a capacitarsi. Se qualcuno l'aveva deposta nella ruota del convento mettendole accanto quegli oggetti, certamente lo aveva fatto per uno scopo preciso. Ma quale?

Stette inginocchiata accanto al letto con i gomiti puntati sulla coperta per più di un'ora, a contemplare il contenuto dello scrigno, come se la fissità e l'intensità dello sguardo potessero forzare gli oggetti a rivelare il loro segreto.

Le si chiudevano gli occhi dal sonno, e aveva fame, perché era dalla mattina presto che non aveva più mangiato un boccone. Ma quando prese in mano la tazza di latte, sentì un urto di vomito salirle dallo stomaco alla bocca. "Sono troppo agitata" pensò. Chiamò il porcello con un verso, poggiò a terra la tazza e vi sbriciolò dentro il pane. L'animale mangiò di gran gusto, con piccoli grugniti di soddisfazione. Non aveva ancora finito di leccare il fondo della tazza, che lo stoppino della candela crepitò e con un gran guizzo d'agonia la fiamma si spense.

Sospirando, Polissena raccolse a tentoni ciondolo, tela, calza e fascia di lana e li ripose nello scrigno. Poi, ancora vestita (se l'avesse vista Agnese!) si stese sul letto pensando che, stanca com'era, si sarebbe subito addormentata.

Ma il sonno non voleva venire. Mille pensieri disordinati, mille interrogativi, le attraversavano la mente, come nuvole che si rincorrono in un cielo di tempesta. Prima di tutto, qual era il suo vero nome? "Polissena" si chiamava la nonna Assarotti e certamente, adottandola, la moglie del mercante l'aveva battezzata con quel nome in onore di sua madre. Ma, prima, gli "Altri", i suoi veri genitori, come l'avevano chiamata? E in che modo l'avevano perduta?

Che l'avessero abbandonata di loro propria volontà Polissena si rifiutava di crederlo. Certamente era stata rapita dalla sua culla e portata via di nascosto. Ma da chi? E perché? E quanti giorni, o mesi, aveva esattamente quando l'avevano strappata alla sua vera famiglia?

Sapeva d'aver imparato a camminare ch'era già in casa Gentileschi, perché non solo Agnese e sua mad…, la signora Ginevra, ma anche le vicine, raccontavano spesso buffi episodi legati ai suoi primi passi, come quella volta ch'era stata inseguita da un tacchino cui aveva tirato la coda.

E poi si chiedeva per quale motivo i due giovani sposi, che erano in grado di avere figli loro, come dimostravano le nascite successive di Ippolita e di Petronilla, fossero andati al convento a cercare una trovatella da adottare.

Giaceva a occhi aperti nel buio e rivedeva mille episodi della sua vita passata nella casa di Cepaluna. Litigi e giochi con le sorelle, le lezioni di musica, passeggiate a piedi e in calesse, la vendemmia, le processioni della Settimana Santa con Petronilla vestita da angelo appesa con una corda all'asta della bandiera... Dettagli banali, che però sembravano perdersi in una nebbia favolosa.

E poi evocava immagini che conosceva soltanto dai libri e dai racconti a veglia: un castello turrito, un trono deserto, una regina vestita di nero in segno di lutto, una culla vuota bagnata di lacrime...

A un certo punto della notte sentì così freddo, benché fosse luglio, che scese dal letto a prendere il porcello e se lo tenne abbracciato stretto stretto sotto la magra coperta.

Due o tre volte le balenò nella mente un'idea tentatrice: "Domani mattina torno a casa, a Cepaluna. Getto lo scrigno nel fiume e faccio finta che non sia successo niente."

Era sicura che l'avrebbero accolta a braccia aperte. Era sicura che la stavano cercando e che Petronilla piangeva, chiamando il suo nome. Tornando li avrebbe resi felici.

Ma non poteva tornare. Doveva scoprire assolutamente di chi era figlia, chi erano i suoi veri genitori.

PARTE SECONDA

LA COMPAGNIA GIRALDI
E I SUOI ANIMALI ACROBATICI

Alle sei del mattino suor Zelinda venne a chiamare Polissena. Portava un'altra ciotola di latte fumante, due grosse fette di pane e un fagotto avvolto in un grande tovagliolo. — Un po' di provviste per il viaggio. Da parte della Madre Superiora.

Polissena la ringraziò, poi, come aveva fatto la sera precedente, spezzettò una fetta di pane nel latte e dette la zuppa al porcello, che ci immerse subito avidamente il grugno rosa. L'altra fetta voleva mangiarla lei, ma si accorse di avere ancora lo stomaco chiuso. Così la ripose nel fagotto insieme alle altre provviste. Sapeva che non era saggio mettersi in cammino a pancia vuota, ma proprio non riusciva a inghiottire altro che la propria saliva. Anzi, aveva voglia di vomitare.

"Mi passerà" pensò, sperando nel sollievo dell'aria fresca del mattino.

Il fatto era che, nonostante si fosse rotta la testa per tut-

ta la notte a pensare e a pensare, e avesse pregato tutti gli angeli e tutti i santi del cielo di mandarle un'ispirazione, non sapeva da che parte cominciare la sua ricerca. Né la strana coperta, né i pochi oggetti contenuti nello scrigno erano tali da fornire la minima indicazione.

"Mi verrà qualche idea strada facendo" decise. Non poteva mica restare nel convento aspettando un miracolo! Col rischio che Ippolita ricordasse la frase finale di Serafina e tutta la famiglia Gentileschi la venisse a cercare lassù per riportarla a casa.

Così raccolse il fagotto dei viveri e se lo legò sulla schiena. Prese il porcello sotto un braccio, lo scrigno sotto l'altro e uscì dalla cella. Salutò la Madre Portinaia che le aprì il portone con un grande tintinnare di chiavi, e si avviò verso il bosco. Perché proprio il bosco? Semplicemente perché era la direzione opposta a quella del paese e della casa del mercante.

Si era inoltrata fra gli alberi da pochi minuti, quando udì il suono di un tamburello. Una musica ritmata, che faceva venir voglia di ballare. Il porcello cominciò ad agitarsi, divincolandosi per scendere a terra, Polissena lo tenne stretto: non voleva che si perdesse. Ma incuriosita si diresse verso la radura da cui proveniva la musica. Aveva deciso di essere prudente e non voleva mostrarsi per

prima, quindi si fermò dietro un cespuglio di noccioli, torcendo il collo per guardare, visto che non poteva scostare le fronde con le mani.

Ma ciò che vide le fece abbandonare ogni timore.

— Lucrezia! — gridò. — La Lucrezia del Giraldi! — E, lasciata perdere ogni cautela, venne allo scoperto.

La sua doveva essere una ben strana apparizione, perché la bambina bionda che stava suonando il tamburello per far ballare un giovane orso, attorniata da un gruppo d'altri animali che assistevano silenziosi, si immobilizzò con lo strumento per aria e la guardò a bocca spalancata, come se non fosse lei stessa con i suoi compagni uno spettacolo insolito, ma Polissena.

— Siete proprio voi? — balbettò dopo un attimo, inchinandosi in un saluto deferente. — Voi, la sorella maggiore della signora Ippolita? La figlia di messer Gentileschi, che Dominedio lo benedica…

— Non è più il caso che mi chiami signora — disse Polissena — perché messer Gentileschi non è mio padre. Forse più avanti scoprirò che sono una principessa, e in quel caso mi chiamerai "Altezza Reale". Ma per ora sono soltanto una trovatella.

A questa notizia la biondina spalancò la bocca ancora di più.

— Una trovatella?!

Polissena le spiegò brevemente la situazione. — E adesso non so più di chi sono figlia — concluse. — Mi sono messa in viaggio per scoprirlo.

— Da che parte siete… da che parte sei diretta? — chiese l'altra, adeguando subito il linguaggio alla nuova condizione sociale di Polissena. — Forse possiamo fare la strada insieme.

Il cane Sanbernardo a quel punto latrò per attirare la sua attenzione.

— Sì, hai ragione, povero Ramiro. È l'ora di pranzo — esclamò Lucrezia. — Ma non ho niente da darti. Se voi cani foste vegetariani, potresti arrangiarti con un po' di foglie e di bacche come l'orso e le scimmie. E se il vecchio ti avesse tenuto in allenamento come cacciatore, potresti acchiappare un topo selvatico. Ma tu sei abituato a mangiare zuppa di pane e carne arrosto, e non ne avremo fino al prossimo spettacolo.

Il cane a quel punto piegò le orecchie rassegnato. Polissena, guardandosi attorno, si rese conto che dalla piccola compagnia girovaga mancava qualcuno.

— Dov'è il vecchio Giraldi? — chiese.

— È morto. La settimana scorsa — rispose Lucrezia tranquillamente. — È caduto dalla cima di un campanile, sulla quale si era arrampicato per una stupida sfida tra ubriachi. Si è spaccato la testa, e il parroco di Pontelucar è stato così generoso da lasciarlo seppellire nel suo cimitero. Il buon prete aveva anche trovato una vedova disposta ad accogliermi a casa sua come sguattera. Ma cosa ne sarebbe stato dei miei animali?

— Non dirmi che hai intenzione di continuare gli spettacoli da sola! — esclamò incredula Polissena.

— Non sono sola. Siamo in sei: il cane, l'orso, l'oca, la bertuccia, lo scimpanzé e io. La Compagnia Giraldi con i suoi Animali Acrobatici al gran completo.

— Ma come farete senza il vecchio?

— Pfff! Negli ultimi tempi quell'ubriacone non recitava più. Non faceva altro che incassare i soldi per berseli all'osteria. Staremo molto meglio senza di lui.

Polissena era scandalizzata dalla freddezza, dalla mancanza di emozione, dalla soddisfazione quasi con cui l'altra parlava della morte del nonno. Una bambina così piccola, e già così cinica!

Era pur vero che il vecchio Giraldi la picchiava spesso, la insultava e la lasciava a digiuno come faceva con gli animali. Lo sapevano tutti, nella contea di Cepaluna, ma nessuno osava intervenire, sia perché molti ritenevano che probabilmente la bambina quelle punizioni se l'era meritate, sia perché il vecchio era violento e collerico anche con gli estranei, e minacciava di aizzare il cane e l'orso contro chiunque si impicciasse di quelli che definiva i suoi "affari di famiglia".

Solo del mercante Gentileschi aveva un po' di soggezione, e solo da lui si lasciava rimproverare per il modo in cui maltrattava Lucrezia. Tutti credevano che la bambina fosse sua nipote, ma non era così.

— Adesso che lui è morto e non può minacciare di farmi rinchiudere in un ospizio, posso dire la verità — spiegò a Polissena la piccola girovaga.

Lei non era una trovatella, ma soltanto un'orfana, figlia di due poverissimi braccianti di Paludis, morti di peste durante un'epidemia che aveva spopolato quel villaggio. Solo Lucrezia era sopravvissuta e il vecchio Giraldi, che una volta all'anno portava il suo spettacolo da quelle parti, l'aveva trovata giusto in tempo prima che morisse di fame e l'aveva presa con sé. Questo era successo molti anni prima. Adesso Lucrezia doveva avere più o meno nove anni – «Come la signora Ippolita» – e per guadagnarsi il pane aveva dovuto imparare a fare l'acrobata, a eseguire numeri comici con gli animali, a leggere la ventura nel palmo della mano, e molte altre cose che riempivano d'ammirazione le tre sorelle Gentileschi e gli altri ragazzini di Cepaluna, quando la Compagnia Giraldi arrivava a dare spettacolo in quella città.

CAPITOLO SECONDO

Da quando Polissena aveva memoria, tutti gli anni il vecchio e la bambina con i loro animali arrivavano a Cepaluna alla vigilia di Pasqua e si fermavano una decina di giorni, dando spettacolo tutte le sere nella piazza del Municipio.

Dormivano sotto il portico della chiesa, ma se la stagione era ancora fredda, Vieri Gentileschi li invitava ad alloggiare nel magazzino delle merci e dei carri, al piano terreno della sua casa, e faceva portar loro ogni sera una zuppa calda e del pane. La vecchia Agnese tutte le volte che doveva preparare il vassoio per loro brontolava: — Il padrone si fida troppo! Lasciarli soli di notte in mezzo a tutte le mercanzie! Senza neppure chiuderli dentro a chiave! E se facessero sparire qualche sacco di farina, oppure qualche balla di seta?

Non accettava d'essere rassicurata dagli altri domestici che, come i padroni, avevano fiducia nell'onestà dei due saltimbanchi. — Anche perché se si sapesse in giro che rubano, le autorità non gli permetterebbero più di dare spettacolo nelle nostre piazze.

Agnese ribatteva in tono lugubre: — Una di queste mattine le autorità ci troveranno tutti sgozzati nei nostri letti!

Il fatto è che non le piacevano i girovaghi. Non le piaceva la gente dalla parlantina troppo sciolta. E soprattutto non le piaceva che le due bambine più piccole cercassero continuamente di sfuggire alla sua sorveglianza per scendere nel magazzino ad accarezzare quegli strani animali, anche se erano tutti ammaestrati e docilissimi agli ordini del padrone e della sua piccola assistente.

— Ma ciò non toglie che siano pieni di pulci e di pidocchi! — brontolava Agnese, e alla sera pettinava a lungo Ippolita e Petronilla col pettine fino bagnato nell'aceto caldo, e bruciava accanto ai loro vestiti certe erbe il cui fumo avrebbe dovuto allontanare le odiate bestioline.

Solo Polissena, a causa delle lezioni che – a differenza delle sorelle – la impegnavano tutto il giorno, non aveva frequentato il magazzino e non aveva stretto amicizia con Lucrezia e con gli animali. Ma l'aveva ammirata in piazza, tornando più volte a vedere lo spettacolo e invidiando la sua agilità e la sua sicurezza negli esercizi più complicati e pericolosi.

Ora le venne in mente che di certo Serafina stava pensando a Lucre-

zia quando le aveva detto: «Nessuna ragazza di buona famiglia mostrerebbe le gambe a tutti come la figlia d'un
saltimbanco.»

Quando lo aveva detto? Soltanto ieri? A Polissena pareva che fosse passata una vita intera.

Lucrezia intanto guardava molto interessata il porcello.

— Che cosa sa fare?

— Che cosa vuoi che sappia fare? Mangia, dorme, strilla e pesa come un macigno! — sbuffò Polissena, che non
ne poteva più di portarlo in braccio.

— Non sa camminare?

— Sì. Ma ho paura che scappi.

— Che stupidaggini! Un animale ammaestrato non
scappa mai.

— Ma questo non è un animale ammaestrato.

— E allora perché te lo porti in giro come se fosse un
bambino?

— Me l'ha regalato ieri la Madre Superiora di Betlemme. Mi ha detto di venderlo alla prima fattoria che incontro.

— Vendilo a me. È quello che mi ci vuole per rendere
più divertente il numero del salotto. Sarà facilissimo in-
segnargli la parte. I maiali sono bestie molto intelligenti,
sai?

Polissena annuì compiaciuta, come se fosse merito suo.

— Dammelo — chiese Lucrezia tendendole le mani.
L'altra glielo cedette con sollievo.

— Amici! — gridò la piccola girovaga mostrando il porcello ai suoi animali. — Vi presento un nuovo compagno
di lavoro. Trattatelo bene, mi raccomando. Dategli il buon
esempio.

Quelli la guardavano attenti, gli occhi nei suoi occhi,
aspettando la prossima mossa.

— Lancillotto, lo affido a te! — gridò Lucrezia. E lanciò il porcello allo scimpanzé, che scattò in avanti e lo prese al volo come una palla. La bertuccia si coprì gli occhi con una mano e si mise a squittire delusa.

— Ma Casilda, tesoro, sii ragionevole! — disse con voce dolce la padroncina. — Non puoi fare da bambinaia a un porcello che è grosso il doppio di te. Su, vieni a darmi un bacio!

La scimmietta le saltò al collo e cominciò a farle cento moine, mentre Lancillotto, con aria d'importanza, porgeva il porcello al cane, all'orso e all'oca, perché lo annusassero a loro gradimento.

— Hai visto? — disse Lucrezia a Polissena. — È già uno dei nostri!

— Quanto me lo paghi? — chiese Polissena che, da brava figlia (anzi, ex figlia) di mercante, non aveva dimenticato l'affare. L'altra scoppiò a ridere.

— Non ho un soldo in tasca. Ho speso tutto per la bara del vecchio. Ti darò… Diciamo che ti darò trenta fiorini, ma solo tra dieci spettacoli.

— Non posso aspettare tanto! Io devo proseguire subito il mio viaggio — protestò Polissena.

— E allora? Cosa cambia? Ti ho già detto che faremo la stessa strada.

— Tu da che parte vai? — chiese Polissena sospettosa.

— E tu?

A Polissena seccava moltissimo confessare che non aveva alcuna idea sulla direzione da prendere. Perciò accennò vagamente con la mano verso la montagna.

— Farà freddo da quelle parti — osservò Lucrezia. — Quel grazioso vestito di seta non mi sembra molto adatto. Non hai niente di più pesante da metterti? Altrimenti ti buscherai un bel raffreddore.

"Ma guarda se devo lasciarmi fare la predica da una mocciosa che mi arriva a malapena all'orecchio!" pensò Polissena indispettita. Ma aprì lo scrigno per toglierne la coperta a righe e avvolgersela attorno alle spalle.

— Cos'hai là dentro? — chiese Lucrezia, avvicinandosi a guardare, curiosa come una gazza.

Polissena indietreggiò per proteggere il suo tesoro, ma lo scrigno le cadde di mano e il suo contenuto si rovesciò sull'erba.

— Oh! Guarda! — esclamò Lucrezia sorpresa. — Un pesciolino di corallo uguale al mio!

Tutta eccitata sfilò dalla scollatura dell'abito un laccio di cuoio da cui pendevano vari ciondoli, fra i quali un piccolo pesce rosso identico a quello caduto dallo scrigno.

P olissena impallidì. Il cuore le batteva nel petto come un tamburo. — Chi te lo ha dato? — chiese con un filo di voce. Nel suo cervello le congetture si avvicendavano velocissime. Sta' a vedere che la piccola girovaga aveva ricevuto quel ciondolo dai genitori. Sta' a vedere che era sua sorella. Sta' a vedere che anche lei, Polissena, non che di principi, era figlia, anzi orfana, di due poveracci di Paludis morti di peste tanti anni prima.

— Chi te lo ha dato? — ripeté, timorosa della risposta.

— L'ho avuto da un pescatore di Tempestàl, l'anno scorso — rispose la biondina. — È venuto a vedere lo spettacolo con i suoi bambini e quando Casilda ha fatto il giro col berretto, ci ha lasciato cadere dentro questo pesciolino. Evidentemente non aveva denaro con sé. — Carezzò il ciondolo con la punta delle dita. — Il vecchio non ha protestato, anzi, ha detto ch'era un oggetto molto prezioso, un'opera d'arte, e che a venderlo c'era da ricavarne dei bei quattrini. Ma io volevo tenerlo per me, perché mi piaceva moltissimo. Così l'ho nascosto in un buco del muro e al vecchio ho detto che la scimmia piccola me lo aveva preso mentre lo guardavo, e per dispetto l'aveva gettato in mare. Il vecchio era furioso. Mi ha picchiato col bastone, mi ha frustato e mi ha lasciato tre giorni a digiuno. Io strillavo, naturalmente, ma dentro di me ero felice. Non mi sembrava di pagare un prezzo troppo alto per la soddisfazione di avere ottenuto quello che volevo e di aver imbrogliato il vecchio. Mi dispiaceva solo per la povera Casilda, che si è presa anche lei una bella dose di frustate. Le ho chiesto scusa e per consolarla le ho dato tanti baci. Le ho spiegato che il pesciolino mi piaceva troppo. Sono certa che mi ha perdonato. E adesso il pesciolino è mio. Guarda quanto è bello!

"Un oggetto prezioso… un'opera d'arte…" pensava freneticamente Polissena. — Il pescatore non ti ha detto dove lo aveva trovato? Da chi lo aveva ricevuto?

— No — rispose Lucrezia. — Però sono sicura che, chiunque sia l'artista che lo ha fatto, è lo stesso che ha fatto anche il tuo.

— Come fai a esserne così sicura?

L'altra prese i due ciondoli e li mise l'uno accanto all'altro sul palmo della mano. — Guarda! Prima di tutto il colore e la qualità del corallo. Sono identici. Si direbbe che provengano dallo stesso ramo. Poi osserva il tipo di lavorazione, la delicatezza con cui sono scolpite le pinne, la curva della coda. Gli occhi sono stati incisi dallo stesso punteruolo, e queste due piccole scaglie sulla fronte sono come la firma dell'artista.

Fra le tante mercanzie Vieri Gentileschi importava dalle varie parti del mondo anche gioielli, avori scolpiti, cammei, sigilli fatti con pietre dure, e Polissena aveva imparato a distinguere e ad apprezzare le particolarità della lavorazione.

— È proprio vero. Si tratta della stessa mano — ammise, meravigliata che anche la piccola girovaga avesse un occhio così esperto.

Quello che non riusciva a capire era come mai il pescatore avesse dato un oggetto così raro e prezioso come elemosina a una compagnia di saltimbanchi straccioni.

Comunque adesso sapeva quale sarebbe stata la prima tappa del suo viaggio.

— Hai detto che quel pescatore vive a Tempestàl. Saresti in grado di insegnarmi la strada?

— Non c'è bisogno che te la insegni. Ti ci accompagnerò io. Quante volte devo ripeterti che faremo il viaggio insieme?

Messa alle strette Lucrezia confessò che, al momento dell'arrivo di Polissena, neppure lei aveva ancora deciso da che parte dirigersi. Dopo aver seppellito il vecchio era venuta a rifugiarsi in quella radura tranquilla, dove aveva fatto tappa molte volte con Giraldi, per riflettere con calma sul da farsi.

Non che avesse paura di andarsene in giro da sola con gli animali. Quale brigante di strada avrebbe osato attaccare una comitiva di cui facevano parte un cane enorme come Ramiro e addirittura un orso? La regione poi la conosceva palmo a palmo: strade e sentieri, campagne, fiumi e ponti, spiagge di sabbia e scogliere, pianure e colline, fattorie isolate, villaggi e paesi. L'aveva girata in lungo e in largo col vecchio per tanti anni. Conosceva tutti i suoi abitanti, uno per uno, e tutti la conoscevano.

Ma proprio questo la faceva esitare nella scelta di un itinerario per il suo giro di spettacoli. C'era il rischio che qualche aspirante benefattore, adesso che non c'era più da temere la collera del vecchio, fosse colto da un attacco di compassione nei suoi riguardi – povera piccola orfana rimasta sola al mondo! – e decidesse di impicciarsi nei suoi affari, magari togliendole gli animali e chiudendola in un ricovero o in un ospizio di povertà.

L'arrivo di Polissena e il suo racconto le avevano suggerito una soluzione che poteva riuscire utilissima a entrambe.

Lucrezia sapeva di essere piccola per la sua età, e di avere un aspetto gracile e malaticcio, nonostante la pratica degli esercizi d'acrobazia avesse reso il suo corpo forte e muscoloso. Chiunque, guardandola al di fuori di uno spettacolo, l'avrebbe giudicata fragile e indifesa, bisognosa della protezione di un adulto. E non importa se di un adulto violento e crudele come Giraldi!

Era necessario dunque che viaggiasse in compagnia. Polissena era alta per la sua età, poteva dimostrare anche quattordici anni. E comunque sarebbero state in due. Lucrezia era sicura che vedendola accompagnata, la gente si sarebbe sentita la coscienza a posto e l'avrebbe lasciata in pace, come prima della morte del vecchio.

— Per me è indifferente andare da una parte piuttosto che da un'altra — conclude. — Il nostro spettacolo ha successo dovunque. Viaggeremo insieme e faremo la strada che di volta in volta sarà necessario per seguire le tracce dei tuoi veri genitori. Io ti aiuterò nella ricerca. Conosco tutti, e tutti sanno che sono una chiacchierona. Mi sarà più facile che a te fare domande senza destare sospetti.

— Mi sembra una buona idea — approvò Polissena.

Lucrezia le andò vicino e cominciò a osservarla con grande attenzione. — Naturalmente dovrai fingere d'essere anche tu un'artista. Mi toccherà insegnarti qualcosa di semplice. — Si mise a ridere. — Adesso ho due nuovi allievi da addestrare: te e il porcello. Chissà quale di voi due imparerà più facilmente!

— Non c'è bisogno che mi insegni niente — protestò risentita Polissena. — So ballare e cantare, e suonare il violino. So camminare in equilibrio su una staccionata. So arrampicarmi dovunque…

— Davvero? Fammi un po' vedere… — cominciò Lucrezia. — No, aspetta. Prima è meglio che ti cambi. Non vorrai metterti a fare le tue acrobazie con quell'abitino di seta tutto gale e fronzoli!

— Ma non ho altro!

— Non preoccuparti. La Compagnia Giraldi dispone di un ricchissimo guardaroba.

Lucrezia guidò Polissena verso il carretto che, durante gli spostamenti del gruppo, veniva tirato da Ramiro. Era un vecchio carretto del latte, a due ruote, munito di stanghe. Giraldi lo aveva dipinto a colori vivaci e aveva cucito ai finimenti una fila di campanelli dal suono argentino.

Non era adatto a trasportare persone, ma solo la scimmia più piccola e l'oca, quando erano stanche, oltre a un grande cesto di vimini che conteneva tutta l'attrezzatura teatrale della compagnia. Vestiti, parrucche, strumenti musicali, il cerchio di fuoco, i trampoli, la fune d'equilibrio e altri vari ammennicoli, oltre ai due piatti e ai bicchieri di latta dove mangiavano e bevevano il capocomico e la sua piccola assistente.

La vista di quelle povere suppellettili fece avvampare Polissena di vergogna. — Io non ho fame — confessò avvilita. — È da ieri che non riesco a inghiottire niente. Ma tu, forse... — E posò a terra, davanti a Lucrezia, il fagotto con i viveri che le avevano dato al convento. Lo svolse. C'erano uova sode e formaggio, un salame, cipolle, mele, noci, una grossa pagnotta e, in un cartoccetto di carta velina, dodici ciambelle di riso dolce, zenzero e canditi, specialità delle monache di Betlemme.

Suor Zelinda aveva calcolato che le provviste dovessero bastarle con abbondanza per una settimana.

Alla vista di tanto ben di Dio Lucrezia impallidì sotto l'abbronzatura. La bocca le si riempì di saliva e lo stomaco le dette un guizzo. Ma non dimenticò che si era ripromessa d'essere un capocomico migliore del vecchio Giraldi.

Chiamò dunque il cane e affettò per lui mezza pagnotta, del salame e un po' di formaggio.

— Voi avete già mangiato! — disse severa agli altri ani-

mali che le si stringevano attorno. Ma si lasciò commuovere dai loro occhi imploranti e dette una mela per ciascuno all'orso e alle due scimmie. Per l'oca schiacciò due noci.

Polissena guardava preoccupata l'esaurirsi delle provviste. Meno male che il porcello era sazio, altrimenti quella incosciente gli avrebbe magari offerto una preziosissima ciambella.

Finalmente Lucrezia sedette su un masso e cominciò a mangiare. Mangiò tutto quello che era rimasto nel tovagliolo, senza lasciare una briciola. Poi si batté soddisfatta le mani sullo stomaco.

"Come si vede che sei solo una comunissima orfana contadina e non un'aristocratica trovatella alla ricerca dei suoi nobili genitori!" pensò a quella vista Polissena, ma per riguardo verso la povera Lucrezia, che non aveva colpa delle sue umili origini, si morsicò la lingua e non lo disse.

Capitolo quinto

Saziata la fame, Lucrezia si alzò e batté le mani per richiamare l'attenzione degli animali.

— Scusaci, ma adesso noi dobbiamo lavorare — spiegò a Polissena. — Che si faccia spettacolo oppure no, bisogna che ogni giorno ci esercitiamo almeno un paio d'ore per restare in allenamento.

Polissena aveva già visto molte volte la Compagnia Giraldi al lavoro e conosceva le abilità speciali di ciascun "artista". Ma non immaginava che quelle acrobazie, quelle capriole, quei volteggi che apparivano al pubblico così facili e spontanei, così leggeri, liberi e privi di sforzo, fossero invece il risultato di un esercizio così duro.

Aiutata dalle due scimmie, Lucrezia aveva teso una fune attraverso la radura, a circa tre metri dal suolo, legandone saldamente l'estremità ai rami di due alberi robusti.

Tranne il cane, tutti gli altri artisti camminavano in equilibrio su questa corda. L'orso e lo scimpanzé avanzavano a fatica, fingendo continuamente di inciampare, e agitavano per aria un inutile, microscopico ombrellino di pizzo bianco.

Ma poi Lancillotto si fermava a un'estremità della corda e cominciava ad agitare per aria un tamburello. Allora Dimitri si scatenava in una danza sfrenata da cosacco, senza mai vacillare o mancare la presa con le zampe inferiori. Non contento, chiedeva con gesti eloquenti allo scimpanzé che gli portasse su il monociclo. Lo inforcava e si metteva a pedalare velocemente, percorrendo la fune avanti e indietro come se fosse su una pista larga, piana e senza ostacoli.

Poi toccava all'oca, che veniva gettata in alto da Lucrezia e atterrava sul filo come un uccello in volo. Vacillando sulle zampe palmate, camminava a saltelli, sbattendo le ali e facendo un grande strepito. Poi si chinava, stringeva la fune col becco e si lasciava andare nel vuoto, dondolando come una camicia stesa ad asciugare.

La scimmia Casilda e Lucrezia si esibivano insieme. Anche loro attraversavano la corda da un capo all'altro, ma camminando sulle mani. Lucrezia sforbiciava le gambe per aria. Casilda salutava il pubblico con le estremità inferiori e agitava in alto la coda guarnita all'estremità da un nastro rosa.

Dopo di che, imitata dalla bertuccia, Lucrezia cominciava a volteggiare attorno alla corda tenendosi con una sola mano. Si bloccava all'improvviso e con uno slancio si metteva a sedere sulla corda, dondolandosi come su un'altalena. Si gettava all'indietro e solo all'ultimo istante incrociava le caviglie, stringendo la fune e restando appesa a testa in giù. Tornava in piedi sulla fune e, come una molla, scattava verso l'alto, eseguiva una capriola, e riatterrava sulla base sottilissima in perfetto equilibrio.

Polissena la contemplava a bocca aperta. Anche senza il grazioso costume che indossava per gli spettacoli, la piccola girovaga in quell'esercizio aveva la grazia di una farfalla, di un uccellino del paradiso... Sembrava senza peso, e quasi bella, nonostante la calzamaglia lacera, il visetto sporco, i capelli arruffati.

Ippolita, in polemica con Agnese che la definiva «quella piccola scimmia mocciosa», aveva sempre sostenuto che la sua amica Lucrezia era molto bella. — Bellezza rara — affermava. — Capelli biondi e occhi neri. — Ma il resto della famiglia non era d'accordo con lei, anche se nessuno poteva negare che col costume da scena di seta lucente, decorato sulle spalle da due piccole ali di garza, la piccola girovaga faceva il suo effetto sugli spettatori.

Il cane Ramiro, a differenza degli altri animali, non era un acrobata. E come avrebbe potuto, con quella mole, e quei movimenti lenti e gravi? Ma sapeva leggere, scrivere e contare.

Naturalmente, mancando di voce, la capacità di lettura la dimostrava eseguendo qualsiasi ordine che venisse scritto a stampatello su una piccola lavagna da uno spettatore scelto a caso tra il pubblico. Scriveva sotto dettatura, componendo le parole con delle tessere di legno colorato su cui erano dipinte le lettere dell'alfabeto. Quanto al contare, Lucrezia gli chiedeva a gran voce: — Ramiro, quanto fa sette per otto? — Oppure: — Centootto diviso dodici?

Anche il pubblico poteva fare domande di questo genere. Il cane piegava la testa pensoso per un attimo, poi cominciava ad abbaiare: — Bu! Bu! Bu! — fino a raggiungere il numero richiesto. E non sbagliava mai.

Inoltre era capace di esprimere, a comando, tutti i sentimenti, con una buffissima mimica facciale.

Lancillotto, lo scimpanzé, era capace di suonare il violino, i tamburelli, la fisarmonica e il flauto. Sapeva anche fare la calza, sia con le due mani superiori che con quelle inferiori. Sapeva fare il doppio salto mortale. Era lui che a turno con l'orso reggeva per il manico, sollevandolo da terra secondo la necessità, il cerchio di fuoco attraverso il quale tutti gli altri si slanciavano arditamente con mille capriole, compresa l'oca Apollonia.

Fin da quel primo giorno Lucrezia volle insegnare questo esercizio anche al porcello. — Bisognerà dargli un nome — osservò rivolta a Polissena. — Come ti piacerebbe chiamarlo?

L'altra ci pensò un attimo. Le sembrava di essere troppo cresciuta per questi giochi. In casa Gentileschi era Petronilla quella che trattava i cuccioli e gli animali in genere come giocattoli.

— Se dovrà recitare, gli servirà un nome d'arte — insistette Lucrezia.

Allora Polissena si sforzò di pensare, e le venne in mente il protagonista di un romanzo molto caro a sua madre. Anzi, alla signora Ginevra Gentileschi. — Biancofiore! — disse.

— Perfetto — approvò Lucrezia. — Senti un po' — aggiunse — visto che ci siamo messe in società, è inutile che tu me lo venda. Ne ricaveresti un po' di denaro, è vero. Ma non si dà via un amico per denaro.

— E come farò a comprarmi da mangiare? — chiese Polissena, ricordando l'intenzione con cui l'animale le era stato regalato dalla Madre Superiora.

— Lavorando, tu e il tuo amico. Quando un artista entra a far parte di una compagnia, è il capocomico che provvede a tutti i suoi bisogni. Pensi che io sia troppo giovane per essere un buon capocomico?

— No. Penso che io non riuscirò mai a diventare brava come voialtri. Non imparerò mai esercizi così difficili…

— Prima hai detto che sapevi arrampicarti, e suonare, e ballare, e cantare… Potremmo fare dei duetti…

— Lucrezia… Ho paura che tu non stia facendo un buon affare a prendermi con te! — disse a quel punto Polissena con voce turbata. — È vero che so fare tutte quelle cose che ti ho detto. Non sono una bugiarda. Però ho paura che non avrò mai il coraggio di esibirmi in pubblico. Mi vergognerei troppo…

— Non c'è fretta — la tranquillizzò Lucrezia. — Per ora è sufficiente che reciti il porcello. Guadagnerà anche la tua parte. E poi, tu potresti aiutarmi come servo di scena. Potresti tenere pronti gli oggetti che ci servono. Potresti tenere in ordine i costumi...

— Sono molto brava a disegnare! — esclamò Polissena piena di sollievo. — Potrei dipingere un bel manifesto a colori da appendere in piazza per avvertire la popolazione che la Compagnia Giraldi è arrivata e che darà spettacolo.

— Magnifico! Hai visto che non ho fatto un cattivo affare ad assumerti? — rise Lucrezia.

Era già tardi. Prima che scendesse il buio, avevano appena il tempo di provare la scena del salotto.

Si trattava di un buffa pantomima. Una recita senza parole. L'effetto comico nasceva soprattutto dal travestimento degli attori. Dimitri impersonava un ricco generale che aspettava impaziente nel suo salotto l'arrivo di due nipoti, due signore, per decidere quale delle due lasciare erede del suo patrimonio. Il notaio, impersonato da Apollonia, era già pronto vicino al tavolo col rotolo di pergamena per scrivere il testamento.

Ed ecco arrivare le due nipoti: Ramiro, avvolto in uno scialle e con una severa cuffia da vedova sulla testa, e Lancillotto, elegantissimo in un abito scollato con lo strascico, collana di perle, parrucca di boccoli neri.

Entrambe le aspiranti eredi avevano con sé un figlioletto e ognuna lo stuzzicava perché facesse mille moine allo zio generale. Ma Casilda, vestita con un abitino da neonato di broccato rosa tutto a sbuffi, rovesciava la teiera sulla testa del vecchio, lo picchiava col cucchiaio, rispondeva ai suoi vezzeggiamenti con delle pernacchie e per finire, strappava dal tavolo la tovaglia mandando tutto il servizio da tè a fracassarsi per terra. Durante queste prodezze, la madre-Lancillotto, prima cercava di frenarla, poi

levava disperata le braccia al cielo, infine si accasciava svenuta sulla poltrona.

La vedova-Ramiro nel frattempo gongolava, sicura che l'eredità sarebbe toccata a lei. Ma quando lo zio generale prendeva in braccio il lattante Biancofiore, presentatogli su un bel portenfant di mussola bianca, il piccino gli faceva la pipì sull'uniforme gallonata, poi gli sfuggiva di mano e gli correva fra i piedi facendolo inciampare e cadere così malamente da rompersi una gamba. La povera madre si copriva il muso con le zampe per non assistere a tanto scempio.

Alla fine il generale, furibondo, cacciava nipoti e pronipoti e nominava erede la camerierina Lucrezia, che con crestina e grembiule, silenziosissima, per tutta la scena non aveva smesso per un attimo di affaccendarsi, introducendo gli ospiti, servendo il tè, spazzando i cocci, spazzolando l'uniforme del generale, bendandogli la gamba fratturata.

— Come vedi, non è una gran storia — commentò Lucrezia quando ebbe finito di provare. — Ma la gente si diverte a vedere gli animali vestiti da uomini. Si diverte a vedere l'avidità delle due signore punita, l'orgoglioso generale messo in ridicolo e la povera, umile cameriera, premiata e destinata a trasformarsi in una gran signora. Non la rappresentiamo tutte le sere, per non sciupare i costumi. E soprattutto non quando tra il pubblico c'è qualche generale, o qualche signora elegante che potrebbero offendersi. È la nostra risorsa d'emergenza quando vediamo che la gente è depressa per una carestia, o per qualche altro guaio. Giraldi diceva che proprio in quelle circostanze la gente ha una gran voglia di ridere. E aveva ragione.

Il vecchio aveva insegnato a Lucrezia molte altre cose sulla psicologia del pubblico, molti trucchi e segreti del mestiere. Le aveva anche insegnato a leggere, scrivere e far di conto. E Lucrezia aveva imparato così bene che, qualche volta, nei paesi che attraversavano, questo o quell'agricoltore la chiamava per controllare la contabilità della fattoria, oppure la pregava di scrivere una lettera al figlio soldato o alla ragazza cui voleva dichiarare il suo amore.

— Il vecchio mi diceva sempre che se un giorno fossi rimasta senza altra risorsa, potevo guadagnarmi da vivere facendo lo scrivano pubblico.

Polissena era piena di meraviglia. Fino ad allora aveva sempre pensato che solo in una casa signorile, con insegnanti diplomati, e tanti libri, e una madre che ti sta addosso per controllare se hai studiato la lezione, ci si potesse fare una cultura. E le sembrava che in fondo il vecchio Giraldi non fosse poi stato così crudele con Lucrezia, se le aveva insegnato tutte quelle cose.

— Lo ha fatto perché ne avrebbe ricavato lui stesso un vantaggio — disse però Lucrezia. — E perché nelle lunghe soste invernali si annoiava. E comunque mi picchiava troppo spesso e troppo forte perché io possa essergli riconoscente di qualcosa.

PARTE TERZA

A TEMPESTÀL

CAPITOLO PRIMO

Ci misero sei giorni per arrivare a Tempestàl. Lungo il cammino le previsioni di Lucrezia si rivelarono esatte: dovunque si fermasse la Compagnia Giraldi veniva accolta con entusiasmo dalla gente del posto e lo spettacolo otteneva sempre un grande successo. Fin dalla prima sera Casilda riportò dal suo giro tra il pubblico un berretto pieno zeppo di monete e Polissena, a cui era tornato l'appetito, smise di preoccuparsi a proposito di ciò che avrebbero mangiato l'indomani.

Il suo bell'abito di seta era stato riposto nel canestro di vimini. — È giusto della misura di Lancillotto — aveva osservato Lucrezia. — Penserò a una scena in cui possa utilizzarlo. Sarà ridicolissimo.

Per Polissena aveva scovato fra i costumi del canestro un abito da contadina, col cappello e lo scialle intonati, e con i primi guadagni le aveva comprato un paio di zoccoli. Nessuno avrebbe più riconosciuto in quella contadinella bruna l'elegante figlia primogenita di messer Vieri Gentileschi.

Biancofiore partecipava tutte le sere allo spettacolo con gli altri animali, e diventava ogni volta più bravo. Durante gli spostamenti trotterellava volenteroso assieme agli altri nella polvere della strada, e solo quando era molto stanco si lamentava per essere preso in braccio.

Di giorno Polissena lasciava il suo scrigno nel canestro di vimini sul carretto. Ma ogni notte, prima di addormentarsi, lo andava a prendere, lo apriva e considerava pensierosa gli oggetti che c'erano dentro. Sarebbe mai riuscita, grazie a loro, a scoprire chi erano i suoi veri genitori?

A quelli "falsi", alla famiglia Gentileschi, non poteva fare a meno di pensare, nonostante avesse deciso di dimenticarli. Però, soprattutto dopo il tramonto, l'assaliva una fortissima nostalgia della bella Ginevra, che aveva chiamato mamma per dieci anni, di Ippolita e Petronilla, con le quali aveva condiviso giocattoli e lezioni, pianti e risate, malattie infantili e marachelle, baci, morsi, e il sonno abbracciate nel grande letto comune. Nostalgia del mercante, di Agnese, della casa, delle sue stanze, del letto a colonne dei genitori, della cucina, del grande camino, dei magazzini pieni di merci. Provava nostalgia anche di Cepaluna, delle sue strade, della piazza con la fontana, dei giardini, della gente.

Per non mettersi a piangere si costringeva a pensare: "Non era la mia vera famiglia. Non era la mia città natale, non era la mia gente. Vivevo tra loro per sbaglio. Ero un'estranea, come un cuculo in un nido di cardellini." Però non poteva fare a meno di chiedersi quale fosse stata la loro reazione alla sua scomparsa. Agnese e le due bambine avevano raccontato il motivo per cui era fuggita? Qualcuno era partito per cercarla? Qualcuno era andato a rimproverare Serafina?

La mattina a colazione, sedendosi accanto al suo posto

vuoto, Petronilla piangeva? La mam..., la moglie del mercante si pentiva di tutte le volte che l'aveva rimproverata o punita ingiustamente?

Da un lato desiderava che non si rassegnassero così facilmente alla sua fuga. Pensava che se le volevano un po' di bene, dovevano muovere mare e terra per ritrovarla.

Dall'altro temeva di essere inseguita, oppure riconosciuta da qualcuno e denunciata. Voleva che la cercassero, e piangessero per lei. Ma non voleva rivederli, né tornare a casa loro. Mai più.

Quando furono in vista di Tempestàl, Lucrezia le indicò da lontano la casa del pescatore. Era una costruzione un po' discosta dalle altre, vecchia e rovinata, col tetto di alghe, circondata da un piccolo giardino separato dalla spiaggia da un muretto a secco. Dalla porta si vedevano entrare e uscire bambini e ragazzi di tutte le età.

— Cosa vuoi fare? — chiese Lucrezia. — Vuoi andare a parlare col pescatore mentre io ti aspetto qui?

— Preferirei che tu mi accompagnassi.

— Ma non possiamo fare irruzione in casa d'altri con tutti gli animali, né lasciarli qui da soli. Andiamo prima alla locanda del paese. Conosco un garzone molto gentile che me li custodirà nella stalla per tutto il tempo che ci serve.

Per accompagnare l'amica, Lucrezia, che viaggiava infagottata in una vecchia tunica da ragazzo, indossò anche lei un abito da contadina. Così sembravano due ragazzine assolutamente normali, anche perché Polissena aveva involto il suo scrigno nello scialle in modo che sembrasse un fagotto qualsiasi.

Arrivarono alla casa del pescatore, ma prima ancora d'aver aperto il cancello del giardino, furono circondate da un nugolo di bambinetti vocianti, sporchi, laceri, scalzi e spettinati.

— Dov'è vostro padre? — chiese Lucrezia, che aveva
riconosciuto il suo pubblico dell'anno prima.

— È in fondo al mare — disse il più piccolo.

Il cuore di Polissena mancò un battito.

$\mathbf{A}$nnegato? E adesso chi l'avrebbe aiutata a svelare il mistero della sua nascita? Aveva fatto tanta strada per niente?

— Dovrebbe tornare prima del buio — la rassicurò immediatamente un secondo marmocchio. — È andato al largo con la sua barca, a pescare qualche ramo di corallo.

— Si tuffa e nuota verso il fondo — spiegò un terzo ragazzino — sempre più in fondo, perché è là che cresce il corallo più bello.

— Credevo che fosse un pescatore di pesci — disse Polissena.

— Di pesci, di ostriche, di perle, di relitti di naufragi... di tutto quello che c'è dentro il mare — rispose un quarto ragazzo, forse il maggiore della nidiata.

— Aspetteremo che torni — disse calma Lucrezia, sedendosi sul muretto del giardino.

I bambini l'avevano riconosciuta come la spericolata

acrobata che l'anno prima li aveva mandati in visibilio, e la circondarono facendole mille domande sugli animali.

— Il cane grande si chiama Ramiro — rispondeva lei con pazienza. — La scimmietta si chiama Casilda e lo scimmione Lancillotto. L'oca che fa il salto mortale si chiama Apollonia. Fa anche l'uovo tutti i giorni. E se domani verrete allo spettacolo, troverete una sorpresa. Ho un nuovo animale: un orso che balla, va in bicicletta e cammina sul filo con un ombrellino. Si chiama Dimitri e sono sicura che vi piacerà moltissimo.

Polissena non diceva niente e stringeva le labbra guardando il mare con aria preoccupata.

Mentre parlavano, aveva cominciato a soffiare il vento. Prima dolcemente, scherzando con i ricci biondi di Lucrezia e con quelli arruffati dei bambini. Poi sempre più forte.

Improvvisamente il mare si gonfiò di onde coronate di schiuma. Il cielo si fece livido.

— Com'è che il babbo ancora non torna? — si chiese inquieto uno dei ragazzi più grandi.

Le porte e le finestre della casa cominciarono a sbattere. I rami degli alberi frustavano l'aria gemendo. Le onde si rompevano con fragore sugli scogli. Adesso tutti i bambini, e anche le due ospiti, guardavano il mare con apprensione.

Ed ecco apparire, lontano lontano, sulla cima d'un'onda, una piccola vela bianca.

— È il babbo! — strillò il più piccolo dei marmocchi. Ma tutti gli altri tacevano angosciati.

La vela saliva su una cresta di schiuma, poi si inabissava inghiottita da un cavallone... Riappariva, spariva, sembrava sul punto di rovesciarsi. Uno dei bambini cominciò a piangere.

— Cosa fate qua fuori? Perché nessuno è andato a chiudere le finestre? Non sentite come sbattono? — gridò all'improvviso un'aspra voce di donna alle spalle delle due amiche. — Tutti a casa. Immediatamente! E voi due, smorfiose, cosa fate sul nostro muretto? Tornatevene da dove siete venute!

Era la moglie del pescatore, la madre dei bambini, che tornava dalla campagna con al braccio un cesto pieno d'erba e di ortaggi.

— Vorremmo parlare con suo marito — disse gentilmente Lucrezia.

— Ah, quello! Chissà quando torna, lui e il suo corallo!

— Mamma, guarda! — strillò il maggiore dei figli tirandola per lo scialle e indicandole il mare. Adesso la barca si distingueva con chiarezza, e sulla barca una figurina umana che cercava disperatamente di governare la vela.

— Ogni volta ne inventa una nuova, quell'irresponsabile di vostro padre — disse la donna con dispetto rivolgendosi ai bambini. — Come se non avessi già abbastanza preoccupazioni da parte vostra. — Poi tornò a strillare con voce alta e acuta: — Tutti dentro casa, ho detto, se non volete assaggiare un'altra razione di frustate.

I bambini obbedirono immediatamente. La madre chiuse la porta col chiavistello e si rivolse a Lucrezia: — Si può sapere cosa vuoi da mio marito? — chiese con malgarbo. — Denaro? Ha fatto un debito col tuo padrone? Va' a riferire a quel vecchio avaro da parte mia che abbiamo troppe bocche da sfamare per permetterci il lusso di pagare i debiti.

Lucrezia si guardò bene dallo spiegare che Giraldi era morto e che adesso lei lavorava in proprio. — Vorremmo soltanto un'informazione — disse tranquilla.

— Be'! Non si può dire che siate venute nel momento più adatto — commentò sarcastica la donna accennando al mare.

La barca ormai era vicina alla costa, ma invece che verso la spiaggia, le onde la spingevano in direzione della scogliera.

"Andrà a sfracellarsi contro le rocce" pensava Polissena spaventata. Invece all'ultimo momento, con uno sforzo supremo, il pescatore riuscì a prendere il vento in modo che la piccola imbarcazione puntasse verso la striscia di sabbia.

— Ecco il nostro eroe che fa ritorno — commentò acida la donna.

La barca fu sollevata da un'onda altissima e poi scaraventata sulla spiaggia, capovolta, con l'albero spezzato. Il pescatore giaceva supino tra le alghe, con gli abiti fradici, le braccia aperte, e sembrava che avesse perso i sensi.

Lucrezia e Polissena si precipitarono a soccorrerlo, seguite dalla moglie che se la prendeva con calma.

Polissena gli asciugò l'acqua salata dal viso col suo fazzoletto. Lucrezia cominciò a tastargli delicatamente gambe e braccia per controllare che non avesse qualche frattura.

— La testa... ho male alla testa... un colpo fortissimo... l'albero si è spezzato e... — balbettò l'uomo con voce fioca. Poi si riscosse, lo sguardo gli tornò lucido. Fissò in viso Polissena che lo reggeva tenendogli un braccio attorno alle spalle. — Chi sei? — le chiese.

Per tutta risposta la ragazza gli mise davanti agli occhi il pesciolino di corallo.

— Dieci anni fa qualcuno lo ha messo tra le mie fasce. Delle strane fasce di lana grezza...

— Sono stato io... io ti ho portata al convento — disse il pescatore, lentamente, come cercando le parole una per una nella memoria.

— Chi aveva fatto il pesciolino? Chi ve lo aveva dato? — incalzò Polissena, vedendo che lo sguardo del pescatore tornava ad annebbiarsi. — Chi è mio padre? — gridò impaziente, scuotendolo senza riguardo.

— Io… — disse il pescatore in un soffio.

— Voi!?

— Nessuno mi ha dato il pesciolino — proseguì quello con l'ultimo fiato. — L'ho fatto io, per te. Per poterti riconoscere se… — chiuse gli occhi, reclinò la testa e Polissena sentì che il corpo fradicio e gelato diventava pesante come un macigno fra le sue braccia.

Anche lei si sentiva come se le avessero gettato addosso un secchio d'acqua fredda. Così la sua ricerca era finita quasi ancor prima di cominciare! Adesso anche lei era un'orfana, come Lucrezia, l'orfana di un pescatore così povero che non riusciva nemmeno a comprare le scarpe ai suoi bambini.

Scoppiò in singhiozzi disperata. Ma una mano la scosse rudemente per le spalle: — Vogliamo finirla con questi piagnistei? Sei davvero troppo sensibile, madamigella. Di cosa t'impicci? Cos'hai a che fare, tu con mio marito?

Polissena sentì che il sangue le si ghiacciava nelle vene. Non solo il povero morto era suo padre, ma quella megera spietata era sua madre, quei bambini cenciosi i suoi fratelli, quella sporca catapecchia era la sua casa.

— Allora, vuoi smetterla? Vuoi levarti dai piedi? Vuoi tornartene a casa tua, insieme a questa ficcanaso della tua compagna? — riprese aggressiva la donna, che evidentemente non aveva sentito le parole sussurrate dal marito prima di morire e che non sospettava niente.

"Io me ne scappo" pensò d'impulso Polissena. "Madre o non madre, io con lei non ci rimango."

Ma non aveva formulato completamente questo pensiero, che Lucrezia alzò il viso che aveva poggiato sul petto del pescatore e gridò: — Non è morto! Il cuore batte ancora. Presto, portiamolo in casa. Chiamate un medico.

I giorni passavano e il pescatore non riprendeva conoscenza. Stava sdraiato sul suo giaciglio, pallido, con gli occhi chiusi, come se dormisse, ma niente riusciva a svegliarlo. Né le medicine del dottore, né il rum caldo che la moglie cercava di fargli inghiottire forzandogli i denti, né il profumo aspro dei sali o dell'aceto che il figlio maggiore gli metteva sotto il naso, né il fracasso dei giochi dei bambini più piccoli, né le carezze e le attenzioni di Polissena.

Quando aveva scoperto che il padre era ancora vivo, la ragazzina non se l'era sentita di andare via. Le era mancato il cuore di abbandonarlo così debole, ammalato e indifeso nelle grinfie di quella megera egoista che purtroppo era sua madre. La donna non aveva mostrato alcun sollievo per la salvezza del marito. Sembrava piuttosto infastidita alla prospettiva di dover assistere un ammalato grave. — Ho ben altro da fare che restare accanto al suo letto ad asciugargli la bava! — diceva stizzita.

Perciò quando la ragazzina si era fatta avanti dicendo:
— Me ne occuperò io — invece di cacciarla, la donna le
aveva permesso di sistemarsi in un angolo della stanza
sporca e buia dove viveva tutta la famiglia. — Non riesco
proprio a capire perché tu lo faccia — era stato il suo commento. — Ma se ne hai tanta voglia, accomodati!

Naturalmente Polissena aveva tenuto con sé il porcello,
perché Biancofiore le si era tanto affezionato che non avrebbe sopportato di separarsi da lei. La moglie del pescatore
faceva finta di non vederlo, ma i bambini più piccoli erano
deliziati di quella compagnia e ci giocavano tutto il giorno,
strillando e litigando da quei piccoli selvaggi che erano.

Guardando questi nuovi fratelli Polissena non poteva
impedirsi di paragonarli a quella che per tanti anni aveva considerato la sua sorellina minore. A Petronilla, che
pure era vivacissima, non era permesso fare giochi così
movimentati, né gettarsi per terra, né uscire da sola di
casa. Con lei c'era sempre qualcuno a preoccuparsi che
non si facesse male, che fosse abbastanza coperta, che non
dicesse brutte parole… Era come un leoncino tenuto al
guinzaglio. Però, tranne qualche sculacciata nei casi più
gravi, tutti la trattavano con gentilezza, la baciavano, rispondevano con pazienza alle sue domande.

Invece la moglie del pescatore con i suoi bambini era
sempre brusca e sgarbata, li allontanava a calci quando
se li trovava tra i piedi, li copriva di insulti, li picchiava
per la minima mancanza, tanto che Polissena non aveva
avuto il coraggio di rivelarle la sua vera identità, né di
chiederle perché mai l'avessero abbandonata, mentre avevano tenuto e allevato gli altri figli.

All'idea di chiamare "mamma" quella megera, tutto il
suo essere si rivoltava, e preferiva rimandare il chiarimento a quando il padre avesse ripreso conoscenza.

Nel frattempo continuava a fingere d'essere un'estranea, una contadinella caritatevole con la vocazione dell'infermiera.

Lucrezia era d'accordo con lei. — Non lascerò Tempestàl finché non avrai parlato con tuo padre e non avrai chiarito ogni cosa — le aveva promesso, e questo per l'amica era un grande conforto.

Lucrezia si era sistemata nella locanda del paese con i suoi animali e dava spettacolo in piazza tutte le sere. Venivano a vederla anche dalla campagna e dai villaggi vicini. Era stato un anno di buon raccolto e i contadini avevano denaro da spendere. Né c'era pericolo che gli spettatori più fedeli si stancassero, perché ogni sera Lucrezia faceva esibire gli animali in numeri diversi e lei stessa non ripeteva mai due volte, se non a grande richiesta, la stessa acrobazia o la stessa canzone.

Tutte le mattine andava a trovare Polissena nella stamberga in riva al mare. La aiutava a lavare il malato, a cambiargli la biancheria, a rinnovargli continuamente sulla testa, là dove l'albero della barca l'aveva colpito, panni bagnati d'acqua fredda.

La donna a quell'ora non era mai in casa. Aveva un banchetto al mercato, dove un tempo vendeva il pesce pescato dal marito e adesso le erbe, i funghi, le lumache che faceva raccogliere dai figli più grandi nella campagna.

Già dal primo giorno Polissena si era accorta che i suoi fratelli si potevano dividere in due gruppi d'età.

C'erano tre ragazzi tra i nove e i tredici anni: Pelagio, Bernardo e Teofilo. Poi il gruppetto dei piccoli, che comprendeva due gemelle di cinque anni, Bertilla e Blandina, le quali si dividevano le cure sommarie d'un piccolo di otto mesi, e tre maschietti di quattro, tre e due anni, sporchi e laceri, sempre a strillare e a razzolare per terra come porcelli.

Tutti quanti avevano un sacro terrore della madre, che li trattava ancor peggio di quanto il vecchio Giraldi trattasse a suo tempo Lucrezia. Le gemelle soprattutto, appena sentivano la voce della madre da lontano, correvano a nascondersi col pupo da qualche parte.

Spesso Polissena si chiedeva se la donna agisse in quel modo approfittando della malattia del marito, oppure se anche prima il pescatore avesse sempre tollerato i maltrattamenti ai bambini. Forse lui stesso, una volta guarito – se guariva – si sarebbe rivelato ancor più severo e violento della moglie.

Fra tutti i nuovi fratelli la ragazzina preferiva Bernardo, il secondogenito, ch'era il più allegro e il più affezionato al padre. Bernardo era l'unico in tutta la casa a mostrarsi riconoscente per le cure e le attenzioni della ragazzina sconosciuta. Quando le vedeva ciondolare la testa per il sonno, le diceva: — Va' un po' a dormire. Lo veglierò io al tuo posto. — Oppure: — Sei pallida. Non puoi stare rinchiusa qua dentro tutto il giorno. Va' a respirare un po' d'aria sulla spiaggia!

Un giorno che l'ammalato era particolarmente tranquillo, Bernardo convinse Polissena a uscire qualche minuto con lui e le mostrò una piccola capanna di frasche addossata al muro posteriore della casa. — È qui che il babbo lavora il corallo. Fa degli oggetti bellissimi. La sua specialità sono dei pesciolini che sembrano veri. Vieni, che ti faccio vedere.

C'erano un banco di legno con tutti gli attrezzi, un piccolo cesto con frammenti di rami di corallo ancora grezzi, e due sgabelli.

— Aveva cominciato a insegnare anche a me, prima dell'incidente — disse il ragazzo. — Desiderava che noi tre grandi imparassimo al più presto un mestiere per renderci indipendenti e andare a vivere lontano dalla matrigna.

Polissena lo guardò stupita: — Non è vostra madre, dunque?

— No. Il babbo l'ha sposata in seconde nozze. La nostra è morta sette anni fa. Poi è arrivata questa strega, e con le sue moine, i suoi sorrisi dolci, le sue finte tenerezze per noi orfanelli, ha ingannato il babbo e si è fatta sposare.

Sul primo momento Polissena rimase sconvolta da questa notizia. Poi il suo cervello si mise a lavorare a gran velocità. La donna era comparsa nella vita del pescatore sei anni prima, quando lei viveva già da un bel pezzo in casa Gentileschi. Ne era certa perché ricordava perfettamente la nascita di Petronilla e come il ventre di sua madre – no, della signora Ginevra – qualche mese prima si fosse gonfiato, e lei e Ippolita fossero state invitate più volte a poggiarvi la guancia per sentire il nuovo bambino che dava calci, invisibile nel suo buio nido di carne.

Cercò di allontanare dalla mente le immagini serene, affettuose, della casa di Cepaluna, che le facevano venire un nodo in gola, e riprese a fare il conto degli anni, per concludere che di certo anche lei, come Bernardo, Teofilo e Pelagio, era figlia della prima moglie.

A quel pensiero provò un sollievo enorme. Odiare la propria madre è una cosa molto brutta, ma detestare una matrigna crudele è del tutto naturale. Il suo volto era così raggiante di gioia che Bernardo le chiese stupito: — Ma cos'hai?

E lei, dimentica di ogni prudenza, lo abbracciò stretto e gli disse: — Sono tua sorella. — E poi gli spiegò tutto: degli oggetti trovati nello scrigno, del pesciolino e di come Lucrezia l'avesse accompagnata fino a Tempestàl per scoprire l'origine di quel ciondolo prezioso.

Bernardo l'ascoltava incredulo. Esaminò con grandissima attenzione il pesciolino che adesso Polissena portava appeso al collo: — Sì, non c'è dubbio che sia stato il babbo a farlo. Però non riesco a capire per quale motivo ti abbia abbandonata. Lui ha sempre voluto bene a noi bambini. Che ragione poteva avere? — Poi si picchiò la mano sulla fronte. — A meno che tu sia figlia sua, ma non di mia madre, la sua moglie legittima. Supponiamo che il babbo abbia avuto un'avventura con un'altra donna e sia nata tu, e per non dare un dolore alla mamma, per non far nascere uno scandalo, abbiano deciso di farti sparire...

Sì. Questo era possibile. Un'altra donna... Chi poteva essere? Perché non aveva tenuto lei la neonata? Non poteva farlo?

Immediatamente Polissena ricominciò a fantasticare. Una sirena che viveva in fondo agli abissi, dove un piccolo umano annegherebbe? Ma no! Questo accadeva solo nelle fiabe. Allora una nobildonna di Tempestàl, sposata a un marito vecchio, brutto, malvagio e gelosissimo?

Adesso più che mai era necessario che il pescatore si svegliasse e le raccontasse tutta la verità.

— Però forse dentro al tuo scrigno c'è qualche altro oggetto che ci può già aiutare… — suggerì Bernardo.

Polissena andò a prendere lo scrigno, che teneva nascosto sotto il materasso dell'ammalato, visto che nella stanza sovraffollata non aveva un angolino per sé.

Lo poggiò sul banco di lavoro, accanto ai rami di corallo, lo aprì… — Cos'è questa stoffa nera? — chiese subito Bernardo, animandosi in viso.

— Non lo so. Non so neppure se è stoffa o cuoio. Toccala: è rigida e liscia come una pergamena.

Bernardo la prese in mano, se la avvicinò al viso, l'annusò.

— Resina — disse. — Resina di pino e cera, per renderla impermeabile.

— Ci sono delle macchie bianche, come un pezzo di disegno — gli fece osservare Polissena.

Bernardo annuì. Poi fece segno di tacere e prese la sorellastra per mano. Tornarono dentro casa. Per fortuna, tranne l'ammalato sempre incosciente e il pupo addormentato nella sua culla, gli altri erano tutti fuori, in giro per i fatti loro.

Bernardo si avvicinò al fratellino e lo sollevò con grande precauzione per evitare di svegliarlo. Sul fondo della culla un cencio grigiastro serviva da lenzuolo.

— Toglilo! — ordinò Bernardo reggendo il bambino tra le braccia. Polissena obbedì, e sotto al telo apparve uno strato di stoffa nera, rigida, molto simile al frammento trovato dentro lo scrigno. — Da quando mi ricordo, la matrigna lo ha sempre usato per proteggere il materasso della culla dalla pipì dei bambini. E prima di lei lo usava mia madre. È in casa da un'infinità di anni. Su, non stare a guardarlo incantata. Prendilo, e rimetti a posto il lenzuolo, prima che il pupo si svegli.

Polissena sfilò la stoffa nera. Era un pezzo molto più grande del suo, anch'esso con delle macchie bianche che sembravano formare un disegno.

Rimisero nella culla il bambino che continuava a dormire e tornarono col loro bottino al piccolo laboratorio.

Bernardo sgombrò il banco, ci stese il pezzo di tela più grande, lo lisciò con la mano, poi vi accostò l'altro frammento. Provò su un lato, sull'altro: combaciava perfettamente.

— Il viso della morte! — esclamò Polissena spaventata.

— Un teschio — la corresse il fratellastro — un teschio con dietro due tibie incrociate, bianco in campo nero. La bandiera di una nave pirata!

Questa nuova scoperta però, invece di chiarire il mistero, lo rendeva più fitto. Cosa ci faceva quella sinistra bandiera in casa di un pacifico pescatore? E perché l'avevano resa impermeabile, invece di usare per la culla un pezzo di tela qualsiasi? E perché il padre ne aveva staccato un pezzo per metterlo tra le fasce della figlia neonata che stava per abbandonare? Non certo per lo stesso scopo per il quale veniva usato nella culla. Il frammento dello scrigno era troppo piccolo per ricoprire anche la metà d'un materassino. Perché allora? Non bastava il pesce di corallo per un eventuale riconoscimento?

I due fratellastri erano così immersi nei ragionamenti sulla nuova scoperta, che non si accorsero di un passo deciso che faceva scricchiolare la sabbia e poi il legno della soglia. Bernardo fu colto alla sprovvista da un ceffone che gli rintronò la testa e gli fece bruciare un orecchio.

— Ma bravi! — risuonò la voce aspra della matrigna. — Adesso il marmocchio inzupperà il materasso con la sua dannata pipì. Ma ve la farò asciugare con la lingua. Si può sapere perché avete tolto dalla culla la tela cerata?

Alzò la mano per colpire di nuovo Bernardo, ma Polissena si buttò davanti al fratellastro facendogli scudo col suo corpo.

— Sono stata io! — disse. — Lui non ne ha colpa. E comunque lei, signora, non ha il diritto di picchiarlo così. Lo dirò a nostro padre, appena riprende i sensi.

— A *nostro* padre, smorfiosa!? Nostro di chi?

Polissena era così arrabbiata che dimenticò ogni prudenza. Con aria di sfida raccontò della ruota delle monache, dello scrigno, del pesciolino di corallo, e che il padre, prima di svenire, l'aveva riconosciuta. Pensava che questo le avrebbe dato maggior diritto di difendere Bernardo, di accudire l'ammalato, di restare nella casa fino al suo risveglio.

Ma il risultato del suo discorso fu un ceffone fortissimo che la colse a tradimento e le mozzò il fiato, più per la sorpresa che per il male, visto che in tutta la sua vita non era mai stata picchiata da un adulto.

— E così mi è piovuta dal cielo un'altra figliastra! — prese a sghignazzare la donna. — Ecco perché ti sei installata in casa nostra senza che nessuno t'invitasse. Cosa speravi di trovare, stupida, la tua parte di eredità? Te la do io, l'eredità, smorfiosa, visto che adesso anche tu fai parte della famiglia.

Afferrò Polissena per i capelli e le dette una bella scrollata. Le strinse un braccio conficcandole le unghie nella carne, poi con uno spintone la mandò a sbattere contro il muro. Sollevò per le gambe uno sgabello e glielo mostrò minacciosa.

— Chi è che comanda qui dentro? — chiese.

— Voi — rispose Polissena terrorizzata.

— Voi chi?

Bernardo, che aveva assistito impotente alla scena massaggiandosi la guancia colpita, le suggerì la risposta scandendo silenziosamente una parola con le labbra.

— Voi... mamma.

— Ecco. Brava. Cerca d'essere una figlia obbediente, d'ora in poi, se non vuoi assaggiare la frusta.

CAPITOLO QUINTO

La matrigna, come abbiamo visto, non aveva messo in dubbio il racconto di Polissena. Però non dimostrava alcuna curiosità per il mistero del suo abbandono, per la presenza di quella bandiera pirata finita chissà come nel corredo della culla.

— Ciò che è accaduto in questa baracca prima del mio arrivo non mi riguarda — diceva, con una sfumatura di disprezzo per la padrona di casa che l'aveva preceduta. Ciò che le interessava, a suo dire, era che di tutto quell'imbroglio lei non ci aveva guadagnato altro che una nuova bocca da sfamare, cosa che rinfacciava continuamente a Polissena.

Ed era falso, perché Lucrezia continuava a portare tutti i giorni all'amica due o tre fiorini dall'incasso dei suoi spettacoli, che bastavano largamente non solo per il cibo che Polissena consumava, ma per le medicine dell'ammalato e per comprare pane e latte ai bambini più piccoli e al porcello.

La matrigna però fingeva d'ignorare questo fatto e continuava a insistere che Polissena era una mangiapane a ufo e che doveva decidersi a fare qualcosa per guadagnarsi la vita.

Appena scoperto che la ragazzina non era un'estranea, ma apparteneva alla famiglia, la matrigna aveva deciso che lo stesso valeva anche per il porcello. Era stata in dubbio se ucciderlo subito per arrostirlo. — Non ho mai mangiato carne così tenera — diceva con l'acquolina in bocca. — Certo che non basterà per tutti. Dovrò mettere nel tegame moltissime patate, così i ragazzi più grandi potranno intingerle nel sugo.

Polissena seguiva angosciata i suoi movimenti, sperando che Bernardo trovasse il coraggio di venirle in aiuto per difendere il povero Biancofiore.

Poi, fortunatamente, la matrigna aveva deciso di ingrassare il porcello per farne prosciutti, e lo aveva esiliato nel cortile, rinchiuso in una gabbia così stretta che l'animale non poteva fare il minimo movimento. Stretta, piccola e sporca perché, come dice il proverbio: "Porco netto non ingrassa."

Nonostante tutte le sue lamentele la matrigna era ben contenta d'avere a disposizione una serva molto più forte ed efficiente delle povere gemelle. Adesso Polissena non poteva più restare tutto il giorno al capezzale del padre. Doveva andare anche lei in campagna a raccogliere funghi, cipolle amare ed erbe selvatiche. Doveva frugare la sabbia della riva con un bastone alla ricerca di molluschi che la matrigna vendeva poi all'osteria di Tempestàl. Doveva spazzare il pavimento di casa, cucinare, occuparsi dei tre bambini più piccoli. Nonostante ci mettesse tutta la sua buona volontà, alla sera la matrigna protestava sempre che c'era qualcosa di malfatto, o trovava comunque un pretesto per picchiarla. La picchiava con la spazzola e col matterello, col manico della scopa e con un remo della barca, con la frusta e con l'attizzatoio del caminetto.

Polissena era disperata. Al mattino, quando Lucrezia veniva a trovarla, si sfogava piangendo. — Adesso vuole che tutte le sere vada in paese, di casa in casa, a elemosinare la spazzatura per fare il pastone al porcello. Ma a lui non piacciono quelle schifezze, e io mi vergogno.

— Non preoccuparti — diceva Lucrezia. — Ci andrò io. Chiederò soltanto bucce di frutta e d'ortaggi e dirò che sono per i miei animali. Me le daranno volentieri. Ormai ho un bel gruzzolo di monete d'oro in una calza nascosta sotto il materasso. Ma tutti credono che sia sempre un'orfanella povera e affamata.

— Non potrò mai restituirti i fiorini che mi porti — piagnucolava l'amica. — Quando siamo partite ero convinta di scoprirmi principessa, ma ora… — e allargava le braccia sconsolata accennando alla miseria della stamberga.

— Diciamo che è un prestito a lungo termine — la rassicurava Lucrezia, che non voleva umiliare Polissena atteggiandosi a benefattrice. — Quando tuo padre sarà guarito e ti avrà spiegato tutto ciò che ancora non conosci, lo saluterai e partiremo insieme. Sono certa che diventerai un'artista bravissima e che farai soldi a palate.

— Ma una figlia deve restare con i genitori! — protestava Polissena indignata.

Lucrezia rideva: — Hanno vissuto tranquillamente senza di te fino a oggi. Potranno ben continuare!

— Sei davvero senza cuore!

Ciò che dava a Polissena la forza di resistere era il fatto che il pescatore mostrava leggeri segni di miglioramento. Adesso si girava nel letto, sospirava, inghiottiva bocconi di cibo solido, muoveva le gambe e le braccia. C'era da sperare che presto si sarebbe risvegliato.

Ma un giorno la matrigna fece una cosa orribile.

Già da qualche mattina Polissena l'aveva sorpresa a

guardarla con insolita attenzione mentre si pettinava. Tutti i ragazzi, comprese le gemelle, avevano i capelli corti e cespugliosi, perché non erano abituati a lavarseli ogni tanto e a passarci il pettine almeno una volta al giorno.

Polissena invece aveva due bellissime trecce nere, lunghe fino alla vita e così folte che fino a pochi mesi prima doveva farsi aiutare da Agnese per pettinarle.

Adesso cercava di arrangiarsi da sola, perché le piaceva sentirsi in ordine ed era orgogliosa della sua bella capigliatura.

Anche la matrigna, a differenza dei figli, aveva molta cura del proprio aspetto. Non le importava che i bambini andassero in giro scalzi, sporchi e con i vestiti a brandelli. Lei vestiva sempre con un certo decoro e non usciva mai senza il cappello e i guanti. A casa passava ore e ore davanti allo specchio ad acconciarsi i capelli, che aveva radi, lanosi e di un indefinibile color topo. Aveva entrambe le orecchie bucate, ma portava un solo orecchino, stranissimo. In realtà si trattava di una grossa spilla da balia d'oro con un piccolo smeraldo incastonato.

Polissena che, come abbiamo già visto, grazie all'attività del mercante aveva una certa pratica sia di gioielli che di spille da balia, ne era rimasta doppiamente sorpresa. Non solo le pareva strano quell'uso della spilla, ma soprattutto il fatto che un arnese così umile, destinato alle fasce di un lattante, fosse stato realizzato in oro d'ottima lega, e decorato con una pietra purissima e luminosa.

— Era di mia madre — spiegò una volta Bernardo, cogliendo il suo sguardo incuriosito. — Si è presa tutto, quella strega, quando è arrivata: le sue scarpe, il suo scialle di seta, il suo vestito delle nozze, la sua spazzola d'avorio, la sua spilla d'oro! Non le bastava di avere mio padre! Voleva tutto quello che era stato di mamma. Tutto, tutto, tutto!

E adesso, a quanto pareva, voleva anche i capelli di Polissena, per farsene delle trecce finte.

— Non è igienico che te ne vada in giro con i capelli così lunghi — le disse una mattina. — Potresti prendere i pidocchi.

— Se li prendo, so come mandarli via — rispose Polissena, memore degli impacchi di petrolio e aceto di Agnese.

Ma la matrigna non sopportava di essere contraddetta e le allungò un ceffone. Poi le afferrò le trecce, le strinse in una mano e ordinò: — Blandina, portami le forbici.

La gemella obbedì all'istante, timorosa di prendersi uno schiaffo anche lei.

A quel punto la matrigna si mise a ragionare ad alta voce. — Li taglio così, oppure glieli sciolgo e li taglio ciocca a ciocca? In questo modo potrei tagliarli alla radice e sarebbero più lunghi. Ma che fatica poi a rimetterli in ordine e a intrecciarli!… Per pochi centimetri non ne vale la pena. Le trecce sono già abbastanza lunghe.

Polissena tremava, ma era come paralizzata e non osava ribellarsi. Sperava che le arrivasse qualche aiuto dall'esterno, che entrasse all'improvviso Lucrezia, o almeno Bernardo.

Ma non entrò nessuno, e le due povere trecce caddero una dopo l'altra sotto la lama delle forbici, sacrificate alla vanità della matrigna.

Quella notte Polissena dalla rabbia non riuscì ad addormentarsi. Si passava continuamente la mano sulla testa, tastandosi i pochi ciuffi disordinati che le erano rimasti e inghiottiva lacrime amare di ribellione.

Mentre singhiozzava piano, cercando di non svegliare i bambini, sentì un lungo sospiro provenire dal giaciglio dell'ammalato. Si alzò subito e si avvicinò, schermando il lume con la mano. E con grande emozione vide che il pescatore aveva aperto gli occhi. Lo sguardo era attento, consapevole. — Babbo — sussurrò. — Babbo, sei guarito finalmente!

Si buttò in ginocchio per terra e gli coprì le mani di baci. Lui la guardava smarrito. — Qua dentro si soffoca — disse a fatica. — Ho la testa confusa. Un po' d'aria fresca!

— Te la senti di alzarti se ti aiuto? Di camminare? — chiese Polissena.

— Oh, le gambe sono sane… È la testa che è piena di

confusione. Chi sei, ragazzo? Teofilo? Pelagio? Bernardo? Non ti vedo bene con questa luce.

— No. Sono io — rispose Polissena, divertita dall'equivoco. — La matrigna mi ha tagliato i capelli e così sembro un maschio.

Il pescatore aveva richiuso gli occhi e respirava a fatica.

— È una bella notte — disse Polissena. — Vuoi fare due passi sulla spiaggia? Sono così felice che ti sia svegliato, finalmente. Vado a chiamare Bernardo.

Con grande cautela i due ragazzi fecero sedere l'ammalato sul letto, gli massaggiarono le gambe. — Respira forte. Ti gira la testa? Aspetta ancora un momento. — Lo misero in piedi. — Appoggiati. Ecco. Un braccio attorno alle mie spalle.

— E l'altro attorno alle mie.

Passo passo uscirono all'aperto senza svegliare nessuno. L'aria fresca del mare entrò nei polmoni del pescatore, gli schiaffeggiò dolcemente il viso. La luna piena inondava la spiaggia di luce argentea.

Il pescatore tornò a guardare Polissena. — Non sei Pelagio, e neppure Teofilo. Chi sei allora ragazzo?

— Ma è Polissena, babbo! — disse Bernardo. — Nostra sorella. Quella che è arrivata il giorno della tempesta. Non ti ha abbandonato un solo istante da allora. Lo devi a lei se sei ancora vivo.

— Ma di che sorella vai parlando? — chiese il pescatore passandosi una mano sugli occhi.

— Babbo, sono io, Polissena, tua figlia. Quella che hai lasciato nella ruota del convento, ricordi? Quella del pesciolino di corallo.

— Fatemi sedere — ansimò il pescatore. Lo accompagnarono al muretto. — Bambina — disse allora prendendo le mani di Polissena tra le sue — io non sono tuo padre. Chi ti ha detto questa menzogna?

— Tu me l'hai detto! — gridò Polissena sconvolta. — Il giorno della tempesta. Poco prima di perdere i sensi. Lo hai dimenticato?

Il pescatore scosse la testa e gemette: — Mi fa ancora male. Il colpo è stato molto forte. Forse stavo già delirando.

— Ma no! Eri lucidissimo. Io ti ho mostrato il pesciolino di corallo...

— Adesso ricordo. Mi hai chiesto se sapevo chi lo aveva fatto.

— ... e chi era mio padre. E tu hai risposto: «Io.»

Il pescatore sorrise tristemente: — Bambina, io questa seconda domanda non l'ho sentita. La mia risposta si riferiva alla prima. È vero, quel pesciolino l'ho fatto io, per te, con le mie stesse mani. Se avessi sentito anche la seconda domanda avrei potuto risponderti soltanto: «Non lo so.»

— Però sei stato tu a portarmi al convento.

— Sì. Non volevo, ma mia moglie – la mia prima moglie – mi ha convinto che non potevamo togliere il pane di bocca ai nostri figli per una trovatella. Eravamo così poveri!

— Una trovatella! E dove l'avevi trovata? — intervenne a quel punto Bernardo.

— Corri in casa e portami un bicchiere d'acqua — disse il pescatore. — Ve lo racconterò. Ma è una storia lunga.

Polissena singhiozzava, scossa dalla sorpresa e dall'emozione. Alla disperazione, alla delusione del primo momento, stava però subentrando un leggero senso di sollievo. Non aveva più un padre, è vero. Ma non era più obbligata a restare in quella casa buia e sporca, a lasciarsi picchiare dalla matrigna. Le dispiaceva per Bernardo e per i bambini. "Quando ritroverò i miei veri genitori e il mio regno, li farò venire a vivere a corte" riprese a fantasticare.

Intanto Bernardo era tornato. Il pescatore inghiottì un sorso d'acqua e cominciò il suo racconto: — Sono passati dieci anni da quel giorno, ma ricordo tutto come se fosse ieri. Era il primo giorno di quiete dopo una tempesta che aveva sconvolto il mare per più d'una settimana. Il vento era caduto, splendeva il sole e non c'era più motivo di tenere la barca in secco. Così uscii a pescare e mi spinsi al largo, più lontano dalla costa di quanto non fosse mia abitudine. Verso mezzogiorno mi trovavo vicino allo Scoglio del Cormorano, quando vidi arrivare sull'acqua, portate dalla corrente, alcune tavole schiodate che certo avevano pavimentato la coperta di una nave. Capii subito che c'era stato un naufragio, perché dopo le tavole arrivarono due barili sfondati, un pezzo di timone, brandelli di vela ancora attaccati a frammenti d'albero, uno stivale che stranamente non era andato a fondo: poveri relitti che non valeva la pena di recuperare.

«Ma a un tratto uno strano oggetto attirò la mia attenzione, qualcosa che a prima vista sembrava una cassa, o una grossa scatola di legno, alla quale erano stati legati di fianco dei sugheri perché non affondasse. Incuriosito aspettai che il mare la portasse vicino alla barca, e l'arpionai per tirarla a bordo. Pensavo contenesse dei viveri, dei liquori, degli oggetti preziosi. Potete immaginare quale fu la mia sorpresa quando vidi che invece c'era adagiata una bambina di circa un anno – ch'era femmina lo scoprì più tardi mia moglie – tutta avvolta in una strana coperta di lana a righe e riparata dagli spruzzi da un telo scuro incatramato o incerato. Era sveglia e non piangeva. Anzi, si guardava attorno tranquilla, come godendosi la bella giornata.»

— Ero io — disse sottovoce Polissena.

— Eri tu. Naturalmente smisi di pescare e feci subito rotta verso casa. Mia moglie, quando ti vide, non si mise a saltare dalla gioia. Avevamo già tre bambini, il più piccolo di sei mesi, ed eravamo pieni di debiti. Va detto a suo onore che, nonostante questo, appena ti sentì piangere, ti porse il seno. Tu poppavi con furia, come se ti volessi rifare di molti giorni di digiuno, e mia moglie disse: «Vedi? È evidente che non possiamo tenerla. Non ho abbastanza latte per lei e per il nostro bambino.» Una capra non ce la potevamo permettere, e tanto meno una balia. Così decidemmo di portarti dalle suore.

Capitolo settimo

— Ma non avete fatto nessuna ricerca per scoprire chi ero? Chi mi aveva affidato al mare in quella strana culla galleggiante? — chiese Polissena.

— Ci informammo qui a Tempestàl e al ministero della marina, laggiù nella capitale. Fu subito chiaro che i relitti provenivano da una nave pirata. Nessun veliero legalmente registrato nel nostro Paese mancava all'appello. E neppure alcun mercantile straniero diretto a uno qualsiasi dei nostri porti. Né in seguito si presentò mai nessuno a fare ricerche, a chiedere se ci fossero superstiti. E poi c'era quel telo che ti riparava dagli spruzzi, che era stato ricavato da una bandiera con teschio e tibie…

«Tutto questo però rendeva ancora più fitto il mistero della tua identità. Di regola le navi pirate non ospitano lattanti tra il loro equipaggio, a meno che non si tratti di piccoli rapiti per essere venduti come schiavi. Merce preziosa, ma non tanto da venir salvata per prima in caso di naufragio. Chi ti ha affidato al mare, bambina, doveva volerti molto bene, perché ha rischiato la sua vita per te, e forse l'ha perduta. Invece di lasciarti al tuo destino, e di mettersi in salvo, qualcuno ha impiegato del tempo prezioso – e Dio sa quanto è prezioso ogni minuto in un naufragio – per rendere impermeabile il fondo della cassa e la bandiera, per sistemare i sugheri, per farti indossare quegli strani indumenti.»

— Com'era vestita? — chiese Bernardo, anticipando la curiosità di Polissena.

— Naturalmente tua madre la spogliò, per asciugarla e per cercare qualche segno che ci potesse aiutare. La piccola aveva degli abiti molto strani per un lattante. Quella che a prima vista io avevo scambiato per una coperta, era in realtà una lunga sciarpa a righe da marinaio...

— È vero! Non ci avevo mai pensato, ma è vero! — disse la ragazzina sorpresa.

— Ma la cosa ancora più strana — proseguì il pescatore — era che non indossavi una camicia o le solite fasce, ma eri infilata fino al collo, come in un sacco, dentro a una calza di seta rossa. Una calza maschile, adatta a un uomo dalle gambe lunghe e robuste. La conosci, d'altronde, se qualcuno l'ha conservata per te nello scrigno.

— Le ho pensate tutte, ma non che fosse il mio vestito — confessò Polissena. — E cos'altro avevo addosso?

— Niente. Nessun medaglione, nessuna cuffietta ricamata, né sul tuo corpo c'erano segni particolari come nei, voglie, tatuaggi, cicatrici. Avevi dei bellissimi ricci, neri e folti, e ti erano già spuntati nove denti.

«Io ti avrei voluto tenere. Mi stavo già affezionando. Mia moglie però fece una sfuriata tremenda. Disse che se non ti portavo immediatamente dalle suore, avrebbe provveduto lei stessa a rimetterti in mare nella tua strana imbarcazione. E che se annegavi come un gattino, non avrebbe certo messo il lutto per te. Che il suo dovere era quello di proteggere i suoi figli, non i lattanti sconosciuti. Cos'altro potevo fare se non obbedirle?

«Però non volevo toglierti ogni opportunità di conoscere il tuo passato. Così strappai un pezzo della bandiera pirata e lo misi in un vecchio scrigno che avevo trovato tempo prima sulla spiaggia. L'altro pezzo volevo tenerlo per avere una prova da mostrarti nel caso un giorno tu fossi tornata. Mia moglie però lo conservò così bene che poi non l'ho più trovato.»

Bernardo rise, pensando all'uso che sua madre aveva fatto, imitata dalla matrigna, di quella mezza bandiera che aveva conosciuto un ben più glorioso destino, e anche Polissena non poté fare a meno di sorridere.

— Non c'erano molte altre cose da mettere nello scrigno — proseguì il pescatore — ... a parte quello strano gioiello.

— Lo scrigno non conteneva alcun gioiello! — protestò Polissena.

— No, infatti. Alla fine non ce lo misi — confessò l'uomo sospirando. — La sciarpa che ti avvolgeva era fermata da una insolita spilla da balia, d'oro, con incastonato un piccolo smeraldo...

— L'orecchino della matrigna!

— Sì. Proprio quello. Mia moglie disse che era un oggetto troppo bello e prezioso per le fasce di un lattante, e ch'era uno spreco lasciartelo. Lo voleva per sé. E siccome cercai di oppormi, pianse e pestò i pugni sul tavolo, minacciò di lasciarmi, si lamentò di non aver avuto mai nulla di buono dalla vita da quando mi aveva sposato... Dovetti cedere e lasciarle tenere la spilla. La usava per fermare lo scialle della festa, e adesso l'ha ereditata la mia seconda moglie che la porta come orecchino.

«Per compensarti del furto – perché si trattava d'un furto, su questo non c'era alcun dubbio – misi nello scrigno uno dei miei pesciolini di corallo. Anche quello era un segno che ti avrebbe riportato alla mia casa, se mai ti fossi decisa a tornare.

«Ti rivestii, ti avvolsi nella sciarpa, e mi feci prestare un cavallo dal vicino per portarti alla ruota delle suore. Scelsi il convento di Betlemme perché non era troppo vicino, ma neppure troppo lontano, sempre pensando alla possibilità del tuo ritorno. Una volta arrivato aspettai il buio, ti deposi nella ruota assieme allo scrigno e me ne tornai a casa. E questo è tutto.»

Il cervello di Polissena intanto si era rimesso in moto con fervore: "Dunque sono arrivata dal mare. Vestita di seta, con una spilla d'oro e smeraldi. Affidata alle onde da qualcuno che mi amava e che voleva la mia salvezza. Chissà… Forse sono la figlia della regina dei pirati…"

Non sapeva se i pirati avessero una regina, ma le piaceva pensarlo.

"… Oppure di un ricchissimo corsaro, elegante e magnanimo, col colletto e i polsini di pizzo francese, padrone di tutti i mari…"

— E adesso cosa farai? — chiese Bernardo preoccupato, interrompendo queste fantasticherie.

— Devo rimettermi in viaggio. Immediatamente. Ho perduto anche troppo tempo qui a Tempestàl. Ma prima rivoglio la mia spilla d'oro. E anche il mio porcello!

PARTE QUARTA

A ROCCABRUMOSA

Capitolo primo

Nella stalla della locanda di Tempestàl, sdraiata su una lettiera di paglia, Lucrezia dormiva profondamente circondata dai suoi animali.

Quella sera lo spettacolo aveva avuto un successo straordinario e tutti gli artisti della compagnia, costretti dagli applausi e dalla pioggia di monete, avevano dovuto concedere molti bis. Quando finalmente gli spettatori, dopo essersi spellate le mani per l'ultima volta, si erano rassegnati a tornare a casa, sia la piccola girovaga che i suoi Animali Acrobatici crollavano dalla stanchezza. Adesso finalmente godevano il meritato riposo, stretti l'uno contro l'altro, e sognavano, ognuno a modo suo.

L'oca Apollonia sognava di sguazzare in un pantano pieno di vermi, di girini e di lumache, che si dirigevano tutti spontaneamente verso il suo becco. Dimitri sognava distese di mirtilli e sciami d'api dorate che lo guidavano a un pergolato da cui i favi di miele pendevano come grappoli d'uva.

La scimmia Casilda sognava di rompere una noce di cocco sul muso d'un ragazzino che per tutta la durata dello spettacolo l'aveva tormentata cercando di tirarle la coda. Ramiro sognava di azzannare allo stinco il grasso padrone della locanda e di staccarne un osso grande e saporito.

Quanto a Lucrezia, sognava di camminare tutta sola lungo una strada notturna, scalza, con un gran sacco pesante sulla schiena. Ma era contenta, nel sogno, perché il sacco era pieno di monete d'oro con le quali andava a comprare un grande carro di legno coperto, una specie di casa viaggiante trainata da quattro cavalli. Ed ecco, a una svolta della strada, venirle incontro un uomo avvolto fino agli occhi in un grande mantello che camminava appoggiandosi a un bastone.

Il sogno, improvvisamente, si tinse di paura. Prima ancora che lo sconosciuto aprisse il mantello e mostrasse il viso, Lucrezia seppe che si trattava del vecchio Giraldi, e che la stava cercando per toglierle il tesoro che aveva guadagnato da sola con tanta fatica. L'uomo alzò il bastone minaccioso su di lei.

— Non puoi farmi niente. Sei morto, non ricordi? — disse la bambina. Ma quello, come se non avesse sentito, calò il bastone.

BAM! BAM! BAM! BAM!

Gli animali si svegliarono per primi, drizzarono le orecchie. Il cane Ramiro ringhiò contro la porta. L'orso Dimitri in un attimo fu in piedi, con un'agilità insospettabile in tanta mole e si parò davanti a Lucrezia per difenderla. L'oca si mise a starnazzare allungando il collo e spalancando il becco.

Ma Lucrezia era così stanca che, nonostante il baccano, faceva fatica a interrompere il sogno. — È inutile che picchi con quel bastone. Sei morto. Non puoi farmi più niente, ormai. Smettila!

BAM! BAM! BAM! BAM!

— Ma insomma! Ti decidi ad aprire o no? Sono io! Fammi entrare.

Con un grande sforzo di volontà Lucrezia scrollò la testa e scosse via il sogno. Saltò a terra e andò in punta di piedi a guardare fuori dallo spioncino.

La porta continuava a tremare per i colpi. Alla luce della luna Lucrezia vide un ragazzo che, stringendo sotto un braccio lo scrigno e sotto l'altro il porcello, tempestava di calci con gli zoccoli il battente di legno. *BAM! BAM! BAM!*

— Chi sei? Cos'è successo alla mia amica? — chiese Lucrezia allarmata.

— Quale amica? Non stare lì a bocca aperta. Fammi entrare — disse il ragazzo impaziente. Aveva la voce di Polissena.

— Cos'hai fatto ai capelli? Come mai ti sei vestita da ragazzo? — chiese Lucrezia quando l'amica fu dentro al sicuro. Gli animali adesso erano di nuovo tranquilli. Lancillotto si era subito impadronito del porcello e lo abbracciava stretto coprendolo di baci.

Polissena si buttò a sedere sulla paglia e raccontò gli ultimi avvenimenti che sappiamo, e come Bernardo fosse andato in punta di piedi a sfilare con grande cautela la spilla dall'orecchio della matrigna addormentata.

— È stato il pescatore a proporre che ci scambiassimo i vestiti. Adesso che ho i capelli corti è facile scambiarci l'uno per l'altra. Così domattina, quando si sveglierà, quella strega non si accorgerà subito della mia fuga. Vedrà dalla finestra Bernardo che, con la mia sottana, se ne starà sulla spiaggia a cercare molluschi e resterà tranquilla, almeno fino all'ora di pranzo.

— Non stai male, vestita da ragazzo — osservò Lucrezia. — Anzi, forse è meglio che continui il viaggio così travestita. Perché dobbiamo andarcene subito da Tempestàl, non è vero?

Polissena rabbrividì di paura. — Quando quella strega si accorgerà che non solo me ne sono andata, ma che le ho portato via la spilla e il porcello, diventerà una furia.

— E il povero Bernardo si prenderà anche le bastonate destinate a te — osservò Lucrezia. — Deve volerti molto bene. È coraggioso.

— Quando ritroverò i miei genitori, lo farò ministro — disse senza scomporsi Polissena. — Ma adesso, sbrighiamoci!

In gran fretta caricarono i bagagli sul carretto dipinto. Prima di uscire Lucrezia mise sul davanzale della finestra due fiorini per il padrone della locanda. — Non sia mai detto che me ne sono scappata come una ladra, senza pagare l'affitto.

Si misero in viaggio che il sole non era ancora sorto. Camminavano in silenzio, ognuna immersa nei propri pensieri. Polissena si chiedeva come diavolo avrebbe fatto a procurarsi notizie della nave pirata. Se c'era stato un naufragio e se tutti i marinai erano annegati, anche il segreto della sua origine era forse finito in fondo al mare.

Arrivarono a un bivio e Lucrezia scelse senza esitazioni la strada che proseguiva lungo la costa.

— Dove stiamo andando? — s'informò Polissena. Fino a quel momento aveva pensato solo ad allontanarsi il più rapidamente possibile da Tempestàl e dalla matrigna.

— A Roccabrumosa — rispose l'amica. — C'è una vecchia fortezza in disuso che da molti anni serve come ricovero, diciamo come pensionato, per i pirati troppo anziani e malconci che non possono più navigare. Ci sono stata molte volte, col vecchio. Mi conoscono e vanno matti per i nostri animali, soprattutto per Casilda e Apollonia. Credo che siano gli unici in tutta la regione a cui poter chiedere notizie di una nave pirata dispersa... — Sospirò e si grattò la testa. — L'unico problema è che sono tutti molto vecchi e un po' rimbambiti. Speriamo che almeno a qualcuno sia rimasta abbastanza memoria per esserci utile.

La fortezza di Roccabrumosa stava su un promontorio altissimo, a picco sul mare. Ci arrivarono dopo due giorni di viaggio, verso il tramonto.

Al primo ruscello che avevano trovato lungo la strada, Polissena aveva supplicato Lucrezia di fermarsi il tempo necessario per fare il bagno e togliersi di dosso il sudiciume accumulato nella casa del pescatore.

Una delle cose che più l'aveva fatta soffrire in quei giorni tristi era stata la mancanza del bagno domenicale, che in casa Gentileschi veniva ancora fatto alle bambine (anche alle due più grandi) dalla vecchia Agnese, in un grande mastello di legno davanti al caminetto. Anche d'estate, perché non si raffreddassero con gli spifferi d'aria. La mam... la signora Ginevra saliva spesso ad assistere alla cerimonia, e aiutava a scaldare al fuoco gli asciugamani. Sollevava Petronilla tutta grondante, la stringeva stretta nel telo ruvido, la massaggiava forte forte, le faceva il solletico. Ippolita, nonostante fosse già grande per questi giochi, ogni volta schizzava l'acqua fino al soffitto e rideva dei rimproveri di Agnese, mentre le fiamme del camino sfrigolavano. Aveva la pelle morbida e dorata come un panino dolce appena uscito dal forno.

Invece le povere gemelle del pescatore erano piene di croste, di lividi, di morsicature d'insetti...

Ma basta! Polissena non doveva pensarci più. Né a una famiglia né all'altra. Non le avrebbe mai più riviste. E quando sarebbe finalmente arrivata alla sua vera casa avrebbe fatto il bagno tutte le sere in un bacile d'argento.

CAPITOLO SECONDO

I vecchi pirati accolsero con grande entusiasmo l'arrivo della Compagnia Giraldi. Erano in tredici, e si annoiavano talmente, rinchiusi tutto il tempo in quella fortezza a farsi dispetti e a litigare, che la prospettiva di un po' di animazione, addirittura di uno spettacolo, li mandava in brodo di giuggiole. Anche se nove di loro erano troppo sordi per poter godere della musica e delle canzoni. Anche se undici ci vedevano malissimo e non erano in grado di apprezzare le danze, le acrobazie, i giochi di prestigio. A malapena riuscivano a distinguere le luci e i colori vivaci dei costumi.

Ma questo, secondo Lucrezia, non era un buon motivo per offrir loro uno spettacolo scadente o per ripetere numeri già fatti negli anni passati. Così fece eseguire ai suoi animali le prodezze che avevano imparato di recente e che tanto successo avevano ottenuto a Tempestàl. La bertuccia Casilda fece un breve concerto suonando contemporaneamente il violino e il pianoforte con le zampe e il tamburo con la coda. L'oca camminò in equilibrio sul filo, e poi fece il doppio salto mortale, e si infilò dentro un cappello a cilindro per uscirne dopo un attimo trasformata in porcello. Evidentemente c'era stato uno scambio con Biancofiore, il quale poi trionfò nella celebre scena del salotto.

Quanto a Lucrezia, saltò con i capelli sciolti attraverso il cerchio di fuoco tenuto alto dall'orso Dimitri. Poi fu Lancillotto a tenere il cerchio, mentre Dimitri saltava e atterrava dall'altra parte... in groppa al cane Ramiro, che si metteva a galoppare in tondo attorno alla pista sgroppando e impennandosi per disarcionare l'orso come in un rodeo.

I pirati ridevano, battevano le mani e gridavano come impazziti: — Bis! Bis! Bis!

Poi, sebbene fossero dei poveracci che avevano perduto tutti i loro averi in qualche naufragio, o li avevano dovuti spendere per riscattare la libertà, dopo essere stati catturati da qualche nave rivale e venduti come schiavi, riempirono di monetine d'oro il berretto che Casilda portava in giro.

Lucrezia, commossa, li abbracciò uno per uno, anche se puzzavano terribilmente di tabacco, e qualcuno aveva la barba come filo di ferro, e qualcun altro sbavava.

Era arrivata l'ora di cena e il pirata che quel giorno era di turno in cucina portò un enorme piatto di pesce fritto.

— Questo è per voi giovani! — spiegò, poggiandolo davanti a Lucrezia e a Polissena. Per i suoi compagni aveva preparato un pentolone di semolino al latte, perché erano tutti senza denti.

Gli animali furono lasciati liberi di scegliere, e ci potete giurare che l'orso Dimitri si fece una spanciata di pesce, mentre Biancofiore si ingozzò di semolino proprio come un porcello.

Quando il cuoco ebbe sparecchiato e fu arrivato il momento della conversazione, Lucrezia disse: — Probabilmente vi sarete meravigliati nel vedermi arrivare da sola, senza il vecchio Giraldi.

— Come sarebbe a dire, senza il vecchio Giraldi! E questo chi sarebbe? — chiese il pirata Numero Uno, indicando Polissena, che non aveva partecipato allo spettacolo, ma, vestita da ragazzo, era rimasta nei pressi aiutando gli artisti a cambiare costume fra un numero e l'altro.

Lucrezia scoppiò a ridere. — Non è possibile! L'hai scambiata per il mio padrone. Ma se ha solo undici anni! Bisogna che la prossima volta che vengo vi porti una dozzina di occhiali...

— Se è per questo ne abbiamo un paio — disse Numero Dieci un po' risentito. — Uno solo. Dobbiamo usarlo a turno.

— Be', allora andatelo a prendere, perché ho bisogno di mostrarvi qualcosa.

Numero Tredici uscì zoppicando e tornò col prezioso astuccio.

Lucrezia intanto aveva raccontato agli altri della morte del suo padrone e del mistero che circondava la nascita di Polissena.

— Forse qualcuno di voi ci può aiutare a identificare la nave...

— Noi ci siamo ritirati da tanto tempo. E poi non ci piacciono i pettegolezzi — bofonchiò scorbutico Numero Cinque.

— Viviamo quassù, isolati dal mondo. Cosa vuoi che ne sappiamo più di naufragi, bambina... — aggiunse Numero Nove.

Polissena stava cominciando a perdere la pazienza. Non capiva perché Lucrezia l'avesse portata in quel covo di

rimbambiti sordi e guerci che non erano neppure capaci di distinguere tra un vecchio saltimbanco e la giovane e bella figlia del merc... (no, non più del mercante!). La bella figlia di chi? Non erano certo quei rammolliti che l'avrebbero aiutata a scoprirlo.

— Per favore, date un'occhiata al contenuto di questo

scrigno — insisteva gentilmente Lucrezia. — Cominci Numero Uno. Su, voialtri, dategli gli occhiali!

Numero Uno si avvicinò allo scrigno, inforcò le lenti sul naso, guardò… e dette un urlo: — Crudelinfame! — gridò. — Non può essere altro che la sua nave, *La Sanguinaria*!

Allora tutti gli altri pirati gli si affollarono attorno sgomitando e cercando di strappargli gli occhiali. — Crudelinfame! — mormoravano a bassa voce, come se fossero spaventati solo a pronunciare quel nome.

— In fila! Ognuno aspetti il suo turno! — gridò Lucrezia col tono che usava per richiamare alla ragione gli animali ribelli.

Polissena abbracciò stretto il porcello col cuore in tumulto. Crudelinfame! Che nome di malaugurio… e la nave? *Sanguinaria*! Sperava ardentemente che Numero Uno si fosse sbagliato.

Però anche gli altri dodici pirati, dopo essere sfilati ordinatamente davanti allo scrigno passandosi l'un l'altro gli occhiali, confermarono: — Non sapremmo dir niente degli altri oggetti. Ma questa calza rossa proviene di certo dalla *Sanguinaria*.

— La quale fra l'altro è affondata proprio dieci anni fa — aggiunse pensieroso Numero Due. — Quando il pescatore ha raccolto questa signorina tra i relitti di un naufragio.

— Numero Tredici, tu che sei il più giovane, raccontaci tutto quello che sai su questa nave e sul suo comandante — ordinò Lucrezia. Attirò Polissena accanto a sé e le strinse la mano. — Ricorda che niente e nessuno può essere peggio della moglie del pescatore — le sussurrò.

Ma Polissena non ne era tanto sicura, e aveva ragione, come si vedrà più avanti.

La malvagità e la ferocia del pirata chiamato Crudelinfame erano famose tra i suoi colleghi almeno quanto la sua eleganza.

Egli infatti si faceva sempre i vestiti su misura da un sarto di Londra e assaliva le navi olandesi unicamente per procurarsi i merletti di Fiandra da usare per i polsini e per i colletti. Aveva mantelli di raso foderati di pelliccia e una collezione di ventisette parrucche, che un cameriere francese doveva tenere sempre in ordine, ben incipriate, pena la decapitazione. A contatto della pelle non sopportava altro che finissima biancheria di battista. Ma la sua specialità erano le calze, che dovevano essere sempre di seta e di color rosso sangue.

Ora anche il più ignorante e sprovveduto dei mozzi sa che sul mare le calze rosse portano sfortuna e che bisogna evitarle come la peste. Ma Crudelinfame sghignazzava: «Certo che portano sfortuna! Ai miei nemici.» Così che

era l'unico su tutti i mari a portare calze di quel colore.

Imbattersi nella *Sanguinaria* era davvero la peggior sfortuna che potesse capitare, non solo alle navi in regola con le leggi della navigazione, ma anche a quelle pirata. Crudelinfame non faceva differenze, né riservava ai colleghi alcun trattamento di favore. Per lui qualsiasi imbarcazione era una preda da spogliare, incendiare, affondare. Qualsiasi marinaio che non facesse parte del suo equipaggio era un nemico da derubare, accoppare, scorticare vivo, impiccare, annegare chiuso dentro a un sacco pieno di sassi.

E anche con i suoi marinai era d'una ferocia inaudita. Ma non era il caso che questi si ammutinassero, perché Crudelinfame, armato della terribile frusta chiamata "Il

Gatto a Nove Code", era in grado di tenerli tutti a bada, e la sua rappresaglia era terribile. Naturalmente non c'era un'anima al mondo che gli volesse bene. Tutti lo odiavano, lo temevano e non desideravano altro che vederlo morto. Ma lui se ne gloriava. L'amicizia, l'affetto, l'amore… «Puàh! Roba da molluschi!» era solito dire. L'unico sentimento che gli piaceva incutere era il terrore. E infatti negli ultimi anni della sua carriera era noto anche come "Il Terrore dei Mari in Calze Rosse".

— Era sposato? Aveva dei bambini? — chiese a quel punto Lucrezia interrompendo il racconto di Numero Tredici.

— Figurarsi! Bambini lui? Se li sarebbe mangiati arrosto a merenda, se avesse avuto dei marmocchi! — commentò Numero Sei.

"Eppure chi mi ha affidato al mare doveva volermi molto bene" pensava Polissena, sgomenta per ciò che aveva sentito. "Mi ha vestita con la calza di seta rossa e mi ha avvolta nella sciarpa, perché non prendessi freddo. E l'ha fermata con una spilla preziosa. E ha reso impermeabile la cassetta, ha incerato la bandiera… Com'è possibile che fosse un tipo così crudele? Dove sarà adesso? Come mi accoglierà?"

— Dove è andato a finire quando *La Sanguinaria* è affondata? — stava giusto chiedendo Lucrezia.

— Ah, questa è una bella storia, che dimostra che non bisogna mai sfidare la sorte — disse Numero Otto. — Alla fine le calze rosse gli hanno davvero portato sfortuna.

Polissena fremeva, aspettando la fine del racconto.

— Dunque, quando capì che la nave stava per affondare — riprese Numero Tredici — Crudelinfame non si preoccupò affatto di mettere in salvo l'equipaggio. Non aspettò che tutti i suoi uomini fossero a bordo delle scialuppe. Anzi, dell'unica scialuppa rimasta, perché la tempesta aveva strappato via o sfasciato tutte le altre. Su quell'unica scialuppa ci saltò lui, con tutti i viveri e l'acqua che riuscì ad arraffare, e con un mozzo che aveva destinato ai remi, perché lui non voleva fare quella fatica. Era una scialuppa abbastanza grande, dove avrebbero potuto trovar posto anche tutti gli altri marinai. Ma Crudelinfame non volle dividerla con loro. Con un colpo di spada tagliò gli ormeggi, e sparò addosso a quelli che cercavano di raggiungerlo a nuoto. Morirono tutti in quel naufragio, e la nave colò a picco come una pietra.

— Crudelinfame e il mozzo però si salvarono... — suggerì Lucrezia.

— Il mozzo, poveretto, non si sa che fine abbia fatto. Quando fu tratto in salvo, Crudelinfame era solo nella scialuppa. Poiché aveva terminato tutte le provviste, può anche darsi che il ragazzo se lo fosse mangiato lui. Oppure che lo avesse spinto in acqua per non dover dividere l'acqua e i viveri. Durante l'interrogatorio si vantò sia dell'una che dell'altra impresa scellerata, ma siccome era anche un gran bugiardo, la sorte del mozzo resterà sempre un mistero. Non che faccia poi una gran differenza! In pancia ai pesci o in pancia a quello squalo dall'aspetto umano...

Polissena rabbrividiva dall'orrore. Dover chiamare padre un mostro simile! Un cannibale! Ma forse, col suo amore di figlia devota, sarebbe riuscita a farlo cambiare. Almeno un poco. Un pochettino... E poi sarebbero andati a recuperare il tesoro della *Sanguinaria*...

— Hai parlato di un interrogatorio, Numero Tredici — osservò a quel punto Lucrezia. — Chi lo interrogò?

— Il giudice. Quella che lo aveva salvato era una nave militare e l'Ammiraglio non stava nella pelle dalla gioia di aver catturato il Terrore dei Mari in Calze Rosse. Di calze, stranamente, Crudelinfame ne indossava solo una. L'altra gamba era nuda. Anche questo è un mistero che nessuno svelerà mai...

— Ho paura invece che lo stiamo svelando proprio noi in questo momento — disse Lucrezia, tirando fuori dallo scrigno la calza di seta rossa e sventolandola sotto il naso dei tredici pirati. — Era servita a vestire Polissena.

I pirati annuirono compunti.

— Chi l'avrebbe mai detto? — mormorò Numero Due. — Preoccuparsi del benessere di una lattante, una carogna simile!

— E dopo che lo catturarono? — chiese timidamente Polissena, facendo sentire la voce per la prima volta.

— E dopo lo rinchiusero in prigione e gli fecero il processo. Era accusato di più di mille omicidi, di torture, di rapine, di tradimenti, di crudeltà inaudite. Città saccheggiate e incendiate, fortezze distrutte, navi affondate, e non solo per avidità di ricchezze. Nella maggior parte dei casi era stato il piacere di veder soffrire gli altri a spingerlo, la cattiveria gratuita, la ferocia fine a se stessa. Lui non si difese. Anzi, si vantava, e aggiungeva particolari sempre più macabri che nessun altro poteva conoscere, e neppure immaginare. Cercò di evadere, sgozzando tre guardiani, ma fu ripreso. Alla fine del processo il verdetto fu unanime: morte per impiccagione, da eseguire il giorno stesso, per timore che riuscisse a inventare qualche nuova perfidia. Lasciarono penzolare il cadavere dalla forca per dieci giorni, perché i parenti delle vittime potessero sfogarsi a maledirlo, poi lo bruciarono e dispersero le ceneri al vento.

— E così non ho nemmeno una tomba dove andare a pregare — singhiozzò Polissena, pallida come un cencio. Lucrezia le strinse la mano in silenzio: adesso erano uguali, orfane tutte e due.

CAPITOLO QUARTO

118

Quella notte Polissena fece un sogno. Si trovava su una nave, prigioniera, legata strettamente con una fune alla base dell'albero maestro. Aveva ancora i suoi capelli lunghi e indossava il vestito della festa col quale era fuggita da Cepaluna.

Sul ponte della nave un pirata dalle calze rosso sangue camminava a gran passi, scrutando il mare con un cannocchiale e imprecando. Dalla sua bocca uscivano le bestemmie più terribili che Polissena avesse mai sentito.

Ed ecco all'orizzonte una barca, simile a quella del pescatore. Ma a bordo c'era invece il mercante, messer Vieri Gentileschi, che remava con grande energia. La barca si avvicinava rapidamente e Polissena era terrorizzata all'idea dell'accoglienza che avrebbe ricevuto il suo passeggero una volta a bordo. Cercò di gridare per dirgli di cambiare rotta, ma la voce non le usciva dalla gola.

La barca arrivò alla fiancata della nave e il mercante

cominciò ad arrampicarsi su per la scaletta di corda. Per il dispetto il pirata gettò a terra il cannocchiale e con un calcio lo fece ruzzolare lontano. Poi sfoderò la spada e la alzò minacciosa contro il mercante, che stava scavalcando il parapetto. Messer Vieri Gentileschi appariva tranquillo e sorridente, ignaro del pericolo che lo minacciava.

— Babbo! — riuscì a gridare Polissena. — Babbo, scappa! Ti ucciderà.

— Babbo?! Ma che diavolo vai blaterando? — ringhiò il pirata, girandosi a guardarla con rabbioso stupore. — Sono io il tuo babbo, bugiarda. E ti farò assaggiare il Gatto a Nove Code per questa menzogna.

Nella mano sinistra gli apparve la terribile frusta, che sibilò nell'aria con i nove pallini di piombo uncinati.

Intanto il mercante era atterrato con un salto leggero sulle assi del ponte. — Non si azzardi a toccare mia figlia — disse, calmo e autorevole. Ma il pirata gli si avventò contro come una furia.

— Non è sua figlia. È mia, e ne posso fare quello che voglio, anche scorticarla viva.

Il mercante sfoderò la spada e si misero a combattere, saltando da una parte all'altra, gridando e lanciando urla altissime. Il ferro delle lame risuonava e mandava scintille.

Ben presto si capì che il pirata era il più forte e stava vincendo. Dalla spalla colpita del mercante sgorgò un fiotto di sangue. Polissena lanciò un urlo di terrore… e si svegliò.

Era l'alba, e Lucrezia stava radunando gli animali. Non c'era più alcun motivo di restare a Roccabrumosa.

Salutarono i tredici pirati, ringraziandoli di tutto. — Tornate presto! — gridarono quelli, sventolando i fazzoletti dalle finestre.

Si misero in viaggio. Scesero verso la pianura e al bivio

Lucrezia prese la strada che andava verso l'interno del paese. Polissena la seguiva docile come un agnellino, senza parlare, senza fare domande. Il racconto di Numero Tredici l'aveva sconvolta a tal punto che per qualche giorno andò avanti stordita, come un automa. Inciampava nei sassi della strada, si incantava a guardare le nuvole e restava indietro. Non degnava d'uno sguardo il povero Biancofiore. Se non fosse stato per le cure di Lancillotto, il povero porcello in quei giorni si sarebbe ammalato di fame e di malinconia.

Lucrezia non sapeva come fare per consolare l'amica. Si rendeva conto che il colpo era stato tremendo, e rispettava la sua disperazione.

La mattina del primo giorno Polissena aveva preso lo scrigno e lo aveva scaraventato sugli scogli alla base della fortezza, con tutto il suo contenuto. Lucrezia però aveva fatto un cenno a Casilda, e di nascosto dall'amica glielo aveva fatto recuperare. Lo aveva sistemato nel cesto di vimini sul carretto, ben in fondo, sotto tutti i costumi e gli attrezzi di scena.

Il sesto giorno stavano attraversando una strada di campagna fiancheggiata da vigne e frutteti, quando Polissena si arrestò all'improvviso, portandosi una mano alla fronte. — Va bene, devo accettarlo — disse. — Mio padre era Crudelinfame. Ma non mi aveva messo al mondo da solo. Lucrezia, come ho fatto a non pensarci prima! Mia madre! Devo scoprire assolutamente chi è mia madre.

Lucrezia sospirò: — Ti informo che abbiamo quasi terminato il denaro della calza. Prima di rimetterci in cerca delle tue origini, bisogna che diamo qualche spettacolo. E sai cosa ti dico? È ora che ti decida ad affrontare il pubblico. Stasera proveremo qualche numero nuovo, dove avrai una parte anche tu.

Aveva appena finito di parlare che dal cancello di una vigna uscirono due giovani contadini. Quello più alto e robusto, alla vista della compagnia, dette un'esclamazione di gioia. — La Lucrezia del Giraldi! È il cielo che ti manda, bambina. E tuo nonno dov'è?

— È morto. Adesso sono io il capocomico. Anzi, sai cosa ti dico? D'ora in poi ci chiameremo Compagnia Ramusio.

— Perché? — chiese Polissena stupita.

— Dal mio cognome.

— Hai ragione, piccola — disse il contadino. — Negli ultimi anni il vecchio non faceva più niente, tranne che bersi all'osteria i soldi che tu e gli animali guadagnavate. Sono certo che, senza di lui lo spettacolo sarà ancora migliore. Vi ingaggio per una settimana. Reciterete sull'aia della mia fattoria.

— Hai trovato la pentola del tesoro? — chiese Lucrezia divertita.

— No. Mi sposo. E voglio fare grandi festeggiamenti. — Poi si accorse di Polissena. — Vedo che hai un nuovo socio.

Polissena stava per dire: "Sono una femmina", ma Lucrezia la prevenne: — Si chiama Ludovico. È un mio lontano parente.

— Bravo, ragazzo! — approvò il contadino. — Meglio non lasciarla viaggiare da sola, questa cuginetta. Spero che sarai un acrobata bravo quanto lei.

— Ludovico canta e suona — disse Lucrezia.

— Benissimo. Farà ballare i miei ospiti.

Seguirono il contadino alla sua fattoria, che distava mezz'ora di cammino. Polissena fu subito colpita dall'atmosfera di serenità e di allegria che emanava dal vecchio edificio di pietra grigia, circondato da un frutteto di meli vecchissimi.

C'era una stalla, con mucche e cavalli da tiro. E c'era uno stagno dove Apollonia corse subito a sguazzare, seguita da Biancofiore, che si rotolava beato nel fango della riva. C'era, su un lato, un piccolo giardino cintato da una siepe, pieno di fiori autunnali. — È l'orgoglio di mia madre! — spiegò il giovanotto. — Non le permetto più di lavorare nei campi, e così lei si dedica tutta alle dalie e alle violacciocche.

In quel momento però la madre era in cucina e preparava i dolci delle nozze insieme ad altre donne del villaggio. Erano allegre. Impastavano e cantavano. Assaggiavano la pasta dolce e ridevano soddisfatte.

Polissena non poté fare a meno di ricordare la cucina di

Cepaluna, quando Agnese faceva il pane con le altre domestiche più giovani, e permetteva a Petronilla di pasticciare con un pezzo di pasta. A lei e a Ippolita venivano affidate le noci da sgusciare e la frutta secca da spezzettare per il panforte... Chissà adesso se continuavano, anche senza di lei!

Quando la padrona di casa vide Lucrezia, il viso le si illuminò di gioia. — Che bello che siete arrivati! Mancavate solo voi per rendere perfetta la festa! Chi è questo giovanotto? Tuo cugino? Benvenuto anche a lui. Sarete stanchi. Venite. Vi accompagno nella vostra camera.

Gli animali erano già sistemati nella stalla e le due amiche si infilarono con delizia tra le lenzuola pulite e profumate di lavanda. Nella vita girovaga non capitava spesso una simile fortuna.

Il letto morbido invitava al sonno, ma prima di dormire Lucrezia volle raccontare a Polissena tutto quello che sapeva sui padroni di casa. Li conosceva bene, perché era stata altre volte loro ospite nel passato.

— Sono così generosi con i viandanti perché anche loro una volta sono stati molto poveri.

«Non avevano né casa né terra e la madre, che è vedova, lavorava a giornata nelle campagne degli altri contadini. Quando il ragazzo, che si chiama Pacuvio, compì dodici anni, decise di partire in cerca di fortuna. Raccomandò la madre alla carità dei vicini e se ne andò, scalzo, con le pezze nei pantaloni e senza un centesimo in tasca. Tutti credevano che non sarebbe mai tornato e la madre passava le giornate a piangere.

«Ma dopo tre anni soltanto Pacuvio tornò, cresciuto di una spanna abbondante e con in tasca un gruzzolo sufficiente a comprare questa fattoria, la vigna dove lo abbiamo incontrato, e un campo di grano sulla collina. Non raccontò a nessuno dove e come avesse guadagnato quel denaro.

Ma nessuno dubitava che lo avesse guadagnato onestamente, perché Pacuvio è buono e sincero e non farebbe male a una mosca. Adesso è il contadino più benestante di tutta la zona ma, come vedi, non ha dimenticato i vecchi tempi.»

L'indomani Pacuvio portò le due amiche a conoscere la fidanzata che abitava in un villaggio poco distante. Ci andarono in calesse. Era una giornata piena di sole, che faceva splendere i colori dell'autunno. Gli uccelli cantavano fra i rami, le api ronzavano di fiore in fiore, le mele mature rosseggiavano tra le foglie e l'uva gonfia e succosa era pronta per la vendemmia. Polissena guardava di sottecchi il giovane agricoltore che cantava facendo schioccare la frusta al ritmo del trotto del cavallo, e lo trovava sempre più simpatico. Se non avesse dovuto proseguire il suo viaggio, pensava, le sarebbe piaciuto restare a vivere con lui e con sua madre nella fattoria di pietra grigia.

Arrivarono al villaggio. La fidanzata era una ragazza semplice e affettuosa. Insieme formavano una coppia ben assortita, entrambi bruni e abbronzati, con le guance rosse e gli occhi scintillanti di allegria, la battuta facile, i piedi irrequieti, la risata pronta. Si misero d'accordo con Lucrezia sulle canzoni che desideravano fossero cantate in chiesa, e per quelle della festa la lasciarono libera di scegliere nel suo repertorio le più adatte a far ballare la gente. Poi fecero merenda nel giardino della ragazza, a un tavolo di pietra sotto la chioma ombrosa d'un tiglio.

Tutto era così calmo e sereno, così facile e senza problemi che Polissena, ripensando al racconto dei pirati, alla moglie del pescatore, e alla perfida rivelazione di Serafina, aveva la sensazione di essersi svegliata da un brutto sogno.

Prima di lasciarli partire, la fidanzata volle portare Lucrezia nella sua camera per mostrarle il corredo e l'abito da sposa. — Chissà, bambina, se un giorno anche tu po-

trai lasciare questa vita randagia e sposare un bravo giovanotto che ti faccia mettere radici da qualche parte! — disse sfiorandole la guancia con una carezza.

Lucrezia non aveva la minima intenzione di lasciarsi
rinchiudere in una gabbia, ma non le sembrò gentile dirlo a una ragazza che invece si accingeva a entrarci con tanto entusiasmo. Si limitò a sorridere e finse di guardare con
grande interesse l'abito bianco steso sul letto con tutti i
suoi accessori: la corona di mirto, i guanti, la cintura, le
calze di seta e le scarpe col tacco e col grande fiocco di raso.

— E se dovesse far freddo… Guarda cosa mi ha regalato la madre di Pacuvio! Fatto con le sue stesse mani! Non
è una meraviglia? — La fidanzata sollevò contro la finestra uno scialle di morbidissima lana bianca, lavorato a
maglia, soffice e leggero come una trina.

Lucrezia lo guardò e provò una sensazione stranissi-
ma, come il lampo di un ricordo che si mostra per la fra-
zione di un secondo e subito sparisce. Ma era sicura di
non avere mai visto in vita sua uno scialle come quello.

— Ho chiesto alla mia futura suocera di insegnarmi
questo punto, ma lei non vuole. Dice che è un suo segreto — continuava allegra la ragazza. — E tu sai lavorare a
maglia, Lucrezia? No, certo, povera orfanella! Chi potrebbe averti insegnato?

Fu soltanto durante il viaggio di ritorno, a metà strada, che Lucrezia capì cosa l'aveva tanto colpita nello scialle. Nonostante il filo di lana fosse molto diverso – bianco
e sottilissimo questo, scuro, ruvido e grosso quell'altro –
il punto a maglia dello scialle era esattamente lo stesso
della sciarpa da marinaio trovata nello scrigno.

In tutta la sua vita Lucrezia non aveva mai preso in mano un paio di ferri da calza, e di lavori a maglia proprio non se ne intendeva. Ma non poteva dimenticare le parole della fidanzata: «Ho chiesto alla mia futura suocera di insegnarmi questo punto, ma lei non vuole. Dice che è un suo segreto.»

Se questo era vero, anche la sciarpa che aveva avvolto Polissena nel naufragio era stata fatta dalla povera vedova. Ma quale rapporto poteva esserci tra un'anziana contadina e l'elegantissimo pirata dalle calze di seta?

Appena le riuscì di parlare da sola con Polissena, chiuse nella stalla ad accudire agli animali, le rivelò quella strana scoperta. L'amica diventò pallida, e gli occhi le si riempirono di lacrime.

— Lo stesso identico punto? Ma te ne intendi? Ne sei sicura? Come faccio a crederti?

— Hai ragione. Potrei sbagliarmi. Ma non c'è bisogno

che tu mi creda sulla parola. Basterà confrontare lo scialle e la sciarpa.

Polissena scoppiò in singhiozzi: — Non potremo più fare alcun confronto! Non ricordi? Ho gettato via lo scrigno sugli scogli di Roccabrumosa. Come ho potuto fare una cosa simile?

— Un'altra volta imparerai a non essere così precipitosa — osservò Lucrezia tranquilla.

L'altra raddoppiò i singhiozzi.

— Ma un bravo capocomico — proseguì la piccola girovaga — non permette che i membri della sua compagnia facciano delle stupidaggini così madornali. — Si avvicinò al carretto dipinto, aprì il cestone di vimini, frugò… e ne estrasse lo scrigno. — Devi ringraziare Casilda per questo. — Polissena si mise a saltare dalla gioia.

E subito ricominciò a fantasticare. Forse il pirata si era sposato segretamente con la madre di Pacuvio… Ma, con tutta la buona volontà, le riusciva difficile immaginare un matrimonio del genere. E poi, la contadina era troppo anziana per essere sua madre. Sua nonna, allora? Pacuvio aveva una sorella segreta? Era morta? Era ancora viva, imprigionata da Crudelinfame in una grotta su un'isola deserta?

Tolse la sciarpa dallo scrigno, se la gettò sulle spalle e corse fuori, incurante di Lucrezia che le gridava dietro: — Aspetta! Un po' di prudenza. Dobbiamo fare un piano! — Ma Polissena non la stava a sentire.

Sulla soglia di casa andò a sbattere contro Pacuvio. — Devo parlare immediatamente con tua madre — ansimò.

— Ehilà, quanta fretta! Brucia il granaio? — rise il giovanotto prendendola per le spalle. Poi si fece improvvisamente serio: — Ludovico! Dove hai preso quella sciarpa? Chi te l'ha data?

Colta alla sprovvista, perché non era con lui che voleva parlare, Polissena balbettò la prima cosa che le venne in mente: — L'ho trovata in riva al mare. Sulla scogliera ai piedi di Roccabrumosa.

— Sulla scogliera? — ripeté Pacuvio con voce strozzata. — Allora è stato tutto inutile. La culla è andata a fondo. La mia povera piccina è annegata — e si mise a piangere in silenzio, senza gemiti né singhiozzi, come fanno spesso gli uomini che si vergognano delle proprie emozioni. Polissena lo fissava impietrita. Aveva sentito bene? La *mia* povera piccina? Mia?

Pacuvio allungò una mano e sfiorò timidamente la sciarpa.

— Sì, la riconosco. È proprio la stessa. Ludovico, siediti. Non devi pensare che io sia impazzito. Ma questo pezzo di maglia mi ha fatto tornare indietro nel tempo. Mi ha fatto rivivere un'emozione che credevo di avere dimenticato.

Intanto era arrivata anche Lucrezia. — Sedete, ragazzi — insisté Pacuvio. — Voglio raccontarvi una storia di tanti, tanti anni fa… non ricordo più quanti…

— Dieci — suggerì Polissena ritrovando la parola.

— Dieci anni, appunto. Ehi! Ma tu, ragazzo, come fai a saperlo?

Prima che Polissena potesse rispondere, Lucrezia le dette una gomitata che significava: "Prudenza! Lascia che sia lui a scoprire le carte."

— Quella sciarpa — riprese Pacuvio — la riconoscerei fra mille. L'aveva fatta mia madre per me e me l'aveva messa al collo benedicendomi al momento della mia partenza. Non aveva altro da darmi, poveretta. E io la tenni da conto in tutti quegli anni avventurosi, senza separarmene mai... Fino a quando la nave su cui mi trovavo andò a fondo, e la mia povera piccina... ho cercato di salvarla a ogni costo. Ma evidentemente non ci sono riuscito.

A quel punto Polissena non riuscì a trattenersi. Gli buttò le braccia al collo gridando: — Babbo! Non sono annegata. Sono qui. Sono io, tua figlia, sana e salva. Ti ho ritrovato, finalmente!

Il contadino si districò dall'abbraccio ed esclamò pieno di meraviglia: — Ludovico, sei impazzito? Cosa stai dicendo? Come fai a essere mia "figlia", ragazzo?

— I capelli… — balbettò Polissena, toccandosi la testa, mentre a Lucrezia scappava da ridere.

Ma la risata le si gelò sulle labbra perché Pacuvio concluse dicendo con fermezza: — E poi io non ho mai avuto figlie in vita mia. Non capisco di cosa tu stia parlando.

— Ma il naufragio… la sciarpa, la calza di seta, la culla galleggiante, la bandiera, la spilla, lo scrigno… — insisteva Polissena testarda.

— Quale scrigno? Non c'era nessuno scrigno — protestò il giovanotto. Poi si interruppe. — Dannazione! Ma come fai a conoscere tutti quegli altri particolari, ragazzo? La calza di seta rossa… Chi te li ha raccontati? Un fantasma? I marinai della *Sanguinaria* sono annegati tutti nel naufragio.

— Forse è meglio che ascolti Ludovico senza interromperlo a ogni frase — disse Lucrezia, poggiandogli una mano sul braccio. — E, tanto per cominciare, sappi che non si chiama Ludovico, ma Polissena. È una femmina. Sono stata io a farla travestire per poter viaggiare più tranquille.

— E non è vero che ho trovato la sciarpa sugli scogli — disse Polissena. — Ce l'avevo attorno, fermata con una spilla di smeraldi, il giorno che un pescatore mi ha trovato in mare, tra i relitti di una nave. Dieci anni fa, davanti alla costa di Tempestàl.

— Questa poi! Non dirmi che sei...

— ... la tua bambina! Babbo! — esclamò di nuovo Polissena, saltandogli al collo.

Questa volta Pacuvio non si sottrasse all'abbraccio. Ma disse ridendo: — Forse sei davvero quella che io chiamavo la mia bambina. Ma ciò non significa che io sia tuo padre. Fra l'altro avevo solo tredici anni, a quel tempo.

— Non capisco... — balbettò Polissena.

— Adesso tocca a voi due stare ad ascoltarmi tranquille senza interrompere — disse Pacuvio. — Dovete sapere che su quella nave io ero l'ultima ruota del carro. Ero il mozzo. Dovevo lavare il pavimento del ponte, dei corridoi e delle cabine; lustrare gli ottoni; aiutare il cuoco sbucciando le patate. E, dopo che il capitano ebbe mozzato le mani al suo cameriere personale che, stirando, gli aveva ingiallito una camicia, dovevo anche tenere in ordine la biancheria di quel mostro. Non era un lavoro piacevole, ma era l'unico che fossi riuscito a procurarmi quando ero andato via di casa e non volevo tornare da mia madre a mani vuote. Ma era dura. Non potete immaginare quanto fosse malvagio quel pirata.

— Io non ero sua figlia, vero? — azzardò Polissena speranzosa.

— Sua figlia! E quale donna avrebbe accettato di avere

un figlio con quella carogna? Ma se anche questo fosse successo, certo Crudelinfame non avrebbe tenuto con sé il bambino. Se ne sarebbe disfatto vendendolo al mercato degli schiavi. Esattamente come intendeva fare con te. Sì, hai ragione di rabbrividire. Hai corso un bel rischio. Ancora una settimana e *La Sanguinaria* avrebbe raggiunto la città di Olzanur, dove ogni sabato si tiene quell'infame mercato. Ma per tua fortuna ci colse quel tremendo uragano...

«Fu subito evidente che *La Sanguinaria* non poteva resistere. Io sapevo che il capitano non ti avrebbe mai portato con sé sull'unica scialuppa di salvataggio che ci era rimasta. Figuriamoci! Un marmocchio che scalcia e strilla! Ti avrebbe scagliato in acqua lasciandoti affogare come un gattino. Così approfittai della confusione per incatramare una cassetta da frutta e incerare la bandiera. Cercai di ripararti dal freddo come meglio potevo. Non mi intendevo di lattanti, anche se da quando eri salita a bordo, ti avevo fatto da balia asciutta. Toccava a me, ch'ero l'ultima ruota del carro, pulirti il sedere e darti la pappa d'avena. Gli altri non ti volevano nemmeno toccare. Dicevano che un bambino a bordo porta sfortuna. E non avevano torto. Sono annegati tutti, poveracci!

«Io invece mi ero affezionato. Eri ancora più piccola e più indifesa di me e suscitavi il mio senso di protezione. Gli altri marinai mi disprezzavano per questo. Mi gridavano: "Femminuccia! Dov'è la tua bambola? Dov'è la tua piccolina? Sta' attento che uno di questi giorni ce la cuociamo allo spiedo. Dev'essere più tenera di un porcello da latte." Avevo paura che lo facessero davvero, sai? E non ti lasciavo mai sola. Mi sentivo responsabile di te. Per questo, quando ho visto la sciarpa, ho detto "la mia piccolina".»

Polissena sospirò. Era già un bel sollievo non essere figlia del pirata.

— Ma, per tornare alla tempesta — riprese l'ex mozzo — fu proprio quella calza rossa che ti misi addosso a salvarmi la vita. L'avevo presa dalla cabina del capitano, senza accorgermi che quello era l'ultimo paio di calze pulite del cassetto. Pensavo che, oltre a coprirti, ti avrebbe imprigionato le braccia, impedendoti di fare movimenti bruschi che avrebbero rovesciato la culla. E poi ti avvolsi stretta con la mia sciarpa, e la fermai con la tua spilla di smeraldo. Riuscii a metterti in acqua mezz'ora prima che la nave affondasse.

«Intanto il capitano aveva deciso di squagliarsela da solo ed era sceso in cabina a cambiarsi, perché quando si allontanava dalla nave doveva essere sempre in ghingheri, qualsiasi cosa andasse a fare. Gettò via dall'oblò come sua abitudine le calze sporche, ma quando andò a prendere quelle pulite, ne trovò solo una. Non ci voleva molto a immaginare chi fosse il colpevole, anche perché ero l'unico ad avere le chiavi della sua cabina. Furibondo, Crudelinfame mi spinse a calci nella scialuppa. "Remerai per me, sciagurato!" strillava. "E quando sarò in vista della costa, ti legherò l'ancora al collo e ti butterò a mare."

«Ci allontanammo appena in tempo per non essere risucchiati dal gorgo quando, dopo un ultimo sussulto, *La Sanguinaria* colò a picco. Io remavo con tutte le mie forze, mentre il pirata se ne stava sdraiato a guardarmi sgranocchiando noccioline. Si era portato dietro una gran quantità di provviste, il baule delle parrucche, le posate d'argento e il suo vaso da notte personale, in porcellana finissima.

«Quanto a me, mi aveva scelto fra tutti i marinai non certo per salvarmi la vita, ma per prolungare le mie sofferenze. Dovevo pagare il fatto di averlo lasciato con uno stinco nudo!

«Restammo in mare per nove giorni, durante i quali Crudelinfame non mi permise di bere una goccia d'acqua né d'inghiottire un solo boccone. "Quando non ce la farai più, ti getterò in pasto ai pesci" sogghignava. Di notte, per impedirmi di bere e di mangiare, dormiva sdraiato sui sacchi delle provviste e usava il barilotto d'acqua come cuscino. Ma aveva un sonno così profondo che io riuscivo ugualmente a rubare quel po' di cibo e d'acqua che mi servivano per sopravvivere.

«Durante le mie incursioni notturne scoprii anche che il sacchetto di pelle che il pirata portava al collo era pieno di pietre preziose, e con i denti rosicchiai pian piano il legaccio, senza però spezzarlo del tutto, in attesa dell'occasione giusta per squagliarmela.

«Il nono giorno fummo raggiunti da un branco di delfini, che circondarono la scialuppa saltando con capriole aggraziate fuori dell'acqua e invitandoci a giocare. Al pirata tutto ciò che è bello e gentile dava sui nervi. Pieno di stizza caricò la pistola e la puntò, per cominciare, contro il più giovane del branco, un cucciolo color argento dagli occhi dolcissimi. Era più di quanto non riuscissi a sopportare. Con una mossa fulminea sfilai un remo dallo scalmo e, usandolo come una clava, lo abbattei sul polso di Crudelinfame, facendo saltar via la pistola. Urlando di rabbia il pirata mi si lanciò contro. Invece di scansarmi, lo aspettai tendendo avanti un piede, e quando mi fu addosso, gli feci lo sgambetto mandandolo a gambe all'aria sul fondo della scialuppa.

«Non c'era tempo da perdere! Allungai una mano, afferrai la borsa di pelle che quella carogna aveva al collo, detti uno strappo… e fortunatamente il laccio si spezzò. Allora mi tuffai in mare. Non c'era alcuna terra all'orizzonte, ma sapevo che i delfini si sarebbero presi cura di me e non mi avrebbero lasciato affogare.

«Infatti mi vennero sotto e mi tennero a galla, trascinandomi velocemente lontano, fuori del tiro del pirata che, furibondo, mi scagliava addosso, in mancanza di altri proiettili, le sue posate d'argento e, quando le ebbe finite, il vaso da notte personale. Ma non riuscì a colpirmi.

«Prima del tramonto i delfini mi deposero sano e salvo su una spiaggia, inzuppato d'acqua come una spugna, ma con il prezioso sacchetto di pelle stretto in mano.

«Ne avevo abbastanza di avventure. Vendetti le pietre preziose e ne ricavai un bel gruzzolo, col quale, una volta tornato a casa, comprai i campi e la fattoria. Il pirata, non so che fine abbia fatto. Forse è ancora in mezzo al mare, che cerca di recuperare le sue forchette e il suo vaso da notte.»

— No. Il pirata è morto. Impiccato. E le sue ceneri sono state disperse nel vento — disse a quel punto Lucrezia.

— Poveraccio! — sospirò impietosito Pacuvio.

— Niente più di quanto non meritasse — fece asciutta Polissena, tutta contenta di potersi sfogare a parlar male di Crudelinfame, ora che non era più suo padre.

— Scusa, Pacuvio, la tua storia è molto interessante e ci ha tenute col fiato sospeso — disse Lucrezia. — Ma non ci hai detto la cosa principale: se Polissena non è tua figlia, e neppure del pirata, chi sono i suoi genitori? Com'è che si trovava a bordo della *Sanguinaria*?

— Non ve l'ho detto? Scusatemi. Il ricordo di quei giorni sulla scialuppa ha ancora il potere di sconvolgermi. Non potete immaginare quanto…

— Lo possiamo immaginare benissimo — tagliò corto Lucrezia. — Di chi è figlia Polissena?

— Ah, questo non lo so! Mi dispiace. L'abbiamo rapita

in una locanda nei pressi di Mirenài, durante una scorreria sulla terraferma. Era sola, in una culla di legno accanto al fuoco. Anzi, no. C'era un cane a custodirla. Ma Crudelinfame gli scaricò addosso le sue pistole.

— Vuoi dire che la locanda era deserta?

— Deserta e con le porte ben inchiavardate. Ma bastò un colpo di mazza ben assestato a far saltare i lucchetti.

«Dentro non c'era nessuno. Probabilmente erano andati tutti a una festa religiosa nelle vicinanze: padroni, domestici e clienti. Non avrebbero tardato molto a rientrare. Nel camino c'era un quarto di manzo che rosolava sul girarrosto a molla e, sul tavolo di cucina, una torta cruda aspettava d'essere infornata. Il nostromo, quell'ingordo, se la mangiò in due bocconi così com'era ed ebbe il mal di pancia per tre giorni. Era un tipo così goloso che...»

— Per favore, non divagare! — supplicò Lucrezia. — Raccontaci tutto per bene, cominciando dall'inizio.

— E non tralasciare alcun dettaglio che mi riguardi — raccomandò Polissena.

— D'accordo! Ma prima portatemi un bicchiere d'acqua. Che giornata! E proprio la vigilia delle nozze. Mi sembra d'essere tornato indietro di dieci anni. Lo sapete che non avevo mai parlato con nessuno, nemmeno con mia madre, di quegli anni con i pirati? Voi due siete le prime a sapere l'origine del mio gruzzolo. Non potete immaginare...

— Sì, che possiamo! Racconta, dai!

— Era la prima scorreria in terraferma a cui partecipavo da quando ero stato ingaggiato come mozzo. Non che mi piacesse comportarmi come un ladro e un assassino... Di solito, quando i pirati della *Sanguinaria* andavano all'arrembaggio, mi nascondevo nella cambusa, dentro qualche barile vuoto.

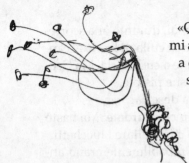

«Quella volta però Crudelinfame
mi aveva costretto a seguirli perché,
a cose fatte, aiutassi almeno a trasportare il bottino. Disponeva di
un ottimo argomento per con-
vincermi: le carezze del Gatto
a Nove Code. E non dimenticate che avevo tredici anni...

«Raggiungemmo la costa
e sbarcammo nel cuore della notte in un'insenatura riparata dai venti e dagli sguardi indiscreti. Ci mettemmo in
marcia nella boscaglia, in gran silenzio, e raggiungemmo
la locanda ch'era giorno alto. Dal comignolo dell'edificio
saliva un filo di fumo.»

— Sapresti indicarmi con esattezza dove si trovava,
questa locanda? Qual era il suo nome? — lo interruppe
Lucrezia.

— Il nome... Dunque, c'era un'insegna dipinta, un uccello... Ecco! La Civetta Verde! Così si chiamava. La Civetta Verde. Distava circa un miglio dalla costa, di fronte
all'Isolotto dei Porcospini, lungo la strada che da Mirenài
porta a Pratàle.

«Le notizie raccolte dal capitano dicevano che era fre-
quentata dai viaggiatori più ricchi del paese. E che vi si
mangiava la selvaggina più squisita. Che, nelle camere,
c'era un vaso da notte per ogni ospite, e nei letti lenzuola
di lino ricamate. Un posto di lusso, insomma! Dove c'era
la possibilità di fare un ottimo bottino.

«Il piano di Crudelinfame era dei più semplici. Cogliere
di sorpresa gli abitanti, immobilizzarli, portar via la borsa a tutti gli ospiti e la cassa ai padroni. Arraffare tutti gli
oggetti di valore, i cavalli, le galline. Insomma, un sac-
cheggio in piena regola. E se fra i viaggiatori o i domesti-

ci ci fosse stata qualche bella ragazza, il capitano aveva dato ordine di catturarla per l'harem del Sultano di Argù, che era sempre disposto a pagare benissimo quel tipo di merce.

«Ma quando facemmo irruzione nella locanda secondo le istruzioni, scoprimmo che era deserta, a parte, come ho già detto, una bambina in fasce e un cane. Anche le stalle erano deserte. La gente se n'era andata tutta a cavallo chissà dove.

«Il capitano, bestemmiando, ci ordinò di cominciare a perquisire il pianterreno e poi di salire nelle camere dove gli ospiti avevano certo lasciato il loro bagaglio e forse del denaro. Ma i padroni avevano nascosto così bene la cassa che non riuscimmo a trovarla.

«Non eravamo ancora saliti al piano superiore che arrivò di corsa il secondo, ch'era rimasto di vedetta su un'alta quercia, dalla quale si potevano controllare tutte le strade che portavano alla locanda. Ansante, ci riferì d'aver visto una schiera di soldati provenienti dalla capitale che si dirigeva verso di noi. Non sembravano in assetto di guerra. Probabilmente si trattava di una normale esercitazione. Ma erano comunque troppi perché potessimo tenergli testa.

«Schiumando di rabbia, il capitano dette il segnale della ritirata. Non avevamo fatto in tempo a rubare nemmeno un lenzuolo. Solo il nostromo era riuscito ad acciuffare sei o sette galline del pollaio e a rinchiuderle in un sacco, e quello fu tutto il nostro bottino. Oltre alla piccina, naturalmente.»

— Mi presero perché ero figlia di un principe? Per chiedere un ricco riscatto? — domandò Polissena.

— No. Nel fuggi fuggi generale, correndo verso l'uscita, il capitano inciampò nella culla rovesciandola e la bambina, tu, si mise a strillare. Il cane allora gli si slanciò addosso abbaiando. «Dannazione, fateli tacere!» urlò Crudelinfame, puntandogli contro la pistola. Io mi slanciai a raccoglierti. Appena in tempo. Il cane era crollato a terra in un lago di sangue. Tu, spaventata dal colpo, urlavi ancora più forte. Ti misi una mano sulla bocca. Ma quel mostro ti stava fissando con una attenzione sospetta. «Potremmo venderla al mercato degli schiavi» disse. «È sempre meglio di niente. Portiamola via.» E fu così che tu salisti a bordo della *Sanguinaria*, sempre in braccio a me, perché nessuno degli altri voleva toccarti, figuriamoci il capitano.

— Com'ero vestita? — chiese Polissena.

— Normale. Né pizzi, né stracci. Panni caldi e puliti. Potevi essere figlia dell'ostessa, oppure di qualche viaggiatrice. L'unica cosa strana era la spilla da balia che ti fermava le fasce. D'oro, con incastonato un piccolo smeraldo. D'altronde la conosci. Non è un oggetto di grandissimo valore, ma comunque è troppo preziosa per restare nascosta tra i panni di un neonato. Fui io a scoprirla la prima volta che ti cambiai. Non dissi niente al capitano e la nascosi, pensando che un giorno ti potesse servire.

Quando Pacuvio ebbe finito il suo racconto, Polissena per la terza volta nel pomeriggio, gli gettò le braccia al collo. — Anche se non sei mio padre, hai rischiato la vita per salvarmi — disse riconoscente.

— Chi l'avrebbe detto che saresti diventata così grande e bella? — fece di rimando il contadino. — Perché sono sicuro che sotto quella giubba e quei pantaloni si nasconde una ragazzina bella come una rosa. Perché ti sei tagliata i capelli?

— Mi stanno già ricrescendo — disse Polissena, passandosi le dita fra le ciocche disordinate.

Decisero di non rivelare a nessuno la vera identità di "Ludovico", e nemmeno l'esperienza piratesca di Pacuvio.

— Mia madre non dormirebbe più per la paura retrospettiva — rise il contadino. — E forse la mia fidanzata non vorrebbe più saperne di un tizio che si è arricchito rubando una borsa di gioielli a un povero pirata alla deriva.

Polissena rise. Le era tornato il buonumore. Anche se ormai, di tutti gli oggetti dello scrigno le restava solo la spilla a guidarla verso il mistero delle sue origini. La spilla e l'indirizzo della locanda.

Era impaziente di mettersi in viaggio, ma Lucrezia rifiutò di muoversi fino a che non fossero terminati i festeggiamenti nuziali.

Restarono dunque alla fattoria per tutta la settimana a suonare per far ballare gli ospiti come avevano pattuito all'inizio.

Terminati i festeggiamenti e partiti gli ospiti, Pacuvio spiegò sulla tavola una carta geografica e mostrò a Lucrezia la strada per raggiungere La Civetta Verde.

— È un lungo viaggio, come vedi. Dovrete arrivare a Pratàle e proseguire per due miglia in direzione di Mirenài.

Lucrezia, nei suoi giri col vecchio, non si era mai spinta così lontano ed era un po' preoccupata. Si chiedeva se le strade fossero sicure, e che accoglienza avrebbe riservato ai suoi spettacoli quella gente sconosciuta. Secondo i suoi calcoli, ci sarebbero voluti due mesi per arrivare a Pratàle, e bisognava pur che guadagnassero qualcosa per vivere.

— Permettetemi di aiutarvi — disse però Pacuvio con un bel sorriso. — Ecco una borsa piena di monete d'oro. Dovrebbero bastarvi per il cibo e per pagare ogni notte una stanza d'osteria, o comunque un riparo al coperto. Sta arrivando l'inverno, e non dovete assolutamente far prendere freddo alle scimmie. Lo sapete che provengono da un paese caldo e potrebbero ammalarsi.

— Lo so — disse Lucrezia. — Starò attenta.

Si salutarono con molti abbracci e Polissena promise all'ex mozzo che lo avrebbe nominato giardiniere nel suo palazzo, quando si fosse riunita ai genitori, che gli avrebbe restituito tutto il danaro e che avrebbe nominato marchese il suo primogenito, anche se fosse stata una bambina. Ora che stavano per rimettersi in cammino, la sua immaginazione riprendeva a galoppare. Se la locanda era un posto di lusso, se le sue fasce erano fermate da un gioiello… la sua origine non poteva essere altro che principesca. Ne era sicura.

Pacuvio la ringraziò ridendo. — D'accordo. Però ricordati che se invece dovessi trovare qualcosa che non ti piace, puoi tornare qui alla fattoria in qualsiasi momento. Fa' conto che questa sia la tua casa. E anche tu Lucrezia. Andate, ora, che il Signore vi benedica!

PARTE QUINTA

ALLA CIVETTA VERDE

Erano in cammino da circa dieci giorni, quando una sera Lucrezia, studiando sulla carta geografica il percorso che le aspettava l'indomani, osservò: — Passeremo di fianco a Paludis. Mi piacerebbe rivedere la casa dove sono nata e la tomba dei miei genitori.

Polissena non aveva alcun desiderio di allungare il viaggio neppure con quella piccola deviazione, ma si rese conto che non poteva essere così egoista da rifiutare quel favore all'amica. In fondo Lucrezia, da quando l'aveva incontrata, non aveva fatto altro che aiutarla nella sua ricerca, modificando per lei tutte le sue abitudini.

— D'accordo, andiamo! Anch'io sono curiosa di conoscere il tuo paese — mentì.

Così l'indomani lasciarono la strada maestra e si inoltrarono in una campagna piatta e triste, dove l'unica vegetazione era costituita da bassi ciuffi di giunchi.

Dopo circa un'ora arrivarono a Paludis. Il paese sembrava abbandonato. Le strade erano deserte; le case in rovina, prive di porte e finestre, mostravano all'interno stanze vuote, polverose, dove i ragni tessevano indisturbati le loro tele.

Polissena fu colta da un brivido, e non poté fare a meno di ricordare le strade animate di Cepaluna, i giardini fioriti che traboccavano dai muri, e il canto della fontana nella piazza col volo delle rondini, e il cortile di casa Gentileschi, l'andirivieni dei carri, il vociare dei servi che scaricavano i sacchi di mercanzie, i giochi e i litigi delle sorelle con le loro compagne di gioco.

Lucrezia, per quanto si sforzasse, non riuscì a identificare la casa dei genitori. Quando Giraldi l'aveva portata via, non aveva che due anni, e la sua memoria non si spingeva così lontano. Tutto quello che sapeva della sua famiglia, lo sapeva dai racconti del vecchio. L'unico abbraccio materno che ricordava era quello peloso di Bianca, la grossa cagna madre di Ramiro, al cui fianco si stringeva insieme al cucciolo nelle notti d'inverno.

In quel paese di fantasmi l'unico edificio rimasto intatto era la chiesa.

— Il vecchio mi ha sempre detto d'aver letto il mio nome sui registri del parroco — rifletté Lucrezia. — Chissà, forse sono ancora al loro posto. Entriamo!

Il portone di legno era chiuso, ma alla spinta di Polissena si aprì cigolando sui cardini.

— Ramiro, Lancillotto! Voi dovete aspettarci fuori. Badate agli altri animali. Torneremo fra pochi minuti — disse Lucrezia.

Una volta dentro la chiesa, si fecero il segno della croce, accennarono una rapida genuflessione e si infilarono nell'unica porta laterale, che dava accesso alla sagrestia. Nella stanza tutto era in ordine, a parte la coltre di polvere che ricopriva ogni cosa: gli armadi a vetri, il tavolo, i candelabri d'ottone, il pastrano nero del parroco ancora appeso all'attaccapanni... Ma dov'era il registro?

Polissena che aveva accompagnato spesso la mad..., la moglie del mercante nella sagrestia della chiesa di Cepaluna, a portare i gigli del loro giardino per l'altare di giugno, oppure un'offerta di cera per le candele, andò a colpo sicuro verso l'armadio dei paramenti. Là dentro, al riparo dalla polvere, sotto le cotte bianche accuratamente ripiegate, trovarono un grosso volume dalle pagine di pergamena ingiallita.

Lucrezia lo sollevò a fatica, con religiosa attenzione, mentre Polissena puliva un angolo del tavolo con la manica della giubba.

Cominciarono a sfogliare con precauzione le vecchie pagine. Le annotazioni del parroco si interrompevano al mese di settembre dell'anno della Grande Pestilenza. Polissena lesse turbata le ultime righe, scritte con grafia tremante:

Sono morti tutti. Ho dovuto chiamare i becchini da Lenagro per seppellire gli ultimi sette. Per fortuna ieri è passato di qui Giraldi e ha portato via la bambina dei Ramusio. Io non avrei potuto aiutarla. Sono dieci giorni che non lascio il letto. I bubboni si sono estesi su tutto il mio corpo. Ho la febbre altissima. Forse non arriverò a domani. Il priore della Confraternita della Misericordia di Lenagro ha promesso che fra qualche giorno torneranno a seppellirmi. Che Iddio abbia misericordia della mia anima!

Sette pagine prima Lucrezia trovò l'annotazione che andava cercando:

Oggi, dodici agosto 17... ho battezzato in questa chiesa col nome di Lucrezia Maria Eleonora Adalinda la figlia primogenita di Egberto e Teresa Ramusio, miei parrocchiani.

Una macchia di umidità cancellava le due ultime cifre della data. Ma non erano difficili da ricostruire, perché Giraldi, che aveva letto quello stesso foglio molti anni prima, aveva sempre raccontato che Lucrezia, alla morte dei genitori, aveva circa due anni.

— Egberto e Teresa! — mormorò Polissena. — Tu almeno conosci il nome dei tuoi. Chissà com'erano! Davvero non ricordi niente di loro? Neppure il viso di tua madre?

Lucrezia si frugò nella scollatura della tunica e ne estrasse il laccio di cuoio con i ciondoli che già conosciamo, tra i quali spiccava ancora, per il colore vivace, il pesciolino di corallo. Separò dagli altri oggetti un medaglione ovale che si apriva a scatto e lo tese all'amica. — Guarda!

Polissena guardò. Il medaglione era un oggetto da poco prezzo, d'ottone dorato, pieno di graffi e d'ammaccature. Ma i due ritratti all'interno erano di pregevolissima fattura: due miniature eseguite con arte sul fondo d'avorio levigato. Polissena aveva imparato dal pad... dal mercante a valutare quei minuscoli dipinti, e questi sembravano davvero straordinari. Rappresentavano una giovane donna dall'aria severa e un uomo più anziano, barbuto, dallo sguardo ironico.

— I miei genitori! — spiegò Lucrezia con orgoglio. — Avevo questo medaglione al collo quando il vecchio mi ha portato via.

"Povera gente!" venne da pensare a Polissena. "Di solito i contadini non hanno abbastanza denaro per queste cose. Devono aver speso tutti i loro risparmi per farsi fare il ritratto. Come se avessero il presentimento che alla figlia non sarebbe rimasto altro di loro. E hanno avuto la fortuna di incontrare un vero artista, che li ha imbelliti e ha dato loro un'aria nobile e fiera che certo non avevano."

Non c'era dubbio che il medaglione appartenesse davvero a Lucrezia. La sua somiglianza con i personaggi ritratti era impressionante. La piccola girovaga aveva lo sguardo del padre e il suo naso, e le orecchie piccole un po' appuntite. Della madre i capelli biondi, le sopracciglia, la bocca e il mento. E quel modo fiero di tenere la testa ben dritta sul collo, nato forse nella donna dall'abitudine di portare in bilico sul capo la brocca dell'acqua o il canestro o le fascine.

"E io, chissà a chi somiglio" pensò tristemente Polissena. Avrebbe mai incontrato un volto così simile al suo da non lasciare alcun dubbio? Avrebbe mai potuto rispecchiarsi così fedelmente nel ritratto di un'altra persona?

Rimisero nell'armadio il registro, uscirono dalla chiesa, chiusero accuratamente il portone.

Seguite dagli animali, si diressero al cimitero, ch'era lì vicino, separato dalla piazza da un basso steccato di legno. Dieci anni d'abbandono avevano fatto sì che le erbacce invadessero i vialetti e coprissero in parte le tombe. Ma la fortuna guidò Lucrezia verso una lapide di pietra corrosa dal muschio e dalla pioggia.

QUI GIACCIONO
EGBERTO E TERESA RAMUSIO
SPOSI AFFEZIONATISSIMI
UNITI NELLA MORTE
COME LO FURONO NELLA VITA

Polissena intanto si dava da fare per liberare dalle erbacce una tomba vicina. — Anche qui c'è scritto Ramusio. Sembra più antica di quella dei tuoi genitori. Guarda! Un'altra Lucrezia… Lucrezia Maria Eleonora Adalinda. Ti hanno battezzato esattamente con i nomi di tua nonna.

— Non sapevo di avere anche una nonna — osservò Lucrezia, piacevolmente meravigliata.

— Che stupidaggine! Tutti ce l'hanno, una nonna! — la sgridò Polissena. — Anzi, tutti ne hanno due. Due nonne e due nonni — e subito l'assalì un fastidioso pensiero. Tutti? Tutti, eccetto i trovatelli. Chi non conosce il nome dei genitori, ovviamente non può sapere chi siano i suoi nonni.

Lasciata Paludis, tornarono sulla strada maestra e proseguirono il viaggio. Dopo sei giorni raggiunsero l'ultima fattoria dove Lucrezia era già stata col vecchio, e l'indomani si inoltrarono in un territorio sconosciuto.

Adesso la piccola girovaga doveva studiare con maggiore attenzione la carta geografica, e calcolare bene, giorno per giorno, le miglia da percorrere. Era indispensabile infatti raggiungere sempre un centro abitato prima che facesse buio, per non dover passare la notte all'aperto nella solitudine della campagna. Oltre al freddo, che cominciava a farsi sentire, c'era il rischio di fare qualche brutto incontro. Non che Lucrezia temesse un attacco dei briganti. Sapeva che quei signori non avrebbero sprecato le loro energie per impadronirsi del suo cestone di vimini e del carretto. La Compagnia Ramusio aveva un aspetto così scalcagnato da non far gola a nessuno. E che nella piccola botte appesa al collo di Ramiro non ci fosse acquavite, ma il gruzzolo di monete d'oro regalate da Pacuvio, chi lo poteva immaginare?

Grazie a quel denaro le due amiche avrebbero potuto compiere l'intero viaggio senza mai fermarsi a dare spettacolo. Ma Lucrezia non voleva far nascere sospetti, né che gli animali perdessero l'allenamento. Perciò, ogni volta che arrivavano in un centro abbastanza popoloso, appendeva a un albero della piazza il manifesto disegnato da Polissena e faceva un giro per le strade accompagnata da Lancillotto che suonava il tamburo e annunciava all'illustrissimo pubblico del posto l'arrivo della compagnia.

Non sempre l'illustrissimo pubblico era entusiasta e generoso come a Tempestàl. Qualche volta il guadagno era scarso, ma permetteva comunque di risparmiare almeno una parte del denaro regalato da Pacuvio. I bambi-

ni però andavano pazzi degli Animali Acrobatici, e la fama della Compagnia Ramusio non solo si spargeva nella regione, ma la precedeva. Ormai tutti i marmocchi dei paesi lungo la strada aspettavano l'arrivo di Lucrezia, di Ludovico e dei loro prodigiosi compagni di spettacolo.

Sì, anche "Ludovico" adesso raccoglieva la sua bella razione di applausi da parte degli spettatori.

Il fatto è che, strada facendo, Lucrezia aveva convinto pian piano l'amica a vincere la timidezza che l'impacciava e che finora l'aveva relegata al ruolo di assistente ai costumi o di accompagnatrice musicale. Come abbiamo visto, c'era una cosa che Polissena sapeva fare meglio di chiunque altro al mondo: arrampicarsi. Lucrezia studiò quindi per "Ludovico" una serie di esercizi tutti basati su questa abilità.

Vestita di nero e di giallo come un ragno, Polissena raggiungeva in un batter d'occhio la cima dell'albero della cuccagna rimasto in piazza dalla recente sagra patronale. Mentre il pubblico tratteneva il respiro, scalava la facciata di tre piani del Municipio, quasi priva del minimo appiglio, per andare a sedersi con eleganza sul cornicione. Ben presto si meritò l'appellativo di "Ludovico il Ragno". Si arrampicava sui campanili e sulle torri, sulle funi che pendevano dai tetti, sui rami degli alberi più alti. Spesso il numero prevedeva che Lancillotto cercasse di imitarla, e la accentuata goffaggine della scimmia contrastava comicamente con la grazia e la leggerezza del "ragazzino".

Adesso Polissena si sentiva un membro a pieno titolo della Compagnia Ramusio. Ogni tanto però veniva riassalita da un senso di vergogna. Cosa avrebbe detto Serafina vedendola sgambettare in cima a un palo sotto gli occhi di tanta gente? Cosa avrebbe pensato Agnese, che aveva dedicato tanto tempo e tanta fatica a insegnarle le buone maniere e il riserbo che si addice a una ragazzina di buona famiglia? E cosa avrebbe detto la mad... la moglie del mercante? A quel pensiero Polissena veniva assalita da una leggera vertigine e più d'una volta aveva rischiato di cadere. Ma il pubblico batteva le mani e gridava:
— Lu-do-vi-co! Lu-do-vi-co!

Bisognava controllarsi ed essere all'altezza della propria fama.

Cominciò a piovere e la strada si trasformò in un pantano. Per le due scimmie diventò così difficile camminare che Lucrezia autorizzò anche Lancillotto a farsi trasportare seduto sul carretto. Il povero Ramiro soffriva per il pelo inzaccherato. L'oca e il porcello invece sguazzavano beati nel fango e tutte le sere le due amiche avevano il loro daffare a pulirli prima di farli entrare al coperto.

La comitiva adesso avanzava così lentamente da far temere a Polissena che non sarebbero arrivate alla Civetta Verde prima di Natale. Lucrezia allora prese una decisione: avrebbero speso ciò che restava delle monete d'oro di Pacuvio per fare l'ultimo tratto del viaggio in diligenza.

Non fu semplice trovare un postiglione disposto a prendere a bordo gli animali. La maggior parte di loro temeva che quegli ospiti inconsueti avrebbero riempito la carrozza di pulci. (Ed era un timore infondato, perché Lucrezia li teneva pulitissimi.) Oppure pensavano che gli altri viaggiatori non avrebbero gradito una simile compagnia.

Si dovette ricorrere a un inganno. L'oca fu chiusa nel cestone di vimini e collocata insieme al carretto e agli altri bagagli sull'imperiale. Al resto degli animali Lucrezia fece indossare i costumi della Scena del Salotto.

Gli altri passeggeri guardavano meravigliati quella strana comitiva. Non avevano mai visto in vita loro due signore così pelose e due lattanti così strani. Ma finirono per abituarsi. Chi viaggia sa bene che deve aspettarsi gli incontri più singolari, e il postiglione aveva detto che si trattava di una famiglia molto ricca. I ricchi, aveva spiegato (come se ce ne fosse stato bisogno!) possono permettersi d'essere stravaganti quanto vogliono e nessuno ha il diritto di criticarli.

Ben presto Casilda era diventata la beniamina degli altri viaggiatori, specie delle signore, le quali erano incantate, non meno che dalle sue mossette graziose, dall'abitino di broccato rosa che lo strano lattante indossava. Un capo d'abbigliamento insolitamente prezioso per un bambino, nel tessuto e nella fattura, che confermava ai loro occhi la grande ricchezza della stravagante comitiva. È pur vero che era vecchio e stropicciato, e che aveva qualche macchia, ma sul corpetto si poteva ammirare il residuo d'un prezioso ricamo di filo d'oro e piccole perle che in origine doveva estendersi anche su tutta la gonna.

Spinta dall'ammirazione delle viaggiatrici anche Polissena lo considerò con maggiore attenzione del solito e, da brava figlia (ex figlia!) di mercante, lo valutò e riconobbe che le signore non esageravano. Era un abitino che, da nuovo, doveva essere costato un occhio della testa. Ma chi possiede tanto denaro da sprecarlo per un neonato che cresce rapidamente e dopo solo un mese non sta più dentro ai vestiti di prima?

— Dove lo hai preso? — chiese a Lucrezia in un sussurro. — Di chi era?

— Non ne ho la minima idea. È sempre stato nel baule dei costumi. Non mi meraviglierei se il vecchio lo avesse rubato da qualche parte.

Lucrezia era soddisfatta. Viaggiando in diligenza ogni giorno percorrevano la distanza che a piedi avrebbe richiesto una settimana. Stavano all'asciutto e al calduccio e non doveva preoccuparsi che le scimmie prendessero il raffreddore.

Cullata dal movimento della carrozza Polissena sonnecchiava lasciando galoppare a briglia sciolta la sua immaginazione. Nonostante le delusioni recenti, non dubitava affatto che alla Civetta Verde avrebbe trovato la risposta a tutte le sue domande.

E già progettava che avrebbe chiesto ai genitori ritrovati di adottare Lucrezia, povera orfanella, perché avesse finalmente un tetto sicuro sopra la testa, e un letto caldo, e cibo abbondante, e dei maestri che le insegnassero le buone maniere. Nella gioia dell'incontro, i genitori non avrebbero potuto negarle quel regalo. Soprattutto quando avesse spiegato loro che senza l'aiuto della piccola girovaga non sarebbe mai riuscita a raggiungerli.

Naturalmente Lucrezia, ch'era più piccola di lei, le avrebbe dovuto obbedire, e prenderla ad esempio. Sarebbe stato come avere di nuovo una sorellina minore. Il pensiero di Ippolita e di Petronilla si portava dietro una tristezza così grande che, non appena le si affacciava alla mente, cercava di allontanarlo.

Poi si passava la mano fra i capelli che stavano ricrescendo in ciuffi disuguali. Ormai erano abbastanza lunghi da poter essere pettinati alla paggio. Alla prima tappa doveva chiedere a Lucrezia che glieli regolasse con le forbici che usava per tosare gli animali.

Ci misero cinque giorni per arrivare a Pratàle. Prima di scendere dalla carrozza Lucrezia si era informata sulla strada da prendere per arrivare alla Civetta Verde, che distava soltanto mezza giornata di cammino.

Così, rinvigorite dal lungo riposo, si misero allegramente per strada, nonostante avesse cominciato a nevicare. Le scimmie se ne stavano tutte imbacuccate nel carretto, riparate dal grande ombrello verde del defunto Giraldi. Dimitri e Ramiro invece si godevano con delizia i fiocchi bianchi che non riuscivano a penetrare nel folto delle loro pellicce.

Le due amiche s'erano avvolte in pesanti mantelli. Lucrezia portava in braccio l'oca, Polissena il porcello. Per scaldarsi camminavano in fretta, e il loro fiato disegnava nell'aria due piccole nuvole bianche.

Attraversarono campi coltivati, pascoli, frutteti, e si inoltrarono in un bosco. Ma la strada continuava a essere larga e ben lastricata. Le pietre miliari indicavano che ci si stava avvicinando alla capitale.

Poco prima del tramonto arrivarono in vista della lo-

canda, che si trovava sul fianco d'una collina dissemina-
ta di grandi alberi spogli. Da ciascuno dei molti comigno-
li (c'era un caminetto in ogni stanza) si levava nell'aria
fredda e limpida un filo di fumo grigio, e dietro ai vetri
delle finestre già brillava la luce delle lampade, sebbene
non fosse ancora completamente buio.

CAPITOLO TERZO

Arrivarono al cancello e attraversarono il lungo viale alberato, mentre la neve continuava a cadere. Lucrezia, in tutta la sua vita randagia, non aveva mai visto una locanda come quella. Più che a una fattoria o a una stazione di posta, La Civetta Verde somigliava a una villa di campagna. La facciata era decorata da una bella scala ricurva e da eleganti balconi ai piani superiori. Tutto attorno c'era un giardino, ora seminascosto da una leggera coltre di neve. Su un lato dell'edificio le piante di bosso erano potate in modo da formare un labirinto. Sotto i grandi alberi, tra i cespugli, si indovinavano colonne antiche e statue. Sulla porta un'insegna dipinta avvertiva:

ALLA CIVETTA VERDE
LOCANDA PER VIAGGIATORI
D'ALTO RANGO

Dall'interno dell'edificio arrivavano scoppi di risate, musica, voci allegre, grida rabbiose di gente che litigava, strilli femminili, latrati di cani.

Intimidite le due amiche si fermarono ai piedi della scala.

— Prima di bussare, diamo un'occhiata dalle finestre — suggerì Polissena.

Fuori era calato il buio, ma le stanze al pianterreno dell'edificio erano illuminate da centinaia di candele, così che non era difficile spiare dentro senza essere viste.

Il pianterreno non era, come in tutte le altre locande, un'unica grande stanza fumosa adibita contemporaneamente a cucina e a sala da pranzo per i viaggiatori, ma consisteva in una serie di eleganti saloni, ognuno col suo caminetto di marmo, poltrone e divani di seta, tappeti persiani, tavoli apparecchiati con cristalli e porcellane, candelabri d'argento dappertutto.

Degli ospiti che affollavano i saloni alcuni mangiavano con posate d'argento, altri giocavano a carte o ai dadi, altri ancora conversavano davanti al fuoco. Indossavano tutti vesti magnifiche, e le signore, nonostante fosse ormai novembre, avevano le spalle e le braccia nude. In uno dei salotti si faceva musica con un clavicembalo e un violoncello. Qualche coppia ballava. Gli altri ascoltavano, semisdraiati sui divani. E la servitù...

... Mai in tutta la sua vita di viaggiatrice Lucrezia aveva visto camerieri di locanda così eleganti e graziose! E neppure così numerose e affaccendate. Erano tutte giovanissime, tutte belle, di viso e di personale. Vestite con una divisa civettuola che ne metteva in risalto la vita sottile, i fianchi snelli, le caviglie e i piedini delicati, correvano incessantemente fra gli ospiti reggendo con abilità grandi vassoi carichi di bicchieri o di pietanze, piatti da cambiare, cestini di legna per i caminetti, mazzi di fiori, scialli e ventagli per le signore, ciotole d'acqua per i cani da caccia, sigari per i signori, mazzi di carte nuovi, liquori e frutta candita.

Instancabili si chinavano a terra per raccogliere le bucce e la cenere del caminetto, si arrampicavano per mettere candele nuove nei lampadari, spostavano le sedie, attizzavano il fuoco, porgevano i sali alle dame svenute, recuperavano l'osso del cane finito sotto un divano troppo basso.

Sorridevano sempre, anche quando reggevano un carico troppo pesante per le loro braccia, quando un ospite malizioso tendeva una gamba e le faceva inciampare col vassoio carico di piatti. Quando pulivano con uno straccio sul pavimento il vomito di un ospite troppo ingordo. Quando un giocatore, stizzito per aver perduto la partita, tirava loro addosso prima le carte e poi il tavolino. Quando un cane annoiato le azzannava a un polpaccio. Quando una dama spiritosa vuotava loro un bicchiere d'acqua ghiacciata nella scollatura.

Sorridevano sempre, ma cercavano di girare al largo dalla padrona della locanda, che sorvegliava con occhi di falco tutto ciò che accadeva nei saloni.

Lucrezia aveva subito identificato la padrona in una donna anziana, vestita di seta nera, con un mazzo di chiavi d'argento alla cintura. E Polissena aveva immediatamente pensato con sollievo: "Troppo vecchia per essere mia madre."

Alta, magra, impettita, col naso aquilino, i capelli grigi pettinati in due grappoli di ricci sopra le orecchie, la padrona si muoveva disinvolta fra gli ospiti, sorridendo a questo, ascoltando interessata le confidenze di quello, ridendo a un motto di spirito, commiserando un'emicra-

nia, informandosi con sollecitudine dei desideri di tutti e saettando con lo sguardo in cerca della cameriera più vicina perché ogni desiderio degli ospiti fosse immediatamente soddisfatto.

A Polissena sembrava strano che tante gentildonne e gentiluomini fossero in viaggio proprio in quella stagione invernale. Eppure le stalle, in fondo al giardino, erano piene di cavalli. Lo si capiva dai rumori, dalle nuvole di fiato che appannavano i vetri, dalle carrozze vuote riparate sotto la tettoia.

Quando si furono saziate della vista dei saloni, le due amiche fecero il giro dell'edificio e, da una finestra posteriore, guardarono nella cucina, dove sette persone, fra cuochi, assistenti e sguattere, sudavano attorno ai fornelli. Le sguattere erano vestite di stracci e facevano uno strano contrasto con le cameriere, quando una di quest'ultime entrava a riportare un vassoio vuoto e a prenderne uno pieno.

Le finestre dei due piani superiori erano tutte buie. Ma a un tratto, dietro a un vetro, brillò una luce, come se qualcuno fosse entrato nella stanza con una candela accesa.

Polissena depose il porcello sul carretto, si arrampicò veloce, tenendosi alle sculture che decoravano la facciata, e vide, attraverso le tende male accostate, una cameriera che sprimacciava il letto, attizzava il fuoco nel camino, e poi correva ad aprire la porta a due robusti garzoni che trasportavano un gentiluomo apparentemente privo di sensi. Era svenuto? Era ubriaco? Difficile indovinarlo, senza distinguere le parole pronunciate dai tre servitori che al di là del vetro Polissena vedeva muovere le labbra muti come pesci in un acquario.

Uno starnuto di Lucrezia la richiamò in sé. Scese a terra. Continuava a nevicare, e aveva cominciato a soffiare un tagliente vento di tramontana.

— Su, bussiamo! Bisogna portare gli animali al riparo prima che muoiano assiderati.

Venne ad aprire una cameriera. Quando le vide, le si riempirono gli occhi di spavento e cercò di sbatter loro la porta in faccia.

— Qui non si fanno elemosine — disse a bassa voce. Era evidente che temeva di attirare l'attenzione della padrona.

Ma Lucrezia sgusciò dentro tranquilla. — Non siamo mendicanti. Possiamo pagare — disse. — Vorremmo una camera per stanotte e un posto nella stalla per gli animali.

La cameriera scosse la testa. — Qui si accettano solo ospiti d'alto rango — sussurrò. — Andatevene, prima che arrivi la signora Aspra.

— D'alto rango? Io sono una principessa in incognito, e mio cugino, là fuori, è un marchese travestito — disse Lucrezia. — Quanto ai nostri animali, sono tutti re e regine trasformati in bestie da un sortilegio.

Alla cameriera scappò una risatina piccola piccola, più leggera d'un sospiro. Che però fu sufficiente ad attirare l'attenzione della padrona, che apparve nell'atrio come per incanto.

— Cosa succede? Perché hai lasciato entrare questa pezzente? — sibilò la signora Aspra.

La camerierina alzò istintivamente un braccio per ripararsi la testa e balbettò: — Io… credevo…

Ma la padrona non la lasciò continuare. — Più tardi faremo i conti. Adesso fila in cucina a prendere il fagiano arrosto per il conte! — disse, e rivolta a Lucrezia: — Be', cosa aspetti, mocciosa? Non hai capito che devi andartene? Fuori!

Lucrezia non si mosse.

— La prego, gentile signora, non si lasci ingannare dal nostro aspetto miserando — disse in tono compito. — Siamo artisti. E, non per vantarmi, artisti di successo. Non ci manca il danaro per pagare al giusto prezzo la sua ospitalità.

Un lampo d'avidità brillò negli occhi della signora. Lucrezia era sicura che se fossero state sole in un luogo deserto, l'altra non avrebbe esitato a metterle le mani addosso e a derubarla. Ma dallo spiraglio della porta si intravedeva la sagoma scura dell'orso, si sentiva il suo brontolio, mescolato al ringhio sordo del cane. Inoltre c'era il pericolo che un gentiluomo o una dama attraversassero l'atrio diretti alle loro camere.

— Non hai letto l'insegna? — domandò quindi aggressiva la padrona della locanda. — Pagare o non pagare, qui non si accettano saltimbanchi! Fuori!

— La prego! Ci lasci almeno dormire in soffitta con la

servitù. Solo per stanotte. Le prometto che domattina all'alba ce ne andremo.

— Ve ne andrete immediatamente. O vuoi che vi faccia cacciare a pedate dai miei servi?

— La supplico! È tardi e sta nevicando. La città più vicina è a tre ore di cammino. Moriremo di freddo prima di arrivarci.

— Questo non mi riguarda. Adesso basta, mi hai stancato, piccola insolente. Vattene!

Prese Lucrezia per le spalle, le dette uno scrollone e la spinse verso la porta. Ma l'oca Apollonia, che in tutto quel tempo se n'era rimasta zitta e tranquilla sotto il mantello della padroncina, tirò fuori il collo fischiando inferocita e, prima che la signora Aspra si riavesse dalla sorpresa, le beccò con forza un braccio. Per chi non lo sapesse, le beccate delle oche fanno un male tremendo.

La padrona lanciò uno strillo di dolore: — Aiuto! Accorrete gente! Mi vogliono assassinare!

L'oca, sempre più arrabbiata, continuava a fischiare e sbatteva le ali starnazzando e divincolandosi per scendere a terra. Al frastuono accorse molta gente dai saloni e dalle cucine. Il cuoco puntò lo spiedo contro Lucrezia.

Ma un gentiluomo vestito di velluto bianco lo bloccò con un gesto della mano. — Che bella baambiina! — esclamò strascicando la voce e sfiorando con un dito un ricciolo biondo che sfuggiva dal cappuccio di Lucrezia. — Che grazioosa creatuura! Così fresca, così innoceente! Una veraaa roseellina di maaaggio!

Poi si rivolse con aria annoiata alla padrona: — Si può saapere il motivo di tanto baccano, signora? Ha foorse dimeenticaato che il rumoore mi faa veenire l'emiicraniia?

La signora Aspra impallidì. — Ha cercato di aggredirmi… — disse in tono di scusa.

— Sciocchezze! Aggreedirla! Una biimba coosì deeliziiosa! Diimmi, picciina, come tii chiaami?

A Lucrezia tutte quelle smancerie non piacevano affatto. Il nuovo protettore le sembrava ancora più infido della padrona.

D'altronde non poteva lasciare che Polissena e gli animali restassero ancora fuori al freddo.

Chiamò dunque a raccolta tutte le sue doti di attrice e cominciò a piagnucolare. — Mi chiamo Lucrezia Ramusio — balbettò tremando — e quello là fuori è mio cugino Ludovico. Sta morendo di freddo assieme ai nostri Animali Acrobatici. Fateci entrare per carità.

Il gentiluomo biancovestito guardò con severità la padrona. — Qui c'è una compagnia d'artisti che ci possono aiutare a vincere la noia e lei li vuole cacciare? Le sta così poco a cuore il benessere dei suoi ospiti, signora Aspra?

— Marchese… veramente… io… — fece quella untuosa.

— Lei finirà per perdere tutta la clientela, se non riuscirà ad animare un poco le sue serate. Sa bene il motivo per cui ce ne siamo andati da Mirenài — la interruppe con fare tagliente il marchese. — Adesso questa bella bambina è troppo stanca. La faccia ristorare, assieme al resto della compagnia. Voglio che tra due ore siano pronti, attori e animali, a rappresentare per noi, nel salone giallo, il loro miglior spettacolo. Intesi?

— Come lei comanda, signor marchese! — rispose in tono sottomesso la signora Aspra. — Cosa fate voialtri, là fuori? Presto, entrate, che si raffredda la casa!

Le due amiche furono accompagnate con gli animali in una stanza fredda e spoglia, priva di finestre, che la signora Aspra aveva pomposamente definito "il salottino della servitù".

Non c'erano mobili, tranne due lunghe panche addossate al muro e tutta l'illuminazione consisteva in una fumosa lampada a olio dalla fiammella tremolante.

Una cameriera portò loro un vassoio sbreccato con del pane secco e una brocca d'acqua gelida. — Buon appetito! — augurò cerimoniosa. — Mangiate e cercate di riposare. Fra un'ora verrò a chiamarvi. Immagino che vi serva un po' di tempo per indossare i costumi e prepararvi per lo spettacolo.

Quando fu uscita ed ebbe chiuso la porta Polissena, che fino a quel momento non aveva detto una parola, sbottò: — Spero proprio di non essere parente della signora Aspra!

— Lo spero anch'io — disse Lucrezia. — Non credevo

che potesse esistere una persona così odiosa, così crudele con i deboli e vigliacca con i potenti.

— Hai fatto bene a non mostrarle subito la spilla e a non dirle il motivo per cui siamo venute. Bisognerà che ci informiamo con molta prudenza.

— Brava! Vedo che l'esperienza passata ti ha insegnato qualcosa — approvò Lucrezia — e che non è il caso di andarsene in giro a gridare "Babbo!" e a gettare le braccia al collo al primo venuto.

Poi Lucrezia distribuì il pane secco tra gli animali. — Cosa darei per una tazza di latte caldo! — sospirò.

— Hai visto quei fagiani arrosto? E quelle meringhe? Può darsi che dopo lo spettacolo i viaggiatori ci invitino a cena con loro.

— Ne dubito.

— Perché? Forse tra loro ci sono i miei genitori. Pensa che emozione, quando scopriranno chi sono! Pensa che felicità!

Erano così stanche che, nonostante il freddo e la fame, si appisolarono sdraiate sulla panca.

Quando la cameriera venne a chiamarle per lo spettacolo era quasi mezzanotte. Nel salone giallo gli ospiti continuavano a mangiare e a bere, a giocare a carte, ad ascoltare la musica, a ballare e a conversare. Ma sui loro volti annoiati non c'era traccia di allegria o di animazione. "Perché non se ne vanno a letto?" pensò Polissena, che da parte sua crollava dal sonno.

L'ingresso di "Lucrezia, Ludovico e i loro Animali Acrobatici" fu accolto con moderata curiosità. Il marchese vestito di bianco che prima aveva mostrato tanto interesse per la compagnia era impegnato a inzuppare biscotti nel bicchiere di vinsanto di una dama, e girò a malapena la testa per guardare i suoi protetti. Le gentildonne sbadigliavano dietro i ventagli.

Lucrezia capì immediatamente che su un pubblico di quel genere le solite prodezze e acrobazie non avrebbero fatto alcun effetto.

— Qui ci vuole qualcosa di molto forte — sussurrò all'orecchio di Polissena. Si mise il tamburo a tracolla, batté due colpi per richiamare l'attenzione e disse: — Illustrissimo pubblico, gentilissime dame, nobili cavalieri, è tardi e non voglio perdere tempo in preamboli. Lo spettacolo ha inizio con un duello mortale fra Dimitri, il figlio della neve, arrivato fresco fresco dalla gelata Siberia e Lancillotto, il figlio del sole ardente, arrivato caldo caldo dalla torrida Africa equatoriale.

Fece un cenno ai due animali che con un balzo raggiunsero le due estremità del salone e presero posto ciascuno su una tavola riccamente imbandita. Lucrezia fece rullare il tamburo: — Siete pronti, miei prodi? Sta per cominciare la battaglia. Caricate! Fuoco!

Lancillotto afferrò dalla tavola un piatto di lepre in salmì e lo scagliò attraverso la sala contro Dimitri. Il piatto volava come una cometa, seguito dalla scia di sugo che sgocciolava e schizzava attorno. Ma l'orso nel medesimo istante aveva scagliato un timballo di maccheroni, che colpì in pieno il muso dello scimpanzé.

Dal pubblico si levò un timido applauso. Lancillotto scagliò una torta di crema. Dimitri un budino al cioccolato. Ma questa volta dovevano aver preso male la mira, perché i due saporiti proiettili andarono a spiaccicarsi l'uno sulla cravatta di trina di un baronetto che stava ritirando una vincita ai dadi, l'altra sul diadema di una gentildonna che ascoltava la musica appoggiata con aria svenevole al clavicembalo. I due malcapitati, per la sorpresa, non riuscirono a fiatare, ma tutti gli altri scoppiarono a ridere, a sghignazzare, ad applaudire sguaiatamente.

Alla maggior parte di loro però la risata morì subito sulle labbra, perché anch'essi furono raggiunti da un proiettile mangereccio. Per la sala volavano torte e sformati, polli arrosto e anguille in salsa agrodolce, frittate di asparagi e scaloppine al limone, uova sode e cavoli farciti, cioccolatini e confetti, antipasti e frutta candita.

Lucrezia e Polissena erano corse a sistemarsi alle altre due estremità della sala, Casilda si era arrampicata sul lampadario. L'oca, svolazzando, aveva raggiunto la mensola del camino.

Da quelle posizioni, fingendo di volersi colpire tra loro, bersagliavano gli ospiti con un tiro incrociato di pietanze asciutte e sugose, dure e mollicce, dolci e salate, insomma, con tutto quello che riuscivano ad arraffare sui tavoli.

Ramiro dal canto suo correva abbaiando fra le gambe

degli ospiti facendoli inciampare; afferrava con i denti i lembi delle tovaglie, trascinandosele dietro in un fracasso di cristalli e di porcellane.

Dopo un primo momento di sconcerto, qualcuno degli ospiti decise che quello spettacolo, anzi, quel gioco, era divertentissimo. Col loro entusiasmo in pochi minuti trascinarono tutti gli altri, anche quelli che all'inizio si erano sentiti oltraggiati e chiedevano vendetta. Adesso gentiluomini e gentildonne, invece di scansare i proiettili, facevano balzi e guizzi per trovarsi sulla loro traiettoria. Con gli abiti e i capelli grondanti di maionese, di panna montata, di salsa tartara, di zabaione, di besciamella ai funghi e di marmellata, correvano di tavolo in tavolo alla ricerca di qualcosa da poter lanciare nella mischia. Pomodori e nespole si spappolavano sulla tappezzeria di seta. Prugne, frittelle e tortellini si spiaccicavano sui tendaggi di velluto. Noci e nocciole rimbalzavano tintinnando contro i vetri.

Quando la signora Aspra, richiamata dal frastuono, si presentò sulla soglia, stavano volando bicchieri e posate. Gli ospiti combattevano facendosi scudo dei divani e delle poltrone. Gridavano come selvaggi delle Americhe, ridevano a squarciagola, applaudivano a ogni colpo andato a segno. Un boato di entusiasmo salutò l'arrivo di una forchetta, che si infilò tra i capelli della signora Aspra come un pettine spagnolo.

— Signori… — balbettò esterrefatta la padrona della locanda. — Signori… vi prego… La mia tappezzeria…

Poi cercò con lo sguardo qualche cameriera da strapazzare. Come mai quelle scimunite non l'avevano avvertita immediatamente di quanto stava accadendo?

Ma di cameriere nel salone non c'era traccia, così come non c'era traccia degli artisti della Compagnia Ramusio.

Se la signora Aspra si fosse presa la briga di guardare sotto i tavoli che ancora conservavano le tovaglie, li avrebbe visti, artisti e cameriere, accucciati fraternamente per terra, che mangiavano a quattro palmenti gli avanzi dei "proiettili" che erano riusciti a salvare. Ma la signora aveva troppa paura di ricevere addosso un coccio di vetro o un coltello, per osare di fare un solo passo avanti.

Tremando di rabbia, fece mentalmente l'inventario delle rovine. "Quei dannati saltimbanchi me la pagheranno. Sono stati loro a scatenare la baraonda. Chiamerò la polizia. Li denuncerò. Li farò impiccare."

Sussultò, colpita al petto da un nuovo proiettile tintinnante. Era una borsa piena di monete d'oro lanciatale dal marchese vestito di bianco. — Per ripagarla dei danni che ha subìto, gentile signora. Dovrebbe organizzare più spesso feste animate e originali come questa. Non mi sono mai divertito tanto in vita mia.

— Tutte le volte che lei vorrà, marchese illustrissimo — rispose la signora Aspra con tono sottomesso. Le sue dita adunche palpavano avidamente la borsa rigonfia.

— E che non le salti in mente di punire gli artisti che ci hanno procurato tanta allegria, intesi? — concluse il gentiluomo che evidentemente le aveva letto nel pensiero. — Sappia che sono sotto la mia personale protezione.

Quella notte le due amiche furono separate. Per il buon nome della locanda la signora Aspra non poteva tollerare che un maschio e una femmina, sia pure di undici anni, dormissero insieme. Specie se non erano d'alto rango.

Così Lucrezia dovette sistemarsi in soffitta, nel dormitorio delle sguattere e delle cameriere, mentre "Ludovico" raggiunse i cuochi e i garzoni che dormivano al pianterreno in una stanza attigua alla cucina.

Gli animali erano stati sistemati nella stalla. Ma Lucrezia, preoccupata che le due scimmie non prendessero freddo, aveva portato con sé Casilda, nascondendosela tra la giacca e la camicia, e aveva convinto con una moneta d'oro il cuoco ad ammettere Lancillotto nel dormitorio maschile. Vestito con un paio di pantaloni, un lacero giubbetto e un grembiule, lo scimpanzé poteva essere scambiato facilmente per uno dei garzoni, ch'erano tutti uno più brutto dell'altro.

Quando i due nuovi arrivati, tenendosi per mano, varcarono la soglia del dormitorio maschile, accadde una cosa strana. Un vecchissimo cane che stava sdraiato vicino al fuoco sollevò la testa, drizzò le orecchie, guaì; poi con grande fatica, si alzò e si diresse lentamente verso "Ludovico". Era penoso a vedersi, perché aveva le zampe posteriori paralizzate e le trascinava sul pavimento.

— Sta' in guardia, moccioso! Scansati! — avvertì il cuoco dal suo giaciglio. — Il vecchio Ulisse non è più in grado di correrti dietro, come vedi, ma se gli capiti a tiro, com'è vero che mi chiamo Lucullo, ti azzanna e ti sbrana prima che tu riesca a dire amen!

— Detesta gli sconosciuti, povero Ulisse — spiegò il garzone più giovane. — Azzanna chiunque. Spostati!

Ma Polissena, spinta da una forza misteriosa, si era chinata e aveva allungato una mano, porgendola da annusare al cane sconosciuto.

— Te la staccherà con un morso! Spostati, incosciente! — gridò il cuoco.

Ulisse, però, sbattendo la coda per terra e uggiolando di gioia, si era messo a leccare prima la mano, poi il mento e il viso di Polissena. I suoi fianchi pelosi tremavano. Dalle fauci gli colava un filo di bava, e dopo pochi secondi, per l'emozione, fece la pipì sul pavimento.

— Straordinario! Lui che è sempre così pulito, nonostante gli costi molta fatica, povera vecchia carcassa! — osservò il cuoco meravigliato. — Non l'ho mai visto fare tante feste a una persona.

Polissena commossa si era inginocchiata e si lasciava mettere le zampe sulle spalle e leccare dappertutto. Le erano sempre piaciuti i cani, fin da quando era piccola, ma a Cepaluna Agnese non aveva mai permesso né a lei né alle sorelle di tenerne uno in casa, né di dare troppa confidenza a quelli del magazzino. E, una volta fuggita, aveva avuto a che fare solo con Ramiro, le cui affettuosità erano tutte per Lucrezia.

— Povero Ulisse! — esclamò carezzandogli il dorso paralizzato. — Cosa gli è successo? Una malattia? Un incidente?

— Un incidente. Puoi ben dirlo, ragazzino! — rispose il cuoco. — Un incidente misterioso. Qualcuno gli ha sparato addosso. È un miracolo che non sia morto. Lo abbiamo trovato in un lago di sangue.

Polissena sentì un tuffo al cuore. — Quando è successo? — domandò con un filo di voce.

— Dieci anni fa. Non sappiamo chi gli ha sparato. In casa non c'era nessuno. Eravamo andati tutti alla Messa per l'inaugurazione della nuova parrocchia, dietro la collina. Quando siamo tornati, abbiamo trovato le porte forzate, ma i ladri non avevano portato via altro che qualche gallina dal pollaio. E Ulisse giaceva come morto davanti al focolare di cucina. Gli avevano sparato addosso, quei bastardi! La padrona ci ordinò di finirlo, perché la smettesse di soffrire, e perché i suoi gemiti non dessero fastidio ai clienti. Ma un garzone lo nascose in cantina e lo curò come poteva. A poco a poco è guarita, povera bestia, anche se non è più tornata come prima.

— Davvero avevano rubato soltanto qualche gallina? — domandò Polissena. — Sembra incredibile. Non mancava proprio nient'altro?

— Niente di niente! — ribadì il cuoco. — Poi si dette una manata sulla coscia. — No, aspetta! Era sparita anche la mocciosa di Zelia. Una poppante che la signora aveva lasciato nella culla davanti al focolare.

— Chi è Zelia? — sussurrò Polissena, tremando per l'emozione.

— Chi era, vorrai dire. Era la sguattera più sudicia e fannullona che abbia mai lavorato in questa locanda.

— Perché dici "era"? È morta?

— Morta e sepolta! Era così stupida che raccolse dei funghi senza accorgersi che erano velenosi e se li cucinò di nascosto, per non darne a noialtri. Quando fu assalita dalle coliche e ci confessò quello che aveva fatto, era troppo tardi. È morta qui in cucina, e l'abbiamo seppellita nel cimitero dietro alla parrocchia. Non aveva un soldo, così le abbiamo potuto mettere solo una croce di legno col nome.

Ogni parola cadeva come una coltellata sul cuore di Polissena. Ma non voleva arrendersi. — E suo marito? — chiese.

— Quale marito? Ah, lo chiedi per via della bambina. Non c'era nessun marito. La signora Aspra non permette che le sue cameriere si sposino. Zelia aveva nascosto a tutti la nascita della sua bastarda e l'aveva messa a balia in città. Dopo la sua morte la signora Aspra andò a prendere la piccina e la portò alla locanda.

— Un gesto insolitamente generoso, per la padrona! — commentò il garzone più giovane.

— Hai ragione. Ci meravigliammo tutti quando la vedemmo comparire con quel fagottino tra le braccia. Del resto, non dovette sopportare a lungo i suoi strilli. Dopo soli tre giorni quei ladri sconosciuti si portarono via la marmocchia insieme alle galline. In fin dei conti fu un sollievo per tutti. L'unico che le voleva bene, qui dentro, alla ranocchietta, era il povero Ulisse.

Polissena strinse forte il cane e immerse il viso nel suo pelo folto per nascondere le lacrime. Poi si stese in silenzio sul mucchio di paglia che le era stato assegnato e si tirò la coperta sulla testa, cercando di soffocare i singhiozzi. Lancillotto le si strinse accanto e allungò le labbra per baciarla sulla fronte. Ma non era del conforto di uno scimpanzé che Polissena aveva bisogno. La disperazione dilagava a poco a poco in lei come un buio mare d'inchiostro. Se almeno ci fosse stata Lucrezia al suo fianco! Se almeno avesse potuto piangere la morte di sua madre fra le braccia dell'amica!

Fra le braccia di Lucrezia in quel momento c'era Casilda, la bertuccia, che le sguattere e le cameriere avevano accolto con grande entusiasmo, carezzandola e coccolandola come una bambola o come un bambino appena nato.

Lucrezia la teneva stretta, ben avvolta in uno scialle di lana perché, a differenza del dormitorio maschile, la soffitta che ospitava per la notte le ragazze era gelida e piena di correnti d'aria. Non c'era caminetto né stufa, e nemmeno un piccolo braciere. Le coperte erano sottili, striminzite e piene di buchi. Le sguattere dormivano vestite, ma le cameriere non potevano sgualcire la loro divisa elegante, che comunque era scollata e senza maniche e le avrebbe scaldate ben poco.

Accanto al saccone di paglia che fungeva da letto, ogni cameriera disponeva di un chiodo infisso nel muro e, prima di coricarsi, ci doveva appendere con cura la gruccia che reggeva, ben disteso, spazzolato e immacolato, l'abito civettuolo di seta rosa. La proprietaria batteva i denti in una sottile camiciola di battista.

— E d'estate fa un caldo soffocante, perché il sole batte a picco tutto il giorno sulle tegole — raccontò a Lucrezia la sguattera che l'aveva ospitata nel suo letto.

Nonostante il lusso e l'abbondanza che regnavano nella villa le sguattere e le cameriere erano nutrite con pane secco. Gli avanzi di ciò che mangiavano gli ospiti venivano dati ai maiali che la signora Aspra allevava dietro la stalla.

Per le povere ragazze, perennemente affamate, aiutare a cucinare tutte quelle leccornie e servirle in tavola era una continua tortura. Le cameriere che quella notte, nascoste sotto i tavoli, avevano sgranocchiato gli avanzi della battaglia, prima di allora non sapevano che sapore avesse un dolce, una fetta d'arrosto e neppure un boccone di pane fresco.

— Pensa — continuò a raccontare la sguattera — che dieci anni fa una di noi, la povera Zelia, una sera aveva tanta fame che per saziarla, mangiò dei funghi pur sapendo che erano velenosi, e naturalmente morì.

— Noi allora non c'eravamo, perché la padrona rinnova il personale di servizio ogni tre anni. Veniamo assunte a quindici anni e a diciotto veniamo licenziate — aggiunse una graziosa cameriera che aveva il suo giaciglio di fianco. — Ma si racconta una strana storia. Che due o tre giorni dopo la morte di Zelia, che non aveva alcun parente ed era sola al mondo, la padrona andò in città e tornò con una marmocchietta di pochi mesi, dicendo che era figlia della poveretta e che era molto ammalata per l'incuria della balia. Pensava che non avrebbe vissuto più d'una settimana.

— Ed era una menzogna, perché dicono che la piccina

fosse sana come un pesce — aggiunse la sguattera. — E non poteva essere figlia di Zelia, perché la poveretta nell'ultimo anno non si era allontanata dalla Civetta Verde nemmeno per pochi minuti, e non aveva mai avuto la pancia, e non aveva confidato niente del genere alla sua amica del cuore. E la bambina aveva una peluria scura sul capo, e le ciglia nerissime, mentre Zelia era una rossa lentigginosa.

— E soprattutto — concluse la cameriera — la signora Aspra non è certo il tipo da preoccuparsi per la sorte dell'orfanella di una sguattera. A ogni modo dopo due o tre giorni la bambina sparì in modo misterioso, così com'era arrivata. La padrona raccontò in giro ch'era stata rapita. Ma nessuno che avesse un po' di sale in zucca le credette.

A questo discorso naturalmente Lucrezia si era fatta attenta. Dunque, a parte la signora Aspra, nessun altro alla Civetta Verde sapeva da dove era arrivata Polissena. Bisognava assolutamente far parlare quella perfida donna, e non sarebbe stato facile.

I suoi pensieri furono interrotti da uno starnuto di Casilda.

— Santo cielo! Non starai mica prendendo il raffreddore! — esclamò Lucrezia preoccupatissima. Toccò il naso della scimmietta: era asciutto e secco. — Ha la febbre! Ragazze, vi prego, ho bisogno di una medicina. Se il raffreddore si trasforma in polmonite, Casilda morirà.

— Noi qui non abbiamo nessuna medicina, come puoi ben immaginare — disse la sua compagna di letto. — Se ci ammaliamo, nessuno ci cura. Veniamo immediatamente licenziate.

— Però — intervenne la cameriera — so che la padrona tiene uno sciroppo miracoloso nel suo comodino. Le serve per quando un cliente ubriaco se ne va a passeg-

giare in camicia nella neve, o si tuffa nel laghetto ghiacciato. Sembra che in poche ore guarisca perfettamente ogni tipo di infreddatura.

— Dov'è la camera della padrona? — chiese Lucrezia alzandosi.

— Sta' attenta, perché se quella ti scopre a frugare tra le sue cose è capace di chiamare il capo della polizia, che è suo amico, e di farti arrestare e impiccare.

Mentre scendeva le scale in punta di piedi, Lucrezia fu colpita dal cambiamento di temperatura. Tranne la soffitta, il resto della villa era surriscaldato dai molti caminetti e dalle centinaia di candele. Il calore conciliava il sonno degli ospiti, che si sentivano russare fragorosamente al di là delle porte chiuse.

Le cameriere avevano spiegato a Lucrezia che non si trattava dei soliti viaggiatori che facevano tappa alla locanda per una o due notti. La maggior parte dei clienti della signora Aspra erano nobili della corte di Mirenài, che si annoiavano a casa loro e che si erano trasferiti alla Civetta Verde per gozzovigliare e fare baldoria.

A Lucrezia pareva incredibile che a corte ci si potesse annoiare.

— Certo che si può. Anzi, è obbligatorio — aveva spiegato la solita cameriera. — Da sei mesi alla corte è proibito ridere, cantare, fare musica, giocare a dadi, correre nei cortili, e persino accennare un sorriso piccolo piccolo.

— Come mai?

— Lo ha deciso il Reggente, perché l'erede al trono, la Principessina Isabella, si è ammalata di tristezza. Non è più capace né di ridere né di sorridere. Piange tutto il giorno o se ne sta con un muso lungo così. Per non far peggiorare il suo male il Reggente, che è suo zio, ha bandito ogni forma di allegria dalla corte. La Regina Madre invece ha mandato in giro un proclama: chiunque riuscirà a far sorridere Isabella sarà nominato marchese e riceverà una lauta ricompensa. Tutti quelli che si sono presentati finora hanno fallito l'impresa e sono finiti in carcere, com'era nei patti.

— Quanti anni ha la Principessa? — aveva chiesto Lucrezia.

— Ne ha compiuto undici a Natale, ma ha il caratteraccio di una vecchia zitella.

"I miei Animali Acrobatici la farebbero ridere in pochi minuti" aveva pensato Lucrezia. Ma poi il discorso si era spostato sul misterioso arrivo della neonata, e le aveva fatto dimenticare quell'argomento.

Ora ciò che più le premeva era di procurarsi la medicina per Casilda, che forse le sarebbe stata necessaria anche per Lancillotto.

Arrivò davanti alla porta della signora Aspra e tese l'orecchio. Anche la padrona della locanda russava, segno ch'era addormentata profondamente. La porta era chiusa a chiave dall'interno, ma questo non era un ostacolo per la piccola girovaga, abituata a fronteggiare ogni evenienza. Con una forcina Lucrezia fece scattare la serratura. Entrò con grande circospezione e si guardò attorno.

Sul tavolo da toeletta ardeva un lumino da notte e nel caminetto brillava un bel mucchio di braci rosso vivo. Nel grande letto a baldacchino la signora Aspra giaceva sotto una montagna di coltri imbottite di piume. Sul capo aveva una ridicola cuffia da notte e alle mani mezzi guanti di lana.

In punta di piedi Lucrezia si avvicinò al comodino e, con la solita forcina, lo aprì senza fare il minimo rumore. La bottiglia dello sciroppo stava sul primo ripiano. Ma sul ripiano più basso c'era qualcosa che Lucrezia non si aspettava di trovare: una cuffietta di pizzo da neonato con ricamata sopra una corona e un rotolo di fasce in seta finissima intessuta d'oro, fermato da una spilla da balia identica a quella requisita alla moglie del pescatore.

Con grande cautela Lucrezia prese questi oggetti e se li infilò dentro la camicia. Prese la bottiglia di sciroppo, chiuse lo sportello del comodino, uscì dalla stanza...

— Bisogna che avverta immediatamente Polissena — mormorò a se stessa.

Le due amiche dissero alle sguattere e alle cameriere che intendevano fare uno scherzo alla padrona, farle prendere un bello spavento, e quelle, tutte contente di potersi vendicare almeno in parte delle angherie subite senza esporsi in prima persona, parteciparono con grande entusiasmo ai preparativi.

Una di loro si incaricò di dare lo sciroppo a Casilda e di tenere al caldo la scimmietta infilandosela sotto gli abiti, a contatto della pelle. Un'altra corse in pantofole nella neve fino alla stalla e tornò dopo pochi minuti col porcello Biancofiore in braccio. Una terza entrò di soppiatto nel guardaroba dei gentiluomini e si procurò un lungo mantello nero, un cappellaccio e un paio di stivali. Un fitto velo, sempre nero, fu preso in prestito dal guardaroba delle signore.

Un'ora prima dell'alba, quando la notte è più buia e il sonno più profondo, la signora Aspra ebbe la sensazione di svegliarsi di soprassalto perché qualcuno era entrato senza bussare nella camera da letto e la stava tirando per la manica della camicia da notte. Aprì gli occhi spaventata. Accanto al letto c'era la figura di un uomo altissimo, avvolto in un mantello scuro e col viso velato, che reggeva fra le braccia un fagottino bianco.

— Chi è? Cosa succede? Come ha fatto a entrare, signore? — chiese allarmata la donna. Quella visione la riempiva d'angoscia. "Forse sto sognando" pensò. "Forse si tratta d'un incubo."

Ma lo sconosciuto rispose con una strana voce bassa e cavernosa. — Zitta! Sono io. È necessaria la massima prudenza! Nessuno deve sospettare che sono venuto a cercarvi.

— Io chi? Chi siete? Cosa volete da me? — sussurrò la signora Aspra alzandosi a sedere sul letto. Alla luce fioca del lumino da notte vide che il fagotto bianco era un neonato avvolto in ricche fasce. Il viso tondo e roseo era incorniciato dalle trine di una cuffietta ricamata. La signora Aspra ebbe la strana sensazione di rivivere per la seconda volta una scena accaduta dieci anni prima. Certamente si trattava di un sogno.

— C'è una mocciosa da eliminare — disse lo sconosciuto poggiando il fagotto sul letto.

— Ah, siete voi, Reggente! Non vi avevo riconosciuto. Avete una voce strana... diversa...

— Un po' di mal di gola — rispose quello rauco. — Allora, posso contare su di voi?

— Ma l'abbiamo già eliminata dieci anni fa, non ricordate? — protestò la signora Aspra. — Per compensarmi mi avete fatto costruire questa villa sul posto della vecchia locanda.

Il visitatore notturno vacillò, come se stesse per cadere, e dalla sua pancia uscì uno strano rumore, come un gorgoglìo. Si aggrappò a una delle colonne del letto per ritrovare l'equilibrio. Aveva le braccia molto corte in proporzione all'alta statura.

— Non ricordate? — proseguì la vecchia. — Avete approfittato di un'assenza della balia e avete strappato la Principessina Isabella dalla culla. Poi me l'avete consegnata perché la facessi scomparire. Avevo pensato al veleno. La presentai al personale della locanda come un'orfanella gravemente ammalata, così non si sarebbero meravigliati di vederla deperire pian piano. Ma non ce n'è stato bisogno. Ricordate?

— Certo. Quello che non ricordo è il motivo per cui l'abbiamo fatta sparire… — disse l'uomo, passandosi una mano incerta sulla fronte. — È passato tanto tempo…

— Scherzate? Non ricordate il motivo? Adesso è vostra figlia che siede sul trono al posto della vera Isabella. Siete stato voi a rivestirla dei panni reali e a metterla nella culla al posto dell'altra.

— Dunque l'attuale Principessa è un'usurpatrice! — esclamò l'uomo con una voce stranamente acuta, e che, ancor più stranamente, sembrava uscirgli dalla pancia.

— Reggente, mi meraviglio di voi! D'accordo che siete in incognito. D'accordo che siamo in un sogno. Ma dalle vostre labbra non dovrebbe uscire mai una simile affermazione.

A quel punto il Reggente cominciò a ondeggiare, cercò invano di tenersi alle tende, si piegò di lato… e si spezzò in due. "Che cose buffe succedono nei sogni" pensò la signora Aspra, vedendo le due metà del Reggente che si mettevano a ballare intorno al letto, e poi si abbracciavano. La bambina cominciò ad agitarsi, vagì con una strana voce nasale, sgusciò fuori dalle fasce e, trasformata in porcello, cominciò a correre per la stanza.

La signora Aspra si dava dei gran pizzichi sulle braccia e sulle guance per svegliarsi, ma non ci riusciva. La metà inferiore del Reggente a quel punto afferrò dal letto le fasce. L'altra metà rincorse e acchiappò il porcello, poi soffiò sul lume. La signora Aspra sentì un fortissimo dolore alla testa e il sogno svanì.

Lucrezia e Polissena corsero via lungo il corridoio cercando di far il minor rumore possibile. A stento riuscivano a soffocare le risate. Lucrezia stringeva al petto Biancofiore, congratulandosi con lui per come aveva recitato bene la parte della neonata.

Per Polissena la soddisfazione di essere riuscita a colpire in pieno, al buio, con un candelabro, la testa di quella perfida donna, quasi uguagliava la gioia di essersi scoperta principessa.

Tornate in soffitta furono circondate dalle sguattere e dalle cameriere, ansiose di sapere com'era riuscito lo scherzo. Naturalmente non raccontarono d'aver scoperto – Lucrezia contro ogni aspettativa e Polissena con gioia immensa – cosa nascondevano le fasce intessute d'oro e la spilla con lo smeraldo. Di questi oggetti, anzi, non parlarono affatto. E non raccontarono che la signora Aspra era caduta nel tranello, e che aveva indicato nel Reggente colui che dieci anni prima aveva portato Polissena, che in realtà si chiamava Isabella, ed era la vera, l'unica figlia del Re, alla Civetta Verde. Né che lo aveva fatto per mettere sua figlia al posto della Principessa.

Dissero solo che la signora Aspra si era spaventata a morte per la visita notturna e che si era presa una bella bastonata in testa, ma che l'indomani non avrebbe potuto prendersela con nessuno, perché era convinta che si trattasse di un brutto sogno.

Per far ridere le ragazze, raccontarono come Lucrezia si era messa a cavalcioni di Polissena e come le era stato difficile restare in equilibrio, mentre l'amica si muoveva per la stanza, e tutte le volte che aveva rischiato di cadere, e come aveva contraffatto la voce per farla sembrare quella d'un uomo. E come le risatine di Polissena fossero state scambiate per il brontolio della pancia dello sconosciuto. E come infine Lucrezia fosse caduta, e la signora Aspra avesse creduto che il visitatore si fosse spezzato in due...

Non raccontarono il resto perché l'esperienza le aveva rese prudenti, soprattutto Lucrezia, che sapeva quanto è difficile per un povero farsi rendere giustizia.

Ma anche Polissena si rendeva conto che non le bastava conoscere la sua vera identità per riconquistare il trono. Anzi, la sua posizione in quel momento era molto pericolosa.

Il Reggente godeva di un enorme potere. Se avesse sospettato che le sue antiche trame erano state smascherate, non avrebbe esitato a eliminare per la seconda volta la nipote, e probabilmente anche Lucrezia. Se Polissena si fosse fatta avanti a reclamare pubblicamente il trono l'avrebbe accusata di menzogna o di follia e l'avrebbe fatta imprigionare.

Quindi, prima di andare a raccontare a destra e a manca che la Principessa Isabella non era la vera erede al trono, bisognava cercare di introdursi a corte, avvicinare la Regina Madre, farsi riconoscere grazie alle fasce e alle spille e solo a quel punto, farsi aiutare da lei a smascherare i due usurpatori.

Nonostante i rischi che l'aspettavano nei prossimi giorni, Polissena era al settimo cielo. Ripensando al passato si diceva che le sue non erano state dunque illusioni, fantasticherie infantili. Aveva avuto ragione a sognare di non essere una trovatella qualsiasi. Era una Principessa Reale. L'erede al trono. (Serafina sarebbe crepata d'invidia.) E aveva una mamma che ancora non sapeva d'averla perduta.

Capitolo nono

Ormai, non avevano più alcun motivo di restare alla Civetta Verde. Polissena era impaziente di mettersi in viaggio per Mirenài, e anche Lucrezia non riteneva prudente fermarsi più a lungo nella locanda.

Alle prime luci dell'alba quindi scesero in punta di piedi lo scalone di marmo già equipaggiate per la partenza. Lucrezia portava in braccio Casilda, che aveva smesso di tossire e Polissena, come al solito, il porcello. Lancillotto le seguiva intabarrato nel mantello del finto Reggente e con i suoi stivali ai pie... alle estremità inferiori.

I clienti della locanda, la padrona e i domestici dormivano ancora, tranne una dozzina di sguattere che erano già al lavoro nel salone giallo per rimediare ai guasti dello "spettacolo" della vigilia.

Quando videro passare nell'atrio le due amiche, le salutarono agitando la mano e una di loro le rincorse fin sul-

la porta per consegnare a Polissena un tovagliolo anno-
dato a mo' di fagotto.

— Abbiamo recuperato un po' di avanzi: pane, arrosto,
pasticcio di selvaggina, mezzo prosciutto. Vi serviranno
per il viaggio.

— Grazie. Non mi dimenticherò di voi — disse bene-
vola Polissena, già pensando a come avrebbe potuto sdebitarsi una volta salita sul trono. Ma la sguattera, che non
sapeva d'avere a che fare con la vera Principessa, senza
alcuna reverenza le gettò le braccia al collo e le schioccò
due baci sonori sulle guance.

— Se non ci si aiuta tra noi poveracci!

A queste parole Lucrezia, che stava per mettere in mano
alla ragazza una moneta d'oro, provò un senso di vergogna e ricacciò il pugno in tasca.

— Torneremo a trovarvi — promise, e quell'altra, accennando al primo piano dove dormiva la padrona, rispose: — Meglio di no.

Per fortuna durante la notte aveva smesso di nevicare.
Le due amiche andarono a prendere gli altri animali nella stalla e si incamminarono verso la capitale.

La signora Aspra si svegliò verso le dieci del mattino,
con un gran mal di testa. Suonò il campanello per la colazione e subito entrò una cameriera col vassoio del caffè
e delle brioche.

— Buongiorno, signora. Ha dormito bene? — chiese in
tono compito.

— No — rispose sgarbata la padrona. — Ho fatto un
sogno stranissimo, dove succedevano le cose più assur-
de. Sono ancora tutta scombussolata... Non stare lì a guardarmi come un'oca! Frizionami le tempie con l'acqua di
colonia.

La ragazza obbedì, e mentre le passava le dita leggere

sulla fronte, vide che proprio in cima alla testa della signora sporgeva un bernoccolo rosso-violaceo. Fece molta attenzione a non sfiorarlo, perché la signora Aspra continuasse a pensare d'avere l'emicrania, ma in cuor suo rideva e cantava di gioia, ringraziando mentalmente "Ludovico il vendicatore" che aveva avuto una così buona mira.

Due camere più in là il marchese biancovestito, che a quell'ora non indossava l'abito di gala ma una veste da camera col collo di volpe, stava inzuppando meringhe e sfogliatelle in una tazza di cioccolata fumante. — Scosta la tenda — ordinò alla graziosa cameriera che aspettava sull'attenti accanto al tavolo della colazione.

Dalla finestra si vedeva il laghetto ghiacciato e una fila di salici coperti di neve.

— Di' a quella piccola mendicante così bellina — ordinò il marchese — che stamane ho voglia di vedere come nuotano i suoi animali. Dille che si trovi fra mezz'ora con tutta la compagnia sulle rive del lago. E, naturalmente, che il suo aiutante, quel ragazzo, porti una scure per rompere il ghiaccio. È mio desiderio che anche loro due mi facciano vedere come sanno nuotare. Di' loro che entrino in acqua senza aspettarmi, perché non ho ancora deciso se andrò a guardarli da vicino o se me ne resterò qui al calduccio dietro alla finestra.

— Non credo che lo faranno — disse la cameriera asciugando una goccia di cioccolato dal vassoio.

— E perché mai? Sono il loro protettore. Hanno l'obbligo di compiacermi.

— Mi scusi. Ma credo che non possano.

— Questa è bella! E perché mai non potrebbero?

— Perché sono partiti più di tre ore fa e ormai saranno già arrivati alla capitale.

— Partiti! Senza nemmeno salutare! Ma non potevano andarsene senza il mio permesso! Erano i miei protetti.

La cameriera si strinse nelle spalle.

— Va' a far del bene ai pezzenti! — imprecò il marchese arrabbiato gettando per terra le meringhe. — Credi a me, Mariuccia, quei girovaghi straccioni sono incapaci di riconoscenza.

La cameriera, che non si chiamava Mariuccia, sospirò e alzò gli occhi al cielo fingendosi d'accordo. Era la stessa che aveva dato la medicina a Casilda e che l'aveva tenuta al caldo, ed era contenta che alla "sua" protetta non fosse toccato un bagno nell'acqua gelata per divertire quel prepotente.

Fece una bella riverenza al marchese, ritirò il vassoio e se ne tornò in cucina.

PARTE SESTA

A MIRENÀI

CAPITOLO PRIMO

P er le due amiche, una volta arrivate in città, non fu difficile trovare la strada per il Palazzo Reale.

Mirenài si estendeva sui fianchi di una collina a pan di zucchero e la Reggia si trovava proprio sulla cima, visibile da ogni parte dell'abitato. Era un edificio antico, pieno di torri e torrette, sulla più alta delle quali sventolava la bandiera con lo stemma dei Pischilloni, una stellina azzurra in campo d'oro, segno per la popolazione che la famiglia reale in quel momento si trovava in città.

"Finalmente ho ritrovato la mia casa!" pensò emozionata Polissena. Le dispiaceva un poco arrivarci di soppiatto, vestita da ragazzo e al seguito di una compagnia di saltimbanchi.

Se avesse potuto scegliere, quelle mura le avrebbe varcate in groppa a un cavallo bianco, trionfante, col suo vestito più bello, quello di velluto carnicino che la moglie del mercante le aveva fatto fare per lo scorso Natale, e i capelli al vento.

Ma non poteva scegliere. "Pazienza" si disse. "La cavalcata trionfale la farò tra una settimana per mostrarmi al popolo, il 'mio' popolo, che andrà in delirio alla vista della sua vera Principessa."

Nel frattempo il popolo di Mirenài, ignaro della sorpresa che l'aspettava, guardava passare lo strano gruppo formato dai due ragazzini e dagli animali con la blanda curiosità di chi vive in una grande capitale ed è abituato a vederne di tutti i colori.

Quando Lucrezia e Polissena arrivarono in cima alla salita, videro che davanti alla Reggia si apriva una piazza grande e bella, con statue e fontane, da ogni punto della quale si poteva ammirare il panorama della città, delle campagne e dei boschi intorno e del mare lontano.

Una piccola folla di popolani sostava ai lati del portone del Palazzo, ch'era spalancato e custodito da soldati armati d'alabarda. Era evidente che stavano aspettando qualcosa.

— Cosa succede? — domandò Lucrezia a un ragazzino.

— La famiglia reale sta per rientrare dalla sua passeggiata quotidiana — le fu risposto.

— Non si tratta d'una passeggiata pura e semplice — intervenne a spiegare una donna. — Tutte le mattine la Principessa e il Reggente vanno alla Piazza d'Armi a passare in rassegna le truppe.

— Sta per scoppiare una guerra? — chiese Polissena allarmata.

— No — rise l'altra. — Ma i soldati bisogna tenerli in esercizio, sennò si impigriscono.

— E lo stesso vale per i regnanti — aggiunse un uomo

anziano, che i trucioli di legno nei capelli qualificavano come un falegname.

— Com'è la Principessa? È bella? È gentile? Le volete bene? — chiese Polissena.

— Bellissima. Gentilissima. E l'amiamo alla follia — rispose la popolana.

— Lei e il Reggente sono giusti? Governano saggiamente? Hanno a cuore il benessere dei sudditi? — chiese Lucrezia.

— Giustissimi. Saggissimi… — cominciò la donna, ma il falegname l'interruppe: — Senti un po' ragazzina, cosa ti aspetti? Che ci mettiamo a sparlare dei nostri sovrani con degli sconosciuti? Forse con delle spie? Che rischiamo la prigione e la forca solo per soddisfare la vostra curiosità?

— Allora non sono… — ribatté Polissena, ma Lucrezia le allungò un calcio per farla tacere. Non riuscì a impedire però che l'amica domandasse: — E la Regina Madre?

— Ecco, guarda! Puoi controllare con i tuoi stessi occhi. È la dama che apre il corteo — disse la donna, indicando il viale lastricato e fiancheggiato da leoni di pietra che portava alla piazza. Tutta la folla si era girata a guardare da quella parte. I bambini sventolavano i fazzoletti all'indirizzo dei cavalieri che stavano arrivando, lentamente, rigidi e solenni, in groppa a cavalli coperti da eleganti gualdrappe ricamate. Due trombettieri a piedi e un tamburino precedevano il corteo, e quattro ufficiali a cavallo lo scortavano ai due lati.

Infastidita dalla folla che la stringeva, Polissena si arrampicò su una statua per vedere meglio. Era emozionatissima: stava per conoscere finalmente il volto di sua madre!

In quel momento, senza che lo avesse minimamente chiamato, le si affacciò alla memoria il bel viso ovale di

Ginevra Gentileschi, gli occhi allegri e luminosi, la bocca ridente, rossa e fresca, che scopriva i denti bianchi come perle. E la voce di Agnese: «Vostra madre è la donna più bella non solo di Cepaluna, ma di tutta la nostra contea, e forse di tutto il regno.» Polissena scosse via con fatica dalla mente quel ricordo fastidioso che apparteneva a un passato da dimenticare, e fissò gli occhi sulla donna che si avvicinava lentamente, seduta all'amazzone su un cavallo bianco come la neve.

La Regina Madre era vestita di nero, come si addice a una vedova. Ma il suo vestito di seta pesante era trapuntato di perle e ornato allo scollo e ai polsi di pelo d'ermellino. Lunghe collane di perle le ricoprivano il petto, intrecciate a catene d'oro e a file di diamanti. Sulle spalle, gettato all'indietro a coprire la groppa del cavallo, portava un lungo mantello interamente foderato d'ermellino. Questo abbigliamento le conferiva, con grande soddisfazione di Polissena, un aspetto ieratico e lontano, come d'una divinità superiore e inaccessibile alle passioni terrene.

Purtroppo un alto e rigido colletto di pizzo impediva però di distinguerne bene la metà inferiore del viso. La fronte era coperta da una elaborata acconciatura di seta e di perle, con un pendente centrale che scendeva fino alla radice del naso. Il capo era protetto da un cappuccio bordato d'ermellino, le mani che reggevano le briglie, da guanti di velluto nero.

Polissena scrutava avidamente quel po' che riusciva a vedere: gli occhi pesantemente truccati, il naso diritto, la bocca severa... e con sua grande gioia provava la sensazione che quei lineamenti non le fossero del tutto sconosciuti. Era sicura di averli già visti. O meglio, non li aveva completamente dimenticati.

Non si era ancora saziata di guardarli, che la Regina Madre passò oltre, e fu la volta della Principessa Isabella.

A Polissena sarebbe piaciuto constatare che l'usurpatrice era una creatura brutta, malaticcia, magari gobba, con un grande naso bitorzoluto e piccoli occhi porcini, la pelle butterata dal vaiolo, i denti storti e scuri, il mento sfuggente. Invece, con sua grande rabbia, dovette riconoscere che Isabella era una bambina bellissima, nonostante il broncio che le serrava le labbra, e lo sguardo annoiato.

La Principessa aveva i capelli neri e lucidi intrecciati con file di rubini, gli occhi azzurri orlati da ciglia lunghe e folte, le guance rosee, la bocca fresca e gonfia come un frutto succoso. Il naso era piccolo, e leggermente rivolto all'insù come quello di un bambino. Il vestito di pesante stoffa d'oro irrigidito da incrostazioni di rubini e smeraldi non riusciva a nascondere la grazia infantile del suo corpo snello. Nonostante l'aria gelida, non portava alcun mantello, ed era a testa nuda, perché i sudditi potessero contemplarla a loro piacimento. Se aveva freddo, non lo dava a vedere.

Dietro di lei cavalcava il Reggente, tutto vestito di rosso cupo, col petto e le spalle coperti di decorazioni militari e in testa un cappello rosso bordato di pelliccia.

Lucrezia e Polissena si erano aspettate di vedere un volto malvagio, astuto, un ghigno crudele, e furono molto stupite dall'espressione tranquilla di quell'uomo robusto, che non staccava lo sguardo sollecito e affettuoso dalla nuca della Principessina.

"È logico" si disse Polissena. "Non è suo zio, come tutti credono. È suo padre e le vuole bene. Ha addirittura commesso un delitto per lei. Peccato che fossi io la vittima di quel delitto."

CAPITOLO SECONDO

Quando il corteo fu scomparso dentro il cortile del Palazzo, Lucrezia si rivolse a uno degli alabardieri per chiedere notizie del bando.

— Vuoi provare anche tu a far sorridere la Principessa Reale, ragazzina? — esclamò la guardia. — Lo sai che se non ci riesci finirai in prigione per sette anni?

— E se ci riesco?

— Sarai nominata marchesa, diventerai ricca, e potrai vivere a corte, oppure nei tuoi nuovi possedimenti.

— E se concorro in società con mio cugino Ludovico e i miei animali?

— Tutti in prigione. Oppure tutti marchesi. Le ricchezze però dovrete dividervele tra voi. Non pretenderai che la Regina Madre moltiplichi la ricompensa per otto!

— Benissimo. Quand'è che ci dobbiamo presentare e a chi?

— Tutti i pomeriggi il Gran Ciambellano riceve le iscri-

zioni nella stanza attigua alla portineria. Quella porta là, in fondo al cortile. Se vi sbrigate, fate ancora in tempo.

Le perquisirono, frugando in ogni tasca dei loro vestiti, poi le lasciarono entrare.

Il Gran Ciambellano era un uomo vecchio, lungo e magro, con una corona di riccioli bianchi alla base del collo, e il resto del cranio pelato... Le ricevette con malgarbo, guardando sospettoso gli animali.

— Ancora due saltimbanchi. Due plebei così ambiziosi da rischiare il carcere per diventare marchesi — sbuffò.

— Veramente quello che ci interessa è la felicità della Principessa — disse Lucrezia. E Polissena pensò ironicamente: "Della vera Principessa."

— Potete scrivere subito sull'iscrizione che del titolo nobiliare non ce ne importa affatto e che non lo vogliamo — concluse la piccola girovaga. Polissena non era molto d'accordo. Marchesa era già qualcosa. Se per caso non fosse riuscita a smascherare Isabella, o in attesa di farlo, non le sarebbe dispiaciuto far ricamare sui fazzoletti una corona a tre palle.

Con sua grande soddisfazione il Ciambellano rispose: — Non si può rinunciare al titolo. La Regina Madre non può rimangiarsi le sue promesse. — Il suo sguardo però diventò benevolo. Consultò un registro. — Ci sono già nove temerari che si son prenotati, e la Principessa Reale non ne può esaminare più di tre al giorno. Il vostro turno dunque è fra quattro giorni, alle undici del mattino.

— E se nel frattempo qualcuno dei nove riuscisse a far sorridere la Principessa?

— Non ci riuscirà nessuno. Neppure voi — disse scettico il Ciambellano. Intinse la penna d'oca nel calamaio e chiese: — Come vi chiamate?

— Lucrezia, Ludovico e gli Animali Acrobatici — disse Polissena.

Il Ciambellano prese nota, poi si grattò la zucca, sospirò, e si mise a scartabellare un altro registro. — Due valletti educati e di bell'aspetto… — borbottò, parlando tra sé e sé come se fosse solo — … e che possano prendere servizio immediatamente. Dove li vado a trovare?

— Prego? — si intromise Lucrezia, cui non garbava affatto aspettare tutti quei giorni prima di penetrare nella Reggia. (Come d'altronde non garbava a Polissena, ch'era impaziente di avvicinare la madre e farsi riconoscere.) — Prego, signor Gran Ciambellano. Se vi servono due valletti perché non assumete me e mio cugino?

Il Ciambellano alzò lo sguardo dalle carte e le osservò

entrambe con attenzione. — Bell'aspetto... Sì, non c'è male. Tu, biondina, puoi passare tranquillamente per un maschio. Naturalmente bisognerà darvi una ripulita. — Si grattò ancora la testa. — E a buone maniere come andiamo? Lo sapete che se vi prendo, sarete addetti al servizio personale della Principessa Reale?

— Io ho recitato molte volte la parte del cameriere — disse Lucrezia, esibendosi in una profonda riverenza.

— E io ho ricevuto un... — cominciò Polissena. Stava per dire "un'ottima educazione", ma si trattenne in tempo. Non dovevano sapere ch'era una ragazzina di buona famiglia, altrimenti si sarebbero insospettiti. — E io so apparecchiare e sparecchiare la tavola — improvvisò — e spolverare i vasi cinesi senza farli cadere, e dare la caccia ai mosconi, lucidare le maniglie, cambiare l'acqua ai canarini, spazzolare le scarpe...

— Ottimo! — la interruppe il Gran Ciambellano soddisfattissimo. — Spazzolare le scarpe della Principessa e lucidarle, e tenerle in ordine, sostituire immediatamente quelle diventate troppo piccole o rovinate, e soprattutto badare che l'erede al trono ne metta sempre un paio assortito all'abito che indossa. Non è compito facile, perché la Principessa Reale si cambia anche venti volte al giorno.

"Frivola e vanitosa!" pensò Polissena. "Ma ne hai ancora per poco, cornacchia con le penne del pavone! Ti butterò fuori da questo Palazzo, ti manderò in esilio." Poi le venne un'idea che le parve fantastica. "Ti manderò a fare la sguattera alla Civetta Verde."

— Sarebbe terribile che la Principessa Isabella indossasse un paio di scarpine rosse con un abito giallo... — continuava il Ciambellano.

— Staremo attentissimi — promise Lucrezia.

— Bene! Siete assunti. Prenderete servizio immediatamente. Vi accompagno dal Maestro di Palazzo perché vi
faccia fare il bagno e vi dia le divise.

— E gli animali? — chiese Lucrezia.

— Potrete lasciarli nella stalla.

— Le scimmie no. Non possono prendere freddo.

— Come si vede che non te ne intendi, Lucrezia! — la
sgridò Polissena con aria di superiorità. — Non lo sai che
le stalle e i canili della Reggia sono riscaldati?

Non era certo un ricordo della sua prima infanzia. Lo
sapeva perché suo pad… il mercante Vieri Gentileschi lo
aveva raccontato a tavola dopo un viaggio d'affari nella
capitale.

Così le due amiche entrarono al servizio della Principessa Reale. E scoprirono ben presto che Isabella non era né frivola né smorfiosa né vanitosa. E che se era sempre triste e annoiata e non voleva sorridere, aveva le sue buone ragioni.

Per esempio, quel continuo cambiarsi d'abito era un'operazione faticosa e noiosissima che non dipendeva da una sua scelta, ma dalle esigenze dell'etichetta.

Ci voleva infatti un abito speciale per fare colazione alla presenza dei nobili e dei cortigiani, e un altro per il pranzo con i canonici del Duomo e l'Arcivescovo. Un abito per dare udienza agli ambasciatori stranieri, un altro per presiedere la riunione dei ministri. Un abito per andare a cavallo nel parco e un altro per passare in rassegna le truppe, e un altro per attraversare in pompa magna la città. Un abito per andare ai funerali a consolare le vedove e gli orfani, e uno per il battesimo delle navi.

Uno per inaugurare gli ospizi di vecchiaia e un altro per premiare i vincitori del campionato di birilli. Un abito per prendere lezioni di ballo in privato, e un altro per aprire le danze in compagnia del Reggente, o del Principe straniero in visita, nel Salone degli Specchi, tra gli aristocratici invitati.

Non solo il ballo nel salone, ma tutte le altre cose Isabella le faceva in compagnia del Reggente. Anzi, tranne la colazione e le lezioni di ballo, era il Reggente a farle, mentre Isabella restava al suo fianco immobile come una statua, o al massimo si limitava a sorridere con distacco (questo prima che fosse colpita dalla recente malattia).

Il Reggente indossava sempre lo stesso vestito. Una divisa militare rossa piena di decorazioni. Naturalmente ne possedeva molti esemplari, tutti identici, per avere sempre il ricambio fresco all'occorrenza, ma non si cambiava più di tre volte al giorno, a meno che non si inzaccherasse di fango cavalcando nel parco dopo un acquazzone.

Invece tutta la giornata della Principessa Reale era un continuo spogliarsi e vestirsi, circondata e inseguita dalle cameriere, dalla guardarobiera, dalla sarta con la bocca piena di spilli, dai valletti addetti alle scarpe e dal parrucchiere.

Quanto agli abiti, erano spettacolosi a vedersi, ma per la maggior parte assai scomodi. Troppo larghi o troppo stretti, troppo leggeri e scollati per le uscite invernali; troppo caldi e soffocanti per le stanze surriscaldate della Reggia. Alcuni rigidi e pesanti come corazze, con lunghe code e strascichi che intralciavano il passo. Le stoffe intessute d'oro poi pizzicavano la pelle, le incrostazioni di pietre preziose erano taglienti e graffiavano solo a sfiorarle.

Polissena il primo giorno era rimasta affascinata dal vastissimo guardaroba di Isabella. Ma pian piano si era resa conto che quella eleganza costituiva per la poveretta una vera e propria tortura.

— Quando sarò io la legittima Principessa — diceva a Lucrezia — farò venire a corte la nostra sartina di Cepaluna e le ordinerò dei modelli più pratici e più confortevoli. Adesso poi che mi sono abituata a vestirmi da maschio, vorrò indossare spesso anche i pantaloni, per esempio per andare a cavallo.

Ma Lucrezia rispondeva: — Non te lo permetterebbero. Una Principessa Reale non può violare le regole dell'etichetta. Darebbe il cattivo esempio.

Lucrezia, da quand'erano a corte, non perdeva una sola occasione di contrariare l'amica, di criticarla o di litigarci. Così almeno pareva a Polissena. Per esempio, la prima notte che avevano dormito insieme nella stanza delle scarpe, la piccola girovaga l'aveva lasciata di stucco confidandole in gran segreto: — Mi è successa una cosa strana. Quando la Regina Madre mi è passata davanti, ho avuto come una vertigine. La sensazione che il suo viso mi fosse familiare, come se la conoscessi da sempre.

— Non è possibile! — aveva risposto seccata Polissena. — *Io* ho avuto quella sensazione, ed è logico, perché la Regina è mia madre. Ma tu cosa puoi avere a che fare con lei?

— Non lo so. Però ti assicuro che mi è sembrato di averla già vista, in un altro tempo e in un altro luogo.

— È la Regina di questo Paese. Avrai visto il suo ritratto.

— No. Me ne ricorderei.

— Forse somiglia a qualcuno che conosci.

— Non mi sembra. A chi potrebbe somigliare?

— A me, per esempio. In fondo è mia madre.

Lucrezia l'aveva scrutata con attenzione. — La Regina Madre è bionda. Non ti somiglia affatto.

— Sei una bugiarda! Dici così perché sei invidiosa di me! — l'aveva accusata Polissena.

Lucrezia si era messa a piangere. L'ingiustizia di quella accusa la feriva profondamente. Essere una principessa era l'ultimo dei suoi desideri. Però non riusciva a togliersi quel viso dalla mente. Dove l'aveva già visto?

Dopo quel litigio le due amiche non avevano avuto la possibilità di chiarire i loro dubbi guardando in faccia per una seconda volta la Regina Madre.

Loro vivevano con Isabella, e Isabella aveva un appartamento personale, lontano da quello della Regina Madre, che si trovava in un'altra ala del Palazzo. Chi comandava, nell'appartamento della Principessa Reale, era una anziana nobildonna, l'Arciduchessa Teodora, sempre arcigna e severa, ma espertissima dell'etichetta di corte e di tutto quanto si addice a un'erede al trono.

Perciò le due amiche scoprirono solo dopo tre giorni, e per puro caso, che la sera stessa del loro arrivo la Regi-

na Madre era partita col suo seguito per una cittadina della costa dal clima eccezionalmente mite dove aveva l'abitudine di passare tutti gli anni il mese di novembre.

Impossibile descrivere la delusione di Polissena. Nei suoi piani l'incontro segreto con la madre e il commovente riconoscimento doveva aver luogo entro pochi giorni.

— Partiamo subito! Andiamo a raggiungerla! — aveva proposto.

Ma Lucrezia le aveva fatto osservare che non sarebbe stato facile essere ammesse alla sua presenza. — Questa volta abbiamo avuto un colpo di fortuna, ma non è detto che si ripeta. Ora che siamo qui, nel cuore del Palazzo, approfittiamone per conquistare la fiducia di Isabella e del Reggente. Magari ci daranno anche il titolo di marchese. A quel punto cercheremo di farci mandare da tua madre con un messaggio di Isabella e saremo ricevute senza alcun sospetto. Si tratta solo d'avere un po' di pazienza.

Era vero. Come al solito, Lucrezia aveva ragione. Ma a Polissena, che prima trovava così comodo e rassicurante affidarsi per ogni cosa all'amica, ora questo fatto che avesse sempre ragione cominciava a dare sui nervi.

Capitolo quarto

Aveva ricominciato a nevicare. Quella mattina la Principessa Isabella doveva passare in rassegna un reggimento di fanteria appena tornato da una guarnigione di frontiera. I soldati la aspettavano schierati nel cortile da più di due ore, mentre i fiocchi di neve si depositavano sulle loro spalle e sui copricapi, formando uno strato sempre più alto. Il vapore del fiato, impigliandosi nei loro baffi, li aveva trasformati in ghiaccioli. Ma la disciplina militare esigeva che i poveretti restassero immobili, senza poter battere i piedi a terra per scaldarsi, né fregarsi le mani, e tantomeno scrollarsi la neve di dosso.

Isabella era in ritardo non per un suo capriccio, ma perché il potentissimo Re di Bessude era venuto a presentarle i suoi omaggi e, chiacchierando di cose insulse col Reggente, non accennava ad andarsene. E un sovrano, ovviamente, non lo si può congedare con uno sbrigativo: "Maestà, adesso basta. Ho da fare. Tornatevene a casa."

Tanto più che quel Re si era presentato a chiedere la mano di Isabella per il suo figlio primogenito.

Dalle chiacchiere degli altri domestici, Lucrezia e Polissena sapevano che già da qualche anno il Reggente, i ministri e i nobili di Mirenài avevano cominciato a passare in rassegna tutte le case regnanti dei paesi vicini e lontani alla ricerca di un marito per la Principessa. Non aveva affatto importanza che fosse giovane, bello e gentile. Ciò che importava erano i vantaggi che quel matrimonio avrebbe procurato al Regno, le alleanze che ne sarebbero derivate, il denaro che sarebbe affluito alle casse dello stato, il prestigio che poteva venirne alla dinastia dei Pischilloni.

In questa faccenda del matrimonio, nessuno, neppure il Reggente, prendeva in considerazione il parere di Isabella. Cosa poteva capirne lei, che aveva solo undici anni e non era mai uscita da sola di casa, di tutti i complicati equilibri politici e militari?

— Però alla fine sarà lei a doversi sposare! Magari con un giovanotto foruncoloso, prepotente e maleducato — protestava Polissena. — Magari con un vecchio panzone dall'alito puzzolente che si ubriaca tutte le sere.

— Be', pare che sia questo il destino delle principesse. Di quelle vere — sospirava Lucrezia. — Col principe azzurro riescono a sposarsi solo quelle delle favole!

— Lo dici apposta per farmi arrabbiare! — si spazientiva Polissena. — Quando avrò ripreso il mio posto, e sarò io l'erede al trono invece di quella pappamolla di Isabella, non accetterò i maneggi di quei signori. Io farò come mia mad… come la mia madre adottiva.

Per lei era inconcepibile che all'origine di un matrimonio non ci fosse un grande, un grandissimo amore. Questa idea l'aveva assorbita fin dai primissimi anni ascoltando la vecchia Agnese raccontare mille volte la romantica storia di Ginevra Assarotti e di Vieri Gentileschi. Quella storia che Polissena per undici anni aveva creduto fosse l'origine della sua esistenza.

Ginevra fin da bambina era già così bella che nei giorni di festa venivano ad ammirarla persino dai paesi e dai villaggi al di là del fiume. Apparteneva a una famiglia di agiati agricoltori, che le avevano assegnato in dote grandi boschi di querce e castagni, frutteti, vigne e campi di grano.

Quando la ragazza compì sedici anni, nel giro di pochi mesi si presentarono uno dopo l'altro alla fattoria del nonno Assarotti ben ventisette pretendenti alla sua mano: ricchi proprietari terrieri, pastori, artigiani affermati, funzionari governativi, e persino qualche gentiluomo. Ciascuno di loro si dichiarava pazzamente innamorato della bella Ginevra e pronto a tutto per conquistarla.

Il nonno Assarotti, dopo essersi consultato col parroco e con tutto il parentado (ma non con la figlia) scelse un gentiluomo ricco, nobile e influente, di nome Arrigo Filippucci, che era considerato il miglior partito non solo di Cepaluna, ma di tutta la contea.

Ginevra sembrò accettare la scelta paterna. Mise solo la condizione che il matrimonio non fosse celebrato prima di tre anni, perché si sentiva ancora troppo giovane per la responsabilità di una famiglia. Filippucci, che aveva trent'anni e ardeva d'impazienza, accettò controvoglia questo patto e per far cambiare idea alla fidanzata, la assediò con ardenti dichiarazioni d'amore, la riempì di doni, di serenate, di promesse. Le giurò che sarebbe impazzito nell'attesa, oppure che sarebbe morto di dolore. Mise ai piedi di Ginevra tutte le sue ricchezze, vantò le sue nobili parentele, promise che l'avrebbe portata a vivere a corte.

Tutte queste smanie, invece di ottenere l'effetto voluto, raffreddarono ogni entusiasmo della ragazza nei confronti del focoso fidanzato, che ormai le appariva ogni giorno più fastidioso e ridicolo.

Fino a quando Ginevra si stancò definitivamente e disse al padre: — Quello lì non lo sposerò mai. — E con grande scandalo di tutto il paese ruppe il fidanzamento.

Due giorni dopo, a un ballo campestre, conobbe un giovanotto d'umile famiglia, che aveva appena iniziato un piccolo commercio di stoffe e granaglie. Vedersi e innamorarsi fu tutt'uno, per lei e per lui. L'indomani, contro la volontà della famiglia di Ginevra, erano fidanzati. Due mesi dopo la ragazza scappava di casa calandosi dalla finestra con una fune e raggiungeva l'innamorato in casa del parroco, che, messo davanti al fatto compiuto, non poté fare a meno di sposarli.

Arrigo Filippucci, pazzo di rabbia e di gelosia, dette in smanie per quasi due anni, minacciando vendetta per il suo amore respinto e per il suo onore oltraggiato. Poi, quando tutti a Cepaluna pensavano che si fosse rassegnato e che stesse per sposarsi con una ricca vedova sua vicina, si chiuse in convento e nessuno sentì più parlare di lui.

I due sposi, nonostante le previsioni della famiglia Assarotti, non avevano mai smesso di volersi bene. Il loro amore era come una grande fiamma ardente che riscaldava tutta la famiglia che negli anni seguenti era cresciuta loro attorno.

CAPITOLO QUINTO

Le due amiche se ne stavano alla finestra della stanza delle scarpe a guardare i poveri soldati irrigiditi dal freddo, chiedendosi quanto sarebbe durata ancora quella tortura. Finalmente la guardarobiera chiamò: — Ludovico, Lucrezio, presto! Gli stivaletti marrone! La Principessa deve indossare l'abito da amazzone con i gradi militari per scendere in cortile.

Quando Isabella fu pronta le due amiche si unirono al seguito che l'accompagnava giù per lo scalone. Volevano approfittare dell'uscita per andare nella stalla a vedere gli animali. Mentre Polissena faceva le prove del suo futuro ruolo osservando ogni gesto di Isabella, Lucrezia passava con le sue bestie ogni momento libero. Controllava che le scimmie non si muovessero dall'angolo più riscaldato della stalla, faceva ripassare a tutti gli esercizi più difficili, portava Ramiro e Dimitri, che avevano bisogno di muoversi, a fare lunghe corse sulla neve. Ormai gli stallieri e le sentinelle la conoscevano. Anzi, *lo* conoscevano, perché come valletto anche lei aveva dovuto indossare abiti maschili e veniva chiamata Lucrezio. C'era un garzone che ogni volta la salutava con entusiasmo e le diceva: — Vai tranquillo a scegliere le scarpe per quella musona. I tuoi animali qui stanno benissimo. Ci penso io.

Ai piedi dello scalone Isabella montò a cavallo, poi, scortata dal Reggente e da due alti ufficiali, uscì nel cortile e cominciò a percorrere lentamente la fila dei soldati, che al suo passaggio scattavano nel presentatarm. Uno di loro però, nel sollevare il fucile, diventò pallidissimo, roteò gli occhi, vacillò, e cadde in avanti rigido come un birillo, col viso affondato nella neve.

Nessuno dei presenti lo degnò di uno sguardo, neppure Isabella, che gli passò sopra e non lo calpestò soltanto perché il suo cavallo, abituato a simili incidenti, fece bene attenzione a dove metteva gli zoccoli.

— Crudele e insensibile come suo padre — mormorò Polissena indignata.

Ma Lucrezia la prese per un braccio: — Guardale gli occhi! — sussurrò.

Isabella stava piangendo. Continuava a tenere la schiena ben dritta, la testa alta, la mano sollevata alla fronte nel saluto militare. Ma i suoi occhi erano pieni di lacrime. Lacrime silenziose che le scorrevano lungo le guance e sgocciolavano dal mento. Anche il Reggente se n'era accorto e il fatto sembrava dargli molto fastidio.

Lo videro accostare il cavallo a quello della Principessa e sussurrarle qualcosa con la fronte aggrondata. Lei scrollò leggermente la testa. Poi il cavallo del Reggente inciampò.

— Biancofiore! — esclamò Polissena. Il porcello era uscito di corsa dalla stalla come un proiettile rosa spara-

to da un cannone. Il cavallo del Reggente, trovandoselo
tra le zampe, fu costretto per evitarlo a fare uno strano
balletto, scivolò sul ghiaccio e cadde trascinando nella sua
rovina il cavaliere.

— Dannazione! — imprecò il Reggente. — Guardie, accorrete! Circondate la Principessa. È un attentato!

— Pss! Biancofiore, vieni qui, nasconditi! — chiamava
sottovoce Polissena. Ma il porcello puntò dritto sul soldato
caduto, gli si fermò accanto e cominciò a leccargli la faccia.
Poi si girò verso la stalla e lanciò un grugnito di richiamo.

Gli altri soldati continuavano a rimanere immobili nel gesto del presentatarm, ma sotto i baffi a ghiaccioli le loro labbra tremavano dal riso trattenuto.

— Tradimento! — continuava a strepitare il Reggente, dimenandosi sulla neve, schiacciato dal corpo del cavallo che nitriva e non riusciva a rialzarsi. — All'armi! Proteggete la Principessa Reale!

— Signor Zio! È soltanto un maialino. Calmatevi — disse seria Isabella. Lucrezia vide però che le lacrime avevano cessato di scorrerle sulle guance. Aiutato dalle guardie, il Reggente si alzò a fatica, arrabbiatissimo. Non gli era mai capitato di fare una figura così ridicola. Gli portarono un altro cavallo. Stava per montare quando il porcello grugnì per la seconda volta e dalla porta della stalla uscì a tutta velocità un grosso proiettile peloso.

— Ramiro! — gridò Lucrezia, che stava cominciando a divertirsi.

Travolto da quella massa di pelo il Reggente cadde di nuovo a terra, mentre tutti gli altri si scansavano per lasciare via libera al bolide. Latrando e abbaiando Ramiro si precipitò sul soldato caduto, spostò con una musata il porcello, poi cominciò a fiutare il viso del giovanotto. Lo leccò sul naso e sulle labbra, e si chinò per avvicinargli alla bocca la botticella che portava appesa al collo. (Per fortuna, una volta alla Reggia, Lucrezia ne aveva tolto le ultime monete e ci aveva rimesso la solita acquavite.)

Nel cortile adesso regnava la più grande confusione. I

valletti più giovani ridevano. Le guardie correvano avanti e indietro, il Reggente strepitava e bestemmiava.

— Signor Zio, è soltanto un cane da valanga! Controllatevi — disse Isabella, in tono di rimprovero. Poi si rivolse a tutti i presenti. — Di chi sono questi animali?

— Miei! — risposero in coro Lucrezia e Polissena.

— Dopo pranzo salite nelle mie stanze — disse la Principessa gentilmente, e rivolta alle guardie: — Che agli animali non sia torto un capello! Anzi, un pelo. Più tardi scenderò io stessa a visitarli nella stalla e guai se non mi avrete obbedito!

Appena rientrata nelle sue stanze Isabella fu colta da una crisi di pianto e si gettò singhiozzando su una poltrona.

I suoi domestici non si scomposero. — Fa sempre così quando vede qualcuno che si sente male, qualche straccione affamato o qualche veterano moribondo — confidò a Polissena la governante, in tono di disapprovazione. — Finché la cerimonia non è finita, riesce a controllarsi, ma subito dopo si lascia andare davanti a tutta la servitù a manifestazioni isteriche che mal si addicono al suo rango. Ha i nervi troppo fragili, per essere una Principessa Reale.

Attorno a Isabella adesso era tutto un affannarsi di cameriere e di valletti. Non per consolarla, ma per metterle sulle palpebre pezzuole di lino imbevute d'acqua gelata.

— Altezza Reale — disse in tono ancora più gelido l'Arciduchessa Teodora — mi permetto di ricordarvi che fra dieci minuti i pittori vi aspettano per la seduta di posa nel Salone Azzurro. Non potete andarci con gli occhi gonfi. Perciò vi esorto alla calma e al dominio di voi stessa.

Isabella a queste parole raddoppiò i singhiozzi. Allora Lucrezia le scivolò accanto e le sussurrò nell'orecchio: —

Il soldato sta bene. Ho visto dalla finestra che dopo aver bevuto l'acquavite si è rialzato, ha sorriso ai compagni, e se ne è tornato in caserma sulle sue gambe. Non era altro che un colpo di freddo.

— Grazie — sussurrò Isabella. Le cercò la mano e le dette una stretta veloce. Poi si lasciò docilmente tamponare gli occhi, cambiare d'abito, pettinare, calzare e ornare di gioielli. La sarta e la pettinatrice la accompagnarono nel Salone Azzurro, la aiutarono a sedere nella poltrona posta su una pedana al centro del locale, le aggiustarono le pieghe dell'abito, le raddrizzarono le collane sul petto, le sistemarono per l'ultima volta i capelli ornati da un filo di perle.

Intanto i sette pittori avevano cominciato a impastare i colori sulla tavolozza. Ognuno di loro aveva davanti a sé il cavalletto con un ritratto della Principessa appena abbozzato. Non si trattava di una gara. Poiché a quei tempi non esistevano ancora le fotografie, gli ambasciatori avevano bisogno di un gran numero di ritratti della Principessa per andare a mostrarli in giro a tutti i possibili aspiranti alla sua mano.

Finalmente arrivò l'ora del pranzo, che Isabella consumò come al solito nel suo appartamento in compagnia dell'Arciduchessa Teodora, la quale non le dette tregua neppure un istante, criticando e correggendo in continuazione il suo modo di tenere le posate, di masticare, di inghiottire, di portare il bicchiere alla bocca, di usare il tovagliolo… persino il modo di sbattere le ciglia e di respirare.

Non che Isabella, dopo tanti anni di vita da Principessa, ignorasse le buone maniere. Ma quel giorno era stanca e abbattuta, e le riusciva faticoso tenere il collo eretto e i gomiti serrati alla vita come pretendeva la sua Dama di Compagnia. La quale però la incalzava spietata: — Non ammetto scuse. Un'Altezza Reale deve rispettare l'etichetta in ogni circostanza.

Finalmente arrivò l'unico momento della giornata in cui Isabella aveva mezz'ora tutta per sé. Di solito la trascorreva sdraiata sul letto, recuperando le forze per gli impegni ufficiali che l'aspettavano nella serata. Quel giorno invece mandò a chiamare i due nuovi valletti.

— Chiudete la porta e venite a sedervi sul bordo del letto — disse la Principessa Reale alle due amiche che si erano presentate con una profonda riverenza. — Scusatemi, ma non ricordo il vostro nome. Avete preso servizio da poco, non è vero? Da dove venite?

— Dalla contea di Cepaluna. Io mi chiamo Lucrezio, e lui è mio cugino Ludovico. Avete ragione. Siamo qui alla Reggia da pochi giorni.

— Benvenuti a corte, allora! Ma per quale motivo vi siete portati dietro un cane e un porcello? E come mai il Ciambellano ve li ha lasciati tenere? Di solito non è molto tenero con i servi.

— Vedete, Altezza Reale, noi due non ci siamo presentati a cercare lavoro come domestici. Noi siamo artisti! — disse Lucrezia con orgoglio. — Quelli che avete visto stamattina sono due dei nostri Animali Acrobatici.

— Perché, ce n'è degli altri? — chiese Isabella interessata.

— Due scimmie, un orso e un'oca.

— Oh, un'oca! Davvero? Posso vederla? Non ho mai visto un'oca in vita mia — e batté le mani dall'entusiasmo.

Polissena la guardò con diffidenza. Le stava forse prendendo in giro? Quando mai una ragazzina di undici anni non ha mai visto un'oca! Avrebbe capito le scimmie o l'orso. Ma di oche ne son pieni i campi e le strade di ogni villaggio.

Isabella continuava con trasporto: — E neppure un porcello avevo mai visto, fino a stamattina! — Poi colse lo sguardo d'incredulità di Lucrezia. — Volevo dire che non ho mai visto un'oca e un porcello vivi. E crudi. Lo so che i miei sudditi in campagna ne allevano in gran quantità. Ma io non sono mai uscita da Mirenài.

— Allora non conoscete neppure le scimmie — disse Polissena con commiserazione.

— Quelle sì. E di varie specie. Il principe Priankijadi me ne ha portato quindici dall'India l'anno scorso. Ma l'Arciduchessa Teodora non vuole animali qui in casa e le ha fatte portare al serraglio, dove ha già spedito i leopardi, gli uccelli del Paradiso, i coccodrilli, le giraffe, i pinguini, gli elefanti, le balene. Tutti omaggi degli aspiranti alla mia mano.

Gli occhi di Lucrezia brillavano di eccitazione e di curiosità al sentir nominare tanti animali esotici.

Che spettacolo meraviglioso avrebbe potuto organizzare… La voce della Principessa interruppe le sue fantasticherie: — Ma, scusate, se siete artisti, perché vi siete fatti assumere come valletti?

— Noi veramente ci eravamo presentati per rispondere al Bando proclamato dalla Regina vostra Madre…

— Volevamo riuscire a farvi sorridere…

A queste parole Isabella si gettò sul letto singhiozzando: — Infelici voi! Finirete in prigione! Oh, come mi dispiace! Vi rinchiuderanno in quelle orrende celle umide e buie, pieni di ragni e di topi, nei sotterranei del Palazzo…

— Ma perché siete così pessimista, Altezza? — protestò Lucrezia. — Noi speriamo di vincere. Non vi piacerebbe ritrovare il sorriso?

— È impossibile. È impossibile! — singhiozzò la Principessa. Afferrò le mani di Polissena: — Non provateci. Ritirate l'iscrizione prima che sia troppo tardi.

— Ma allora lo fate apposta! — esclamò Lucrezia in tono d'accusa. — Allora non si tratta di una malattia. Siete voi che non ci mettete il minimo di buona volontà. È per colpa vostra che tutti quegli altri disgraziati sono già finiti in prigione.

— Non è vero. Non è colpa mia! — si difese Isabella. — Davvero non riesco più a sorridere. Non posso farci niente.

— Ma perché? Ci sarà pure una ragione…

— Oh, se è per questo, di ragioni ce n'è a centinaia… A cominciare dall'Arciduchessa Teodora — rispose Isabella.

— Come mai vivete con lei e non con vostra madre? — la interruppe Polissena. Fin dal primo giorno si era fatta l'idea che la Regina, pur non essendo al corrente dello scambio delle neonate, intuisse oscuramente che Isabella era un'estranea, un'usurpatrice, e dunque non riuscisse a volerle bene. Pensava che fosse questo il motivo per cui aveva scelto di vivere in un altro appartamento.

— Finché mio padre era vivo — spiegava intanto Isabella con la sua vocina triste — abitavo con la Regina. Dormivo nella stanza di fianco alla sua, la vedevo tutti i giorni, pranzavo alla sua tavola. Quando andavamo a ricevere gli ambasciatori o ci affacciavamo al balcone a salutare la folla, mia madre mi teneva in braccio. Più tardi, quando sono diventata troppo pesante, mi teneva per mano, stretta al suo fianco. E quando non avevamo impegni ufficiali, stava sempre con me. Si inginocchiava sul tappeto per giocare, mi spiegava le cose, mi faceva ridere, facevamo la lotta e poi mi abbracciava stretta stretta...

Proprio come faceva Ginevra Gentileschi con le sue bambine. Senza accorgersi che una, la più grande, era un'intrusa. "Che stupide queste madri!" venne da pensare a Polissena. "Che siano mogli di mercante o regine, quanto è facile ingannarle con un bacio e un sorriso!"

— Mia madre mi adorava — proseguì Isabella. — A quel tempo non avevamo molti impegni ufficiali. Alle cerimonie militari, alle parate, alle riunioni dei ministri, alle pubbliche esecuzioni, ci andava mio padre. E se lui era in viaggio, si faceva sostituire da suo fratello, l'attuale Reggente.

— Com'era vostro padre? — domandò ancora Polissena. Che tristezza sapere che era morto e che non lo avrebbe mai potuto conoscere! Lui forse non si era lasciato sedurre così facilmente da quella piccola intrusa. — Vi voleva bene come vostra madre?

— Era il Re. Non lo vedevo tanto spesso. Ma era molto orgoglioso di me. Era fiero che avessi ereditato gli occhi azzurri dei Pischilloni, mentre mia madre li aveva neri. Mi diceva sempre che non mi avrebbe scambiata con nessun altro bambino, neppure con un erede maschio.

"E non sapeva che invece eri la bambina sbagliata. Che lo scambio era già avvenuto..." pensava rabbiosa Polissena.

— E vostro zio, il Reggente, vi voleva tanto bene anche lui? — chiese poi maligna.

— Tantissimo. Era vedovo, poveretto, e gli era morta l'unica figlia, che aveva la mia stessa età. La mamma diceva che mi era tanto affezionato perché gli ricordavo quella bambina.

"Ma che razza di bugiardo!" All'idea dell'inganno subito dai genitori a opera di quell'impostore Polissena fremeva di indignazione. Con quanta abilità era riuscito a raggirarli, a ingannare anche Isabella perché non sospettasse niente!

— Da quando è morto mio padre — proseguì tristemente la Principessa — tutto è cambiato. Lo zio è stato incaricato dai nobili e dai ministri di governare il Paese in mio nome fino a quando avrò compiuto vent'anni. Ma ufficialmente il Capo dello Stato sono io. Quindi devo avere una residenza personale, e una mia corte, e una Dama di Compagnia che conosca alla perfezione l'etichetta e mi impedisca di commettere errori.

— Non poteva farlo vostra madre?

— No. Lei ha un'altra funzione. Deve avere la sua corte e il suo appartamento. E poi sarebbe stata troppo indulgente. Ha pianto tanto quando ci siamo dovute separare! Possiamo vederci solo durante le cerimonie. Sono tre anni che non ci siamo più incontrate da sole, che non abbiamo fatto due chiacchiere in privato. Quando, molto raramente, viene a trovarmi, ai nostri incontri assiste sempre l'Arciduchessa Teodora, quella strega! Non mi lascia sola un istante. Mi controlla anche quando vado al gabinetto, con la scusa che qualcuno potrebbe congiurare contro di me e attentare alla mia vita. Non posso nemmeno respirare senza il suo permesso!

— Non capisco! — protestò Polissena indignata. — Voi

siete la Principessa Reale. Non dovreste obbedire a nessuno. Anzi, siete voi che dovreste comandare ed essere obbedita.

Isabella sospirò: — Io non conosco ancora abbastanza l'etichetta. Il Reggente dice che dovrò obbedire all'Arciduchessa fino a quando mi sposerò. E dopo suppongo che dovrò obbedire a mio marito, perché sarà un Re più potente e più importante di me. C'è da meravigliarsi se non riesco più a sorridere?

— Io non potrei sopportare tutto questo! — dichiarò Lucrezia indignata. — Perché non vi ribellate, Altezza?

Gli occhi di Isabella si riempirono di lacrime. — Quando ero piccola ho provato a ribellarmi — disse — ma l'Arciduchessa me ne ha fatto subito pentire.

— Non ditemi che vi ha picchiato! — esclamò Polissena incredula.

— Oh, no! Nessuno al mondo può mettere le mani addosso a una Principessa di sangue reale. Sarebbe un sacrilegio!

— E allora? Cos'altro poteva farvi? Mandarvi a letto senza cena?

— Magari! Certe volte i banchetti ufficiali sono così indigesti… No. L'Arciduchessa ha assunto una bambina della mia età, la figlia di uno stalliere, perché venisse a vivere qui, nelle mie stanze. Il suo lavoro consisteva nel venire frustata ogni volta che io mi comportavo in modo impertinente, disobbedivo, oppure non imparavo a menadito la lezione. Mi facevano sedere, chiamavano quella poveretta e la frustavano sotto i miei occhi. Non riuscivo a sopportare quello spettacolo. Così in poco tempo ho imparato a comportarmi come vuole l'Arciduchessa. Adesso quella ragazza fa la sguattera giù in cucina, ma credo che ancora mi detesti, ricordando i mesi che ha passato al mio fianco.

— Che orrore! Che ingiustizia! — fremette Lucrezia. —
Ma scusate, Altezza, non potevate raccontare tutto al Reggente e chiedere il suo aiuto?

— L'ho fatto. Pare che sia un'abitudine diffusa in tutte
le famiglie reali. Il Reggente mi ha detto che una Principessa Reale deve imparare a controllarsi, a non fare la
piagnucolosa, ad assumersi la responsabilità delle sue
mancanze. Lui è soddisfattissimo del comportamento
dell'Arciduchessa. Sostiene che tutto quello che fa, lo fa
per il mio bene, e che un giorno le sarò riconoscente.

— È un uomo molto duro — osservò Lucrezia.

— Oh, no! Anzi, è l'unico a essere gentile e affettuoso con me qui alla Reggia. Mi riempie di regali, invita i giullari perché mi distraggano, viene a giocare a scacchi con me dopo cena. Ma vuole che stia sempre al suo fianco durante il giorno. Che lo accompagni dappertutto. Mi porta persino ad assistere alle esecuzioni. Non so se avete mai visto impiccare qualcuno. Vi assicuro che non è uno spettacolo piacevole.

«Così come non è piacevole vivere sempre circondati da guardie del corpo, per paura di una congiura o di un attentato. E dover sospettare di ogni persona che ci vive al fianco. Il Reggente è convinto, chissà perché, che la Reggia sia piena di traditori. Anche per questo non mi lascia un solo attimo di libertà, tranne questa mezz'ora…»

Si sentì bussare alla porta.

— … Questa mezz'ora che a quanto pare è già terminata. Come volete che abbia voglia di sorridere?

— Coraggio, Altezza! Presto le cose cambieranno — le promise Lucrezia abbracciandola.

— Non saprei proprio come… — mormorò Isabella amaramente.

— Ve lo prometto. Cambieranno. Molto prima di quanto non possiate immaginare. Ci sono in arrivo grandi novità. Voi però domani sforzatevi di sorridere, per piacere.

— Sei sempre sicura di voler smascherare il Reggente? — chiese quella sera Lucrezia all'amica. — Sei sicura di volerti far riconoscere come la vera Principessa Reale e prendere il posto di Isabella?

— Certo che sì! Non ti sarai lasciata impressionare dal racconto di quella piagnucolosa! Ti assicuro che con me le cose andranno diversamente. E poi, scusa, cosa pretendi? Che oltre a rinunciare al trono, rinunci anche a farmi riconoscere da mia madre?

Lucrezia sospirò: — Hai ragione. — Ma aveva una gran voglia di scapparsene da quel Palazzo, magari di tornare alla fattoria di Pacuvio e di passarci l'inverno con i suoi animali in attesa della bella stagione.

Quando erano sole, Polissena le rintronava la testa con i progetti di tutto ciò che avrebbe fatto una volta Principessa Reale. «Farò, comprerò, darò ordine di, punirò, sceglierò, deciderò…» Diceva già «il mio Regno»; «il mio Pa-

lazzo»; «i miei sudditi»; «il mio cavallo»; «le mie guardie».
Persino «le mie prigioni».

— Il Reggente lo farò spogliare e frustare sulla pubblica piazza, e sedere su un trono di ferro rovente, e poi lo farò gettare nella più buia e profonda delle mie prigioni. Ci resterà a pane e acqua fino alla fine dei suoi giorni.

— E Isabella?

— Anche lei in prigione.

— Ma sei pazza? Cos'ha fatto di male, lei?

— Allora la manderò a fare la sguattera alla Civetta Verde.

— Provaci, e ti darò un paio di ceffoni da farti bruciare le orecchie.

— E io ti farò arrestare dalle mie guardie!

— Bene! Fino a pochi giorni fa dicevi che mi avresti fatta Primo Ministro!

— Lo farò, se ti comporterai bene e mi obbedirai.

— Figurati! Se non obbedivo nemmeno al Giraldi, che mi riempiva di bastonate.

— Oh, basta, Lucrezia! Perché vuoi litigare a tutti i costi? Sei l'unica persona qui dentro che mi voglia bene. Certo che ti farò ministro! E ti terrò sempre al mio fianco. Sarai la mia consigliera. Ti farò adottare dalla Regina. Sarai la mia sorellina minore…

Ma Lucrezia era ben decisa. Appena fosse tornata la Regina Madre e la faccenda si fosse, in un modo o nell'altro, sistemata, avrebbe lasciato Polissena al suo nuovo destino e sarebbe tornata a fare il mestiere di sempre nei territori che conosceva e dove tutti la conoscevano.

Come aveva previsto il Gran Ciambellano, i nove temerari che in quei giorni provarono a guarire la tristezza di Isabella, fallirono miseramente. La Principessa era molto angosciata per la loro sorte, e questo non facilitava il loro compito.

L'ammalata aveva anche provato a sforzare le labbra in un sorriso artificiale, ma la Commissione di Controllo – formata dal Reggente, dal Gran Ciambellano, dall'Arciduchessa Teodora, da tre ministri, due baroni, un filosofo, un medico e una levatrice – non si era lasciata ingannare.

— Non è leale da parte vostra, Altezza Reale! — aveva protestato il medico. — Quando il sorriso è spontaneo, non si ferma alle labbra, ma si estende al naso, agli occhi, alla fronte, alle orecchie.

— Soprattutto gli occhi, che sono le finestre dell'anima — aggiunse il filosofo. — Perché quando il sorriso è spontaneo è tutta l'anima che sorride.

Arrivò finalmente il turno della Compagnia Ramusio con i suoi Animali Acrobatici.

Lucrezia aveva passato tutta la notte nella stalla con l'amica e con gli animali, a preparare un numero che le era venuto in mente dopo le confidenze di Isabella. Nonostante il poco tempo a disposizione ciascuno degli animali aveva imparato perfettamente la sua parte. Sembrava che capissero l'importanza di quella rappresentazione eccezionale.

Quando la Compagnia Ramusio si presentò al gran completo nel Salone Turchese, le due amiche erano tranquille e serene. Indossavano entrambe un costume da giullare, azzurro Lucrezia e rosso Polissena, col berretto a punta e i campanelli dorati. Ciascuno degli animali invece indossava un costume che ricordava in qualche modo quello di un cortigiano presente fra il pubblico.

Ignorando lo sguardo desolato che Isabella rivolgeva loro dal trono, Lucrezia e Polissena andarono a prendere posto accanto a uno sgabello ricoperto di velluto giallo oro, e accordarono la prima una mandola, la seconda una cetra.

A quel suono la scimmia Casilda, che indossava un abito simile a quello di Isabella e aveva una coroncina in testa, con un balzo raggiunse lo sgabello e vi sedette compunta, coprendosi gli occhi con le mani in atteggiamento di profondo sconforto.

Lucrezia le si inchinò cerimoniosamente e cominciò a cantare:

Principessa muta e sola,
perché siedi così triste
e nessuno ti consola?
Dimmi solo una parola:
il tuo male in che consiste?

In risposta a questa domanda, Casilda sporse le labbra e le dimenò, come sanno fare le scimmie, schioccandole e tirando fuori la lingua. Uno dei valletti presenti scoppiò a ridere, ma si prese uno scappellotto da parte dell'Arciduchessa, mentre Polissena cantava, rispondendo a nome della scimmietta:

Le mie labbra fresche e rosa
di sorridere han scordato.
Piango e gemo sospirosa:
mi si vuole dare sposa
a un odioso fidanzato.

A quel punto, camminando impettiti, entrarono in scena Dimitri, vestito da ambasciatore, con un rotolo di pergamena in mano, e Lancillotto. Lo scimpanzé indossava un abito ricchissimo e aveva in testa una corona. Entrambi andarono a inchinarsi davanti a Casilda, mentre Lucrezia cantava:

Ecco, arriva il pretendente
col suo astuto ambasciatore.
È un tipaccio repellente,
brutto, avaro e senza cuore,
con il fiato puzzolente.

A quelle parole Lancillotto spalancò la bocca in modo esagerato e la scimmietta balzò indietro squittendo. Poi si nascose dietro lo schienale del trono. Subito arrivò, agitando le ali e starnazzando, l'oca Apollonia, che indossava un colletto rigido e un turbante piumato identici a quelli dell'Arciduchessa. La levatrice scoppiò a ridere, nascondendosi la bocca con una mano, mentre la gentildonna irrigidiva il volto in una smorfia sdegnata.

Polissena cantava, prestando la voce all'oca:

Cosa sono queste scene?
Siate affabile e cortese!
Obbedire vi conviene.
Se non si comporta bene
va in castigo per un mese.

I due ultimi versi erano rivolti non alla scimmietta-Principessa, ma al pubblico. Mentre Polissena cantava, l'oca a colpi di becco aveva snidato Casilda dal suo rifugio e l'aveva riportata davanti al pretendente. Lancillotto tornò a in-

chinarsi e cercò di baciare sul muso la bertuccia, che per sfuggirgli fece un salto altissimo e si mise in salvo tra le candele del lampadario. Allora Ramiro, che indossava una palandrana dello stesso rosso di quella del Reggente e aveva in testa un berretto identico, balzò sotto il lampadario, alzò il muso e cominciò ad abbaiare contro Casilda.

Lucrezia cantava:

Non le piace? Questa è bella!
Storce il naso la monella?
Si rifiuta di obbedire
a suo padre? Damigella,
io ve ne farò pentire.

A quel punto entrò in scena al gran galoppo il porcello Biancofiore, tutto nudo a eccezione di un garofano bianco puntato sul codino. Si bloccò di fronte a Ramiro, gli lanciò uno sguardo di sfida, poi sollevò il muso verso Casilda.

Polissena e Lucrezia cantavano il dialogo tra il porcello e la scimmia:

Ma ecco arriva un cavaliere.
«Son venuto per salvarvi!»
«Grazie!» «Prego. Mio dovere.
Lo farò con gran piacere.
Spero non sia troppo tardi.»

Dopo di che il porcello indirizzò i suoi grugniti severi contro l'oca, il cane, l'orso e lo scimpanzé, che si stringevano fra loro tremando.

Lucrezia e Polissena cantavano:

Poi con fare minaccioso
si rivolge ai prepotenti:
«Non udite i suoi lamenti?
Chi vuol darle questo sposo
avrà pan per i suoi denti.»

Uno dei valletti più giovani cominciò a ridere di nascosto. L'Arciduchessa sbatteva nervosa il ventaglio sulle ginocchia.

— Davvero irriverente! — mormorò un barone.

A quel punto il porcello raspò il suolo con una delle zampe posteriori, poi si slanciò a testa bassa contro i suoi nemici, che si misero a correre in cerchio mimando il panico più disordinato. Il cane guaiva, lo scimpanzé si strappava i capelli, l'oca starnazzava. Lucrezia cantava dolcemente:

Lancia in resta, va all'assalto.
Urla, panico, terrore,

fuggi-fuggi e gran clamore!
La fanciulla, con un salto,
piomba in braccio al salvatore.
Sta nascendo un grande amore!

Casilda aveva spiccato un salto giù dal lampadario ed era atterrata a cavalcioni sul dorso del porcello, stringendogli il collo con le braccia e coprendogli la testa di baci ardenti mentre quello continuava a galoppare in cerchio dietro ai persecutori della fanciulla.

Il pubblico era imbarazzato. Molti avevano voglia di ridere, ma non osavano, perché la somiglianza dei personaggi della pantomima col Reggente e con i suoi collaboratori era troppo evidente.

Isabella aveva seguito con grande interesse quella scenetta così insolita se confrontata al rispetto servile che tutti a corte tributavano non solo alle persone, ma alle immagini, e persino a ogni riferimento verbale, del Reggente e dei suoi aristocratici collaboratori.

Un paio di volte nei suoi occhi si era acceso un fugace lume di divertimento, che però non aveva mai contagiato il resto del viso e meno che mai le labbra.

Quando Lucrezia cessò di cantare, quel lume era scomparso.

Ma gli animali e Ludovico non avevano terminato il loro numero. I "cortigiani" continuavano a correre in cerchio, urtandosi e inciampando l'uno nell'altro, con ruzzoloni e capriole assai poco dignitosi, mentre Casilda, in groppa a Biancofiore, li incalzava con alti strilli, e li bersagliava di noci che tirava fuori dalle tasche del vestito.

Poi Lucrezia pizzicò le corde della mandola. A quel

suono il porcello lasciò il cerchio dei compagni e si mise a correre fra le gambe dei veri cortigiani, provocando strilli acutissimi da parte delle signore e imprecazioni da parte dei gentiluomini. Casilda afferrò un lembo della veste del Reggente e gli si arrampicò in braccio, stringendogli le braccine pelose al collo e soffocandolo di baci. Lancillotto si tolse una mela dalla tasca e la scagliò contro l'Arciduchessa Teodora.

Quando Isabella vide il turbante piumato volare per aria assieme alla parrucca, scoprendo un cranio calvo e bitorzoluto, sentì una vampata di caldo in tutto il corpo, un formicolio al naso e pensò: "Adesso starnuto."

Invece, con sua grande meraviglia, scoppiò a ridere così forte che quasi cadeva dal trono. Rideva, rideva e non riusciva a smettere. Neppure quando le venne il singhiozzo e gli occhi le si riempirono di lacrime. Dal gran ridere doveva tenersi la pancia.

— Che strana sede per l'anima della nostra Principessa Reale! — osservò il filosofo.

Il Reggente era furibondo. — Non vale! — gridava col volto paonazzo, cercando di strapparsi Casilda dal collo. — Non vale! Qui c'è stato un delitto di Lesa Maestà. Guardie, arrestate questi cialtroni!

Allora Isabella cessò immediatamente di ridere, si ricompose e disse in tono deciso: — Signor Zio, come avete visto sono guarita. Questa era l'unica richiesta che veniva fatta a chi rispondeva al Bando. Non di comportarsi ammodino secondo le regole dell'Arciduchessa. Vi ordino di rispettare i patti e di nominare marchesi i miei salvatori.

— Non è vero che hanno vinto — insisté il Reggente testardo. — La Regina vostra Madre nel Bando parlava di *sor*ridere, non di sganasciarsi in modo indecoroso come avete fatto voi. Vergogna!

— Avrete anche il *sor* — disse la Principessa senza raccogliere la provocazione. Respirò profondamente per calmarsi, drizzò la testa sul collo perché tutti la potessero vedere e, lentamente, stese le labbra in un radioso sorriso, a cui parteciparono mento, guance, naso, occhi, sopracciglia, fronte e persino l'attaccatura dei capelli.

— Ecco! — disse. — Signor Zio, per favore, mantenete la promessa.

— Mai! — disse il Reggente, e incrociò le braccia, guardandola con aria di sfida.

Allora Isabella sguainò la propria spada, ch'era una

specie di giocattolo da parata e non tagliava neppure il burro.

— Lucrezio, Ludovico, avvicinatevi con i vostri animali! — ordinò. Quelli si inginocchiarono davanti a lei e furono nominati tutti marchesi.

Ma il Reggente, arrabbiatissimo, disse: — E va bene! Hanno vinto e si meritano la ricompensa promessa. Però si meritano anche la prigione e la confisca di tutti i beni appena guadagnati, perché quello di Lesa Maestà è il più grave di tutti i delitti. Guardie, arrestateli e sbatteteli in cella!

— Guardie! Vi ordino di lasciarli stare! — gridò Isabella.

— Zitta, mocciosa! Cosa ti è preso stamattina? Qui gli ordini li do io, capito? — abbaiò il Reggente mollandole un ceffone.

— Se non è Lesa Maestà questa... — sussurrò turbato il filosofo alla levatrice. Ma chi erano loro due per mettersi a criticare?

Le guardie riuscirono ad arrestare soltanto Lucrezia, Polissena e il porcello. Tutti gli altri animali erano scappati.

— Non preoccupatevi per le scimmie. Ci penserò io a recuperarle e a tenerle al caldo. E appena tornerà mia madre vi farò liberare! — gridò Isabella ai tre incatenati che venivano condotti in prigione.

— Adesso non metterti a piagnucolare — raccomandò Lucrezia a Polissena mentre scendevano le scale del sotterraneo. — Se è vero che hai sangue reale nelle vene, comportati di conseguenza.

PARTE SETTIMA

NEI SOTTERRANEI DEL PALAZZO

Capitolo primo

— Eccoci arrivati! — esclamò quello che sembrava il capo delle guardie, introducendo la chiave nella serratura d'una massiccia porta ferrata che si aprì cigolando sui cardini.

Lucrezia strinse la mano dell'amica per farle coraggio, ma Polissena era scossa da un tremito di paura e di ribrezzo.

La cella era piccola, scavata nella roccia su cui era costruito il Palazzo Reale. Le pareti coperte di muffa stillavano umidità. Tutto l'arredamento consisteva in un mucchio di paglia fradicia che doveva servire da letto e da sedile. Una finestrella munita di sbarre, in alto in alto, faceva piovere un fascio di pallida luce sul pavimento di terra battuta ingombro di sporcizia, sul quale camminavano tranquilli ragni, topi e scarafaggi.

Lucrezia era già stata diverse volte in prigione, arrestata insieme al vecchio Giraldi per vagabondaggio e mendicità da qualche sbirro insensibile all'arte e alla bravura degli Animali Acrobatici. Perciò avrebbe affrontato tranquillamente quella nuova esperienza, se non fosse stata la preoccupazione per lo stato d'animo dell'amica. Da quando aveva lasciato la sua bella casa di Cepaluna, Polissena non si era mai trovata in una situazione così difficile. L'esperienza più dura che aveva dovuto affrontare fino a quel momento era stato il soggiorno in casa del pescatore. Ma la miseria, la sporcizia e persino i maltrattamenti della matrigna erano rose e fiori in confronto a questa prigione, dove oltretutto faceva un gran freddo e c'era un puzzo soffocante.

— Su, coraggio, entrate! — disse con burbera gentilezza la guardia. — Come vedete vi ho sistemato nella cella più confortevole. L'ho fatto per riguardo alla Principessa Reale. Almeno questo, visto che non ho potuto obbedire al suo ordine di lasciarvi liberi.

— La più confortevole! — sbottò Polissena esasperata. — Figuriamoci le altre!

Lucrezia le dette un pizzico per farla tacere e la spinse dentro.

— Molte grazie — disse compita alla guardia. — Speriamo di potervi un giorno ricambiare la cortesia!

— Speriamolo davvero — bofonchiò tra i denti l'amica.

Quando i carcerieri ebbero richiuso la porta e se ne furono andati, Polissena, sempre stringendo in braccio il porcello, si lasciò cadere sulla paglia, ritirando i piedi più in alto che poteva, terrorizzata all'idea di essere anche soltanto sfiorata da un topo.

— Ma sei impazzita? — disse rivolta a Lucrezia. — Ci rinchiudono in questo buco puzzolente e tu li ringrazi.

— Questo buco puzzolente, nel caso non te ne fossi accorta, ha una finestra.

— E allora?

— E allora si vede che proprio non te ne intendi di prigioni, tu. Ho contato i gradini, mentre scendevamo. Siamo a pochi metri sotto il livello del suolo. Le altre celle invece sono molto, molto più in fondo, almeno due piani sotto di noi, nelle viscere della terra. Non c'è aria, non c'è luce. Non ci arriva alcun suono dall'esterno. Praticamente è come essere sepolti vivi.

Polissena rabbrividì. Ma l'idea che si potesse stare ancora peggio non la consolava. — Ho freddo! — si lamentò. — E mi scappa la pipì. Dove la posso fare?

Lucrezia si guardò attorno. Il carceriere aveva portato via il bugliolo per vuotarlo. — Temo che la dovrai fare per terra in un angolo — disse.

— Con i topi che magari vengono a morsicarmi il sedere? Mai! — Era o non era una principessa di sangue reale? In teoria avrebbe avuto diritto a un vaso da notte d'oro massiccio.

— Fa' come ti pare! — disse Lucrezia senza darle importanza. Aveva raccolto dal pavimento un chiodo arrugginito e si era messa a incidere una serie di croci sullo stipite della porta. — Questi sono i giorni che mancano al ritorno della Regina Madre. Se credi di poter trattenere la pipì per tutto questo tempo…

Polissena ebbe un gesto di stizza, accavallò strettamente le gambe e si mise a piagnucolare. Biancofiore impietosito le sfiorò il naso col grugno rosato.

Ma la lunghezza di quella attesa preoccupava Lucrezia per un motivo molto più importante. È vero che Isabella aveva promesso di occuparsi degli animali. Ma non sapeva niente del loro segreto e non le poteva venire in mente di togliere il cestone di vimini dal carretto, che si trovava nella stalla, e di nasconderlo. Perché mai avrebbe dovuto fare una cosa del genere?

Lucrezia quindi era terrorizzata all'idea che il Reggente, ora che non si fidava più di loro, potesse far perquisire i loro bagagli. Cosa sarebbe accaduto se avesse trovato le fasce intessute d'oro e le due spille? Le avrebbe riconosciute? Cosa avrebbe pensato? Cosa avrebbe fatto per proteggere il suo segreto?

Forse non era il caso di aspettare il ritorno della Regina Madre. Bisognava cercare di evadere al più presto e di andare a riprendersi quegli oggetti compromettenti prima che fosse troppo tardi.

Considerò la finestrella. Era troppo in alto perché, senza l'aiuto di una scala o di una fune, ci potessero arrivare. E le sbarre sembravano di ferro robusto, saldamente infisse nel muro. Scoraggiata andò a buttarsi sulla paglia accanto a Polissena.

— Bel guadagno ho ricavato a scoprire d'essere la vera Principessa! — piagnucolava quest'ultima. — Rinchiusa come una delinquente, io che sono l'Erede al Trono!

— Oh, se è per questo, non dimenticare che io adesso sono marchesa. E anche Biancofiore è marchese — rispose Lucrezia.

Polissena la squadrò dall'alto in basso: — Non credo che il vostro titolo abbia valore legale — disse scettica.

— E perché?

— Perché ve lo ha conferito Isabella, che è un'usurpatrice. Una falsa Principessa può conferire solo titoli falsi.

Lucrezia si strinse nelle spalle. Per quello che gliene importava a lei, dei quarti di nobiltà!

L'unico a non aver perduto il buonumore era il porcello. Visti inutili i tentativi di consolare la padroncina, si era liberato dal suo abbraccio e se n'era sceso per terra ad esplorare col grifo ogni centimetro di pavimento. Non erano certo i topi o i ragni a mettergli paura, e quanto agli scarafaggi, se li sgranocchiava come noccioline, nonostante gli strilli di ribrezzo di Polissena.

Il tempo scorreva lento. La luce che pioveva dall'alta finestrella diventava sempre più pallida. Tornò il carceriere, portando una grossa pagnotta, una brocca d'acqua e il bugliolo svuotato, ma non lavato.

— Cercate di farveli bastare, perché tornerò solo fra tre giorni — ammonì. Lo sguardo gli cadde su Biancofiore. — Per fortuna siete in buona compagnia — rise. — Non vi annoierete. Potrete insegnare al vostro amico qualche nuova prodezza. Ho conosciuto un prigioniero che, per ingannare il tempo, si era messo in testa di addomesticare un ragno.

Lucrezia sussultò, ma riuscì a controllarsi fino a quando l'uomo fu uscito e il rumore dei suoi passi fu svanito in fondo al corridoio.

Allora saltò sul mucchio di paglia e scosse l'amica per un braccio: — Come abbiamo fatto a non pensarci prima!? Ludovico il Ragno! Ti sei arrampicata su pareti ben più lisce di questa. Dai, forza! Cerca di raggiungere la finestrella!

Eccitata Polissena saltò a terra, incurante dei topi. Si sfilò le scarpe e le calze, si sputò nelle mani... Ma proprio in quel momento si sentì uno strano rumore che sembrava provenire da sottoterra: un raspare, un grattare sordo, intervallato da colpi leggeri, come se qualcuno picchiasse sulla roccia con un oggetto di metallo.

— Ferma! — sussurrò Lucrezia, trattenendo l'amica per la cintura.

— Zitta! — rispose Polissena irrigidendosi.

Ma il porcello si era precipitato verso l'angolo del pavimento da cui proveniva il rumore e si era messo a scavare freneticamente con le zampe anteriori e col grifo.

Dall'altra parte il rumore si faceva via via più netto, i colpi più forti e ravvicinati.

Le due amiche guardavano affascinate il buco che si ingrandiva sotto le zampe di Biancofiore, mentre il porcello raspando schizzava terriccio tutto attorno. Poi, finalmente, l'ultimo strato di pavimento cedette, franò, sbriciolandosi in polvere e in schegge e rivelando un'apertura abbastanza vasta perché un uomo ci potesse passare.

E infatti ne stava emergendo qualcuno: una testa dai lunghi capelli bianchi imbrattati di terriccio e di ragnatele, una mano scheletrica che cercava di far presa sul bordo franoso, un naso aquilino, una gran barba incolta ancora più bianca dei capelli… Biancofiore, impazzito di curiosità, si agitava attorno al nuovo arrivato, annusandolo e dimenando il codino. Solleticato dal grugno roseo del porcello lo sconosciuto starnutì.

— Salute! — disse educatamente Polissena.

Quello, con un ultimo sforzo, si issò fuori dal buco. Si guardò attorno sbattendo gli occhi feriti dalla luce, e, inaspettatamente, scoppiò in un pianto disperato.

Era un uomo vecchissimo e magro da fare spavento, scalzo e coperto a malapena da una tunica di colore indefinibile, tutta a brandelli, stretta in vita da una corda sfilacciata. I capelli bianchissimi gli scendevano sul dorso fino alle reni, e la barba sul petto fino all'ombelico. Il colorito era pallido, gli occhi scuri, sotto le ispide sopracciglia, ardevano di febbre. Legato alla cintura portava un fagotto di stracci e nella mano destra stringeva un cucchiaio di stagno.

Stava accucciato a terra, si stringeva al petto con le magre braccia le magre ginocchia e piangeva, piangeva.

Lucrezia gli si avvicinò e gli posò dolcemente una mano sulla spalla. — Perché piangete, signore? — chiese.

— Sono dottore — balbettò lo sconosciuto, e raddoppiò i singhiozzi.

— Perché piangete, dottore? — ripeté Lucrezia.

— Perché il mio piano d'evasione è fallito — rispose

quello tirando su col naso. — Secondo i miei calcoli sarei dovuto sbucare fuori dal Palazzo, nel boschetto di allori che si estende dietro la Reggia. Invece, a quanto vedo, sono finito in una cella del piano seminterrato. Tanta fatica per niente! — E giù, un altro diluvio di lacrime.

— Su, su! Non perdetevi d'animo — disse allora Polissena che non sopportava di veder piangere un adulto. — Anche noi stavamo per evadere. Vuol dire che fuggiremo insieme.

Lo sconosciuto smise di singhiozzare, si asciugò gli occhi con la punta della barba. — Davvero? — chiese rinfrancato. — E come?

Lucrezia gli additò la finestrella.

— Avete una scala? — chiese il vecchio.

— No. Però mio cugino è un vero artista dell'arrampicata a mani nude. Salirà fin lassù e ci calerà una corda annodata…

— Lucrezia! — la interruppe Polissena con una vocina spaventata. — Non ce l'abbiamo, una corda.

— Ce l'ho io! — esclamò contento il vecchio, sciogliendosi la cintura. — E le sbarre? — aggiunse poi. — Come le segheremo? Avete una lima?

No, che non ce l'avevano. Si guardarono sgomente. Poi Lucrezia si frugò nella scollatura e tirò fuori la collana di ciondoli. — Ho le forbicine speciali per tagliare le unghie alle scimmie — disse poco convinta.

— Non serviranno a niente — decretò infatti il vecchio. Poi si mise a scrutare con attenzione i muri della cella e tutto quello che contenevano. — Avete guardato nella pagnotta? — chiese eccitato.

Fecero fatica a spezzarla, tanto era dura. Ma dal suo interno saltò fuori un piccolo involto di tela, lungo e stretto.

— Un fazzoletto di Isabella! — esclamò Polissena che aveva riconosciuto la corona principesca ricamata in un angolo. Avvolta con cura nel fazzoletto c'era una grossa lima. E sulla tela di battista c'era scritto in inchiostro d'oro: *Buona Fortuna! La porta della stalla NON è chiusa a chiave.*

— Cosa c'entra la stalla? Volete fuggire a cavallo? — chiese il vecchio.

— Dobbiamo recuperare i nostri Animali Acrobatici — spiegò Lucrezia. — La Principessa pensa che vogliamo scappare lontano. Non sa che dobbiamo aspettare nascoste in città il ritorno della Regina Madre.

— E perché mai?

Le due amiche si consultarono con lo sguardo. Potevano fidarsi del prigioniero?

— Dobbiamo presentarle una supplica — disse prudentemente Lucrezia.

— Anche a me piacerebbe incontrarla — sospirò il vecchio. — Avrei tante cose da dirle! Ma non posso correre il rischio di farmi scoprire dal Reggente. — Al solo pensiero rabbrividì. — Mi farebbe uccidere — disse con un soffio di voce, come se le pareti della cella potessero ascoltare e riferire. Poi si riprese. — È stata una fortuna che la Principessa Reale vi abbia mandato la lima. Su, non perdiamo altro tempo!

A dispetto delle apparenze, conservava una agilità e una robustezza che avrebbero fatto invidia a un giovanotto.

Passò la corda a "Ludovico il Ragno" e gli offrì le mani intrecciate e poi la spalla come primi gradini per l'arrampicata. Polissena raggiunse in un attimo la finestrella e sedette sul davanzale.

— Cosa vedi? — chiese il vecchio, con l'avidità di un assetato.

— Piedi che vanno… un paio di zoccoli imbottiti di paglia. Neve sulla strada. Due stivali militari. Scarpe con la fibbia, gli zoccoli di un cavallo…

— Sono dieci anni che non vedo un cavallo! — sospirò il vecchio. Ordinò a "Ludovico" di legare saldamente la corda a una sbarra. — Bravo. Adesso puoi scendere. Ci penserò io a limare le sbarre.

Si issò a forza di braccia e restò qualche minuto a guardare incantato il movimento della strada. — Dieci anni… — continuava a ripetere con voce commossa. — Dieci anni che non vedo la luce del sole…

Poi cominciò a limare le sbarre, con grande cautela, cercando di mordere forte il ferro, ma senza fare rumore. Era abilissimo: in venti minuti riuscì ad aprire un varco. — Fortuna che sono così magro — disse sottovoce — e che voi siete due ragazzini. Il passaggio è strettissimo, ma ce la faremo.

— Saliamo? — chiese Lucrezia, afferrando il capo della corda, mentre Polissena prendeva in braccio il porcello.

— No. Fuori c'è ancora troppa luce, anche se il sole è già tramontato. Qualcuno potrebbe vederci uscire dalla finestra e dare l'allarme. Aspettiamo che scenda la notte.

Si calò fino a terra.

— E adesso cerchiamo di riposare un poco. È necessario raccogliere le forze in vista della fuga — disse stendendosi sulla paglia.

Polissena lo guardava affascinata. Non aveva mai visto un uomo dalla pelle così bianca.

— Davvero siete rimasto là sotto per dieci anni? — chiese. — Dovete essere un criminale molto pericoloso.

Il vecchio sorrise amaramente e si asciugò una lacrima all'angolo dell'occhio sinistro.

— Siete un assassino? — si informò Lucrezia. La cosa non la spaventava, perché sapeva che dopo dieci anni anche il più feroce degli assassini è diventato un'altra persona, e il vecchio le sembrava del tutto innocuo.

— Io sono un dottore! — rispose però quello con fierezza. — Il mio compito era quello di combattere contro la morte, non di procurarla. Non ho mai ucciso nessuno in vita mia.

— E allora come mai siete finito in prigione? Avete rubato? Vi siete macchiato anche voi del crimine di Lesa Maestà?

— L'unico crimine che ho commesso in tutta la mia vita – se poi si tratta di un crimine – fino a oggi non lo ha scoperto nessuno. È un segreto che pesa sulla mia coscienza, ma nessuno, all'infuori di me, sa quello che ho fatto. Sono stato messo in prigione per un altro motivo. Perché tacessi per sempre. Perché non rivelassi il delitto commesso da un altro, che tutti credono innocente.

— Chi è quest'altro? — domandò Polissena, spaventata dal tono con cui il vecchio medico aveva parlato.

Quello si guardò attorno timoroso, sospirò. — Il Reggente — disse poi con un filo di voce. — È stato lui a farmi imprigionare nella cella più profonda, a dare ordine che la mia porta venisse murata e che nessuno dei carcerieri, che mi passavano il pane e l'acqua da un finestrino, mi rivolgesse mai la parola. In dieci anni, pensate, non ho sentito il suono di una voce umana diversa dalla mia, e se non mi fossi recitato continuamente tutte le poesie, le filastrocche e gli scioglilingua che sapevo a memoria, credo che sarei impazzito.

— Ma perché il Reggente vi condannò a un carcere così duro? — chiese Lucrezia.

— Perché ero l'unico a conoscere il suo terribile segreto. Voi due siete troppo giovani. Non potete nemmeno immaginare cosa è successo a corte dieci anni fa. La Principessa Reale che oggi siede sul trono, la vostra amica Isabella…

— … non è la vera figlia del defunto Re, ma sua nipote, la figlia del Reggente! — esclamò Polissena, incapace di trattenersi oltre.

Il vecchio dottore la guardò stupefatto. — Come fai a saperlo, ragazzo?

— Perché la vera Principessa… — cominciò Polissena, e voleva concludere "… sono io!", ma Lucrezia con un calcio ben assestato sullo stinco la fece tacere. Le parole del vecchio l'avevano allarmata. Come mai quello sconosciuto era al corrente di un fatto che, per quanto ne sapevano loro, sarebbe dovuto restare un segreto condiviso solo dal Reggente e dalla signora Aspra?

— Signor dottore — disse quindi in tono di scusa per l'interruzione — come avrete capito, anche noi sappiamo qualcosa di quell'antico imbroglio, sia pure molto confusamente. E anche noi abbiamo motivo di temere che il Reggente cerchi di metterci a tacere una volta per tutte. Ora, se aspettando la mezzanotte voi sarete così cortese da raccontarci per primo la vostra storia, che immagino lunga e complicata, noi subito dopo vi racconteremo la nostra, che invece è molto breve e si può riassumere in poche parole.

— D'accordo — rispose il vecchio, mettendosi comodo sulla paglia e bevendo un lungo sorso d'acqua dalla brocca. — Sarà un modo come un altro per ingannare il tempo prima che scenda il buio. Sento che non tradirete la mia fiducia.

Le due amiche si sedettero ai suoi piedi e si disposero ad ascoltare piene di curiosità.

— Tanto per cominciare — esordì il vecchio — mi sembra necessario che sappiate chi sono. Siete troppo giovani perché il mio nome vi dica qualcosa, ma se chiedete in giro scoprirete che undici anni fa Samuele Varotari godeva fama d'essere il medico più esperto e abile del Regno. Tanto che il defunto Re Medardo mi aveva chiamato a corte per vegliare sulla salute del piccolo erede al trono la cui nascita si aspettava da un giorno all'altro.

«Dovete sapere che a corte viveva anche il fratello minore del Re, Uggeri, conte di Belvì, che pochi mesi prima era rimasto vedovo. Sua moglie era morta dando alla luce una bambina, la contessina Glinda, che il padre adorava.

«Al mio arrivo il conte Uggeri mi chiese di andare nei suoi appartamenti a visitare la figlia. Era una robusta bambina di sette chili, bruna di capelli e di temperamento pacifico, sana come un pesce, che passava la maggior parte del tempo a poppare attaccata al seno della balia e per questo motivo aveva il piccolo naso un po' schiacciato. Dopo averla esaminata minuziosamente, dichiarai che non aveva alcun bisogno delle mie cure, che la balia sapeva il fatto suo, e che sarei tornato a vederla ogni due settimane, ma unicamente per una visita di controllo.

«Dopo qualche giorno la moglie del Re dette alla luce una principessina di due chili e tre etti, che fu battezzata col nome di Isabella. Questa neonata, a differenza della cugina, era una creatura gracile e nervosa, dal cranio pelato e dalla carnagione chiarissima. Non stava ferma un attimo, cercava di sollevare la testina per guardar fuori dalla culla, sgambettava, sgusciava fuori dalle braccia della balia buttandosi verso gli oggetti colorati che colpivano la sua attenzione. Insomma, fin dai primi mesi dimostrò d'essere fatta d'una pasta diversa da quella con cui era fatta la cuginetta contessa.

«Come suo pediatra personale io ne seguivo da vicino la alimentazione e la crescita, la pesavo, controllavo ogni suo progresso fisico e intellettuale. Insomma, posso affermare d'essere stato in quei mesi la persona che, oltre alla balia, conosceva più intimamente la Principessa Isabella.»

— Anche più di sua madre e di suo padre? — chiese Polissena.

— Il Re, a differenza di suo fratello Uggeri, non degnava d'uno sguardo la figlioletta. Più tardi sarebbe diventato un padre affettuoso, ma una lattante avvolta nelle fasce non sembrava abbastanza interessante ai suoi occhi. Non ancora. Quanto alla Regina, dopo il parto si era ammalata di una tosse insistente, ed ero stato io stesso a consigliarla di non avvicinarsi alla bambina per non contagiarla. La balia gliela mostrava da lontano, tutta avvolta nelle fasce e nelle trine, e la povera madre le mandava dei baci sulla punta delle dita. Poi la tosse peggiorò, e la Regina dovette partire per il castello di Lula, in alta montagna. Tornò dopo sei mesi, completamente guarita. Ma ormai era troppo tardi.

— Adesso mi spiego come mai mia madre non si è accorta che al mio posto c'era un'altra bambina… — sussurrò pianissimo Polissena a Lucrezia. Quella scoperta le toglieva un peso dal cuore. Non si era trattato di indifferenza dunque, o peggio, di complicità col Reggente come aveva temuto. La sua mamma era lontana, gravemente ammalata. Come avrebbe potuto accorgersi dello scambio, se non l'aveva mai guardata bene da vicino, mai baciata, se non le aveva mai fatto il bagno o offerto il seno da succhiare?

— Sst! — la zittì Lucrezia, poi rivolta al vecchio dottore: — Cos'era accaduto durante l'assenza della Regina? — Lo sapeva in linea di massima grazie alla confessione della signora Aspra, ma era curiosa di sentire la versione di un testimone oculare, con tutti i dettagli.

— A corte scoppiò una gravissima epidemia — riprese il vecchio. — Una malattia tropicale portata dai pappagalli offerti in dono al Re dal Sultano del Punjab. I primi ad ammalarsi furono i vecchi e i bambini. Noi medici facemmo del nostro meglio, ma eravamo impreparati ad affrontare quel male sconosciuto che non reagiva alle solite medicine. E poi eravamo in pochi, mentre i malati bisognosi di cure aumentavano ogni giorno di più.

«Re Medardo mi fece chiamare e mi disse tutto serio: "La Regina è di salute cagionevole e probabilmente non riuscirà a darmi altri eredi. Ogni mia speranza è riposta dunque nella piccola Isabella. La sua vita è preziosa. Bada, dottore, che se la mia figlioletta dovesse morire, quel giorno stesso verresti giustiziato e la seguiresti nella tomba."

«Potete immaginare con quale spavento vidi affacciarsi sul viso della Principessina i primi sintomi del male... E con quanta trepidazione rimasi al suo fianco giorno e notte, cercando con ogni mezzo di guarirla. Ma la salute di Isabella peggiorava ogni giorno. Anche la sua balia era ammalata, e quando morì mi trovai da solo ad occuparmi della Principessina.

«Notizie altrettanto sconfortanti arrivavano dalle stanze del conte di Belvì. L'epidemia aveva colpito la piccola Glinda, la sua balia e tutte le cameriere. Mi stupii che il conte non mi chiamasse al capezzale di sua figlia, ma pensavo allora che il Re glielo avesse proibito per non distogliere la mia attenzione da Isabella. Poi, un giorno, fui colto da un fortissimo capogiro. Feci appena in tempo a pensare: "Il contagio ha raggiunto anche me" e caddi svenuto accanto alla culla.

«Quando ripresi i sensi erano passati dieci giorni. Avevo la febbre ed ero ancora così debole che il collega che mi curava non mi permise di lasciare il letto per tutto il mese. Ma per rassicurarmi mi informò che la Principessina Isabella nel frattempo era perfettamente guarita – cosa che avrebbe dovuto meravigliarmi, ma che in quel momento trovai del tutto normale: i neonati sono spesso imprevedibili – ed era stata affidata a una nuova balia arrivata fresca fresca dalla campagna. La figlioletta del conte di Belvì invece era morta, ed era stata seppellita nella cattedrale accanto alla madre. Anche la sua balia era morta, come del resto tutti i servitori del conte, che si aggirava disperato per le stanze deserte e gridava che ormai la vita per lui non aveva più senso, e che gli dessero una spada, o del veleno, ché voleva raggiungere la sua povera Glinda sottoterra.

«Non si era mai vista una persona recitare così bene.

Perché avrete capito che il conte non aveva niente di cui lamentarsi. Anzi, in cuor suo gongolava, quell'impostore, perché approfittando del disordine e della confusione di quei giorni disperati, aveva messo a segno il più bel colpo concepito dalla sua mente ambiziosa.

«Aveva sparso ad arte la notizia che la piccola Glinda era ammalata – mentre la piccina non era mai stata così bene – solo per giustificarne in seguito la scomparsa. Poi si era introdotto furtivamente nella stanza incustodita della Principessina, aveva tolto Isabella dalla culla e al suo posto aveva messo Glinda, confidando nel fatto che entrambe le balie erano morte e che nessun altro sarebbe stato in grado di accorgersi della differenza tra le due bambine.

«Dopo di che aveva informato tutti che sua figlia era morta e aveva inscenato il dramma del povero padre disperato.

«Che sorte riservò all'altra bambina, lo ignoro. Mi auguro che non l'abbia fatta seppellire al posto della sua, perché a quanto mi risulta, non era morta, ma anzi, godeva anche lei di ottima salute...»

Polissena a quel punto aprì la bocca per dire: "Si è salvata. Anzi, mi sono salvata. Sono io Isabella!" ma Lucrezia con un'occhiataccia le bloccò le parole sulle labbra.

— Ci risulta che il Reggente affidò la Principessina alla padrona della Civetta Verde perché la facesse morire — disse.

— Povera piccola innocente! — sospirò il vecchio. — E tutto per l'ambizione di quel dannato conte Uggeri! Non sopportava di essere il secondogenito e per tutta la giovinezza aveva sperato che il fratello maggiore morisse, per succedergli sul trono. Quando nacque Isabella, comprese che questo non era più possibile. Allora pensò che almeno sua figlia, se pur con l'inganno, sarebbe diventata Regina, ed escogitò quell'imbroglio.

«C'era una sola persona al mondo in grado di smascherarlo: io. Io che avevo visitato accuratamente e più volte le due bambine e che sapevo distinguerle, benché fossero così piccole. Io, che avrei saputo riconoscere a occhi chiusi il nasino schiacciato di Glinda e le sue fossette, e la forma delle sue orecchie e dei suoi piedi. Così come avrei saputo riconoscere i lineamenti dell'altra, il suo modo di piangere e di succhiarsi le dita...

«Il conte non vedendomi più accanto alla culla reale pensava che anch'io fossi morto. Quando scoprì che invece ero scampato alla malattia, si rese conto che costituivo un pericolo gravissimo per lui e per sua figlia. Se lo avessi denunciato, il Re lo avrebbe condannato a morte come usurpatore. Glinda sarebbe stata allontanata dalla Reggia e rinchiusa in convento. Tutti i suoi sogni sarebbero miseramente svaniti.

«Non sospettava che io non avevo più alcun interesse a smascherarlo, perché avevo commesso a mia volta qualcosa che non avrei mai potuto confessare, a rischio della vita.

«Così mi fece arrestare, e mi fece seppellire nella più tetra e buia delle celle sotterranee. Dove ho vissuto fino a tre mesi fa, quando ho deciso di evadere, e ho scavato col cucchiaio, giorno dopo giorno, la galleria che doveva portarmi verso la libertà, e che invece mi ha fatto sbucare in questa cella. Solo pochi giorni prima della mia evasione, da un nuovo carceriere che si annoiava troppo per rispettare la consegna del silenzio, ho saputo che l'imbroglio del conte Uggeri aveva funzionato a meraviglia.

«In tutti questi anni nessuno si è mai accorto della sostituzione. Il Re e la Regina hanno allevato Glinda convinti che si trattasse della loro figlioletta, e il vero padre non si è neppure dovuto privare delle sue carezze, perché in veste di zio le è potuto restare accanto, e le ha dimostrato tanto affetto che, quando il Re Medardo è morto, il consiglio dei nobili non ha avuto dubbi su chi scegliere come Reggente.

«Così adesso il conte Uggeri di Belvì è la massima autorità del Regno e domani sua figlia Glinda, con la benedizione della Regina Madre, sarà Regina.»

— A meno che qualcuno non denunci il Reggente e non riveli lo scambio delle neonate — disse Polissena.

— E a quale scopo? — chiese il dottore in tono rassegnato. — Questa nuova Isabella, o Glinda, come preferite, non sembra una ragazza malvagia, e neppure assetata di potere come suo padre. Dicono che sia gentile e pietosa. Vi ha pur mandato la lima, e si prende cura dei vostri animali. A quale scopo accusarla di colpe delle quali è innocente, e umiliarla, e strapparle il trono?…

— A quale scopo? — sbottò a quel punto Polissena al colmo dell'indignazione. — Ma per fare giustizia! Per rimettere sul trono la vera Isabella!

— Questo non è possibile — disse tristemente il vecchio. — La vera Isabella è morta.

— E se invece tornasse? Se portasse le prove che è ancora viva? Che è proprio lei?

— Non è possibile — ripeté il dottore scuotendo la testa. — La piccola Isabella, quella vera, è morta nella sua culla. L'ho vista agonizzare con questi miei occhi. L'ho composta io stesso nella piccola bara e l'ho consegnata al becchino perché andasse a seppellirla in un cimitero di campagna.

— Ma cosa dite, dottore? Siete impazzito? — protestò Lucrezia. — Tutti quegli anni in prigione vi hanno fatto confondere gli incubi con la realtà. Che idea, questa del cimitero di campagna! Se la Principessina Reale fosse morta, c'era la tomba di famiglia dei Pischilloni nella Cattedrale! E comunque, noi sappiamo benissimo che non è morta!

— Noi abbiamo le prove che Isabella è viva — incalzò Polissena. — Abbiamo le sue fasce intessute d'oro, e le spille da balia con lo smeraldo...

— E la confessione della signora Aspra, e la testimonianza del cuoco e delle sguattere che la videro viva, e...

— Signore ti ringrazio! — esclamò il vecchio dottore alzando gli occhi al cielo. — Sono felice che quella poverina si sia salvata! Un peso di meno sulla mia coscienza. Povera creatura, non meritava di morire per le rivalità fraterne dei Pischilloni! Ma anche se tornasse, non avrebbe alcun diritto di rivendicare il trono.

— Non capisco... Perché non avrebbe diritto?... Cosa significano le vostre parole? — chiese sconcertata Lucrezia.

— Significano che la bambina che il conte Uggeri di Belvì tolse dalla culla principesca per metterci la sua Glinda, e che cercò di far sparire consegnandola alla padrona della Civetta Verde, non era la figlia del Re. Non era la Principessina Isabella!

Capitolo quarto

Non era la Principessina Isabella? Polissena sbatté gli occhi, scosse la testa, interrogò Lucrezia con lo sguardo. Aveva sentito bene? Il vecchio dottore stava cercando di imbrogliarla, oppure gli aveva dato di volta il cervello?

— Se non era Isabella, chi era dunque? — chiese in tono di sfida.

— Non lo so — rispose il dottore. — Una trovatella, suppongo. Perché io la trovai abbandonata in un bosco, adagiata fra le radici d'un albero. Era un bosco selvaggio: un vero miracolo che i lupi non l'avessero sbranata, povera creatura.

— Scusate, dottore, ma non riesco a seguirvi — disse a quel punto Lucrezia. — Nella vostra storia c'è troppa confusione. Dunque, c'erano due bambine, Glinda e Isabella, che sono state scambiate. Isabella era l'erede al trono, ma fu fatta sparire, e al suo posto fu messa la cugina. È così?

— Questo è ciò che crede il Reggente — sospirò il vecchio. — Invece nella storia c'è anche una terza bambina, della cui esistenza nessuno ha mai sospettato. Era il mio personalissimo segreto, e in tutti questi anni non l'ho mai rivelato ad anima viva. Voi due, ragazzi, siete i primi a sapere...

— A sapere cosa? Non abbiamo ancora capito niente. Spiegatevi meglio, per favore — supplicò Polissena, col pianto nella voce.

— Raccontateci la storia dall'inizio. La storia di questa trovatella misteriosa — pregò Lucrezia, che già cominciava a sospettare qualcosa che non sarebbe piaciuto affatto all'amica.

— D'accordo — accondiscese il vecchio. — Facciamo un passo indietro, all'inizio dell'epidemia, quando il Re Medardo minacciò di farmi giustiziare se non avessi protetto la vita della Principessina. Pochi giorni dopo, come già vi ho detto, mi accorsi che purtroppo anche la piccola Isabella era stata contagiata.

«A questo punto inizia la parte segreta della mia storia. Perché nessuno sa che, non rassegnandomi a veder peggiorare la mia piccola paziente, una notte montai a cavallo e lasciai la città, per andare a chiedere consiglio al mio antico maestro, un vecchissimo dottore che si era ritirato dalla professione e che viveva da solo in un villaggio di montagna.

«Ma costui non mi dette alcuna speranza. Dai sintomi che gli avevo descritto, dedusse che il male della Principessa ormai era andato troppo avanti e che nessuna cura avrebbe più avuto alcun effetto. Isabella era destinata a morire in pochi giorni. Forse al mio ritorno alla Reggia l'avrei già trovata in agonia.

«Potete immaginare con quanta angoscia mi rimisi in

cammino verso la capitale. Ero tentato di non tornare alla Reggia, di fuggire, di far perdere le mie tracce perché il Re Medardo non potesse più ritrovarmi. Pensavo di cambiar nome, di raggiungere un porto qualsiasi e di imbarcarmi per le Americhe... D'altra parte la mia coscienza, il mio dovere professionale, e anche l'affetto che nutrivo per la piccola Isabella, mi spingevano a restare al mio posto, ad assistere la Principessina fino alla fine.

«Ero così assorto nei miei pensieri che, per tornare in città, presi la strada che attraversa il bosco di Tarros, bosco che, come sapete, è fitto e selvaggio, popolato da volpi e da lupi perennemente affamati. All'andata, per evitarlo, avevo fatto un lungo giro, ma adesso la mia preoccupazione era tale da farmi dimenticare ogni elementare regola di prudenza.

«Cavalcavo dunque lungo quel sentiero pericoloso, quando un suono inaspettato interruppe i miei cupi pensieri: un vagito fortissimo, che proveniva dalle radici di una grande quercia. Albeggiava, e potei distinguere ai piedi dell'albero qualcosa di chiaro, un fagottino che si agitava, un bambino! In un attimo, mille pensieri mi attraversarono il cervello. Chi l'aveva lasciato in quel luogo, voleva certamente che morisse. Per quale miracolo i lupi non l'avevano ancora sbranato? Fermai il cavallo e stavo per scendere a terra e soccorrere quell'innocente, quando udii un trapestio, un movimento veloce tra le frasche. "È la fine!" pensai. Non ero armato, e comunque non sarei stato in grado di fronteggiare un lupo reso feroce dalla fame. Inorridito mi preparai ad assistere allo scempio di quel corpicino. Ma dai cespugli uscì di corsa una grossa scrofa selvatica. Neppure questa era una visione rassicurante: molte volte avevo sentito di maiali che divoravano i neonati incustoditi nelle case dei contadini. Ma la lotta mi sembrava meno impari. Balzai a terra e raccolsi un sasso aguzzo per scagliarlo contro l'animale.

«Ma la scrofa era andata a sdraiarsi con delicatezza di fianco al bambino e gli aveva offerto il ventre, spingendogli piano contro il viso la doppia fila di capezzoli, finché uno di questi incontrò la boccuccia urlante, che subito annaspando lo strinse e si chetò. Il bambino poppava con rabbia, rosso in viso, stringendo i piccoli pugni.

«La scrofa aspettò con pazienza che si fosse saziato, poi si rialzò e trotterellando scomparve nella macchia. Solo a quel punto mi avvicinai a raccogliere il piccino che si era addormentato. Lo sollevai e lo esaminai con cura. Non aveva sofferto per l'abbandono, era sanissimo e robusto, e sembrava della stessa età della Principessina Isabella. Quando svolsi i panni che l'avvolgevano, potei constatare che si trattava di una bambina. "È un segno del cielo!" pensai. Perché fu allora che mi venne in mente l'idea della sostituzione.

«Lo so, non avrei dovuto nemmeno pensare a ingannare il Re e la povera Regina. Ma la sorte della loro figlioletta era purtroppo già segnata, e la mia vita era in pericolo. Mentre il piano che mi andava nascendo in mente non presentava alcun rischio.

«Nessuno a corte, dall'inizio della malattia, si era più

avvicinato a Isabella, a parte la sua balia, che adesso era ammalata e la cui complicità, comunque, non era difficile da conquistare, perché anche lei aveva ricevuto dal Re la mia stessa minaccia.

«L'unica differenza notevole fra la piccola trovatella e la Principessa era che quest'ultima aveva ancora pochissimi capelli, ma quei pochi decisamente biondo chiaro, come sua madre, e gli occhi azzurri. La trovatella invece aveva un gran ciuffo bruno e gli occhi scuri come due carboni. Ma è risaputo che a molti bambini i capelli della nascita cadono dopo qualche mese, e quelli che rispuntano sono spesso di colore più scuro. Così come, entro il primo anno di vita, spesso cambia il colore degli occhi. Il Re Medardo inoltre era bruno con gli occhi neri. Non si sarebbe meravigliato di ritrovare quei colori nella figlioletta, quando finalmente si fosse degnato di prenderla sulle ginocchia.

«Insomma, nascosi la trovatella addormentata sotto il mantello e rientrai alla Reggia col cuore più leggero. Pensavo che la mia decisione, in fondo, non era definitiva. Che Isabella, per un miracolo, poteva ancora guarire. Ma che in ogni modo era mio dovere portar via dal bosco quell'esserino indifeso, quella tenera porcellina, come mi veniva di chiamarla.

«A Palazzo trovai che la balia aveva la febbre altissima e delirava, e che la piccola Isabella, nella sua culla d'argento a forma di cigno, respirava a fatica. Cercai di dare sollievo all'una e all'altra con le mie medicine. Ma la balia durante la notte morì. La Principessina visse ancora qualche giorno, consumandosi lentamente.

«Mi ero fatto mandare una capra per allattarla, e il latte bastava anche per la piccola estranea, che tenevo nascosta e alla quale ogni giorno insaponavo con cura la testolina e, col mio rasoio da barba, rasavo completamente i capelli, lasciandole il capo liscio come il palmo di una mano. Avevo anche esaminato il suo corpo con la massima attenzione, per controllare che non avesse alcun segno, neo, voglia o cicatrice che potessero farla riconoscere, così come non ne aveva la Principessina.

«Quando finalmente Isabella, nonostante le cure che le prestai fino all'ultimo minuto, chiuse gli occhi, la vestii col suo abitino più prezioso, una veste di broccato rosa ricamata con piccolissime perle e la deposi in una minuscola bara, che però avevo scelto fra le più semplici e disadorne.

«In quel periodo alla Reggia si celebravano ogni giorno quattro o cinque funerali, e i becchini erano di casa. Affidai a uno di loro la piccola bara, dicendo che il morticino – finsi che fosse un maschio per stornare ogni eventuale sospetto – era l'orfano d'una guardarobiera morta da poco, e che non aveva più nessuno al mondo.

«Pagai perché lo andassero a seppellire in quello che indicai come il paese della madre, un luogo che avevo scelto a caso, solo perché lontano dalla capitale. Non potevo correre il rischio che il corpo della Principessina venisse rintracciato.

«Nella culla a forma di cigno misi la trovatella, rivestita dei panni della Principessina: veste di trine e seta, fasce intessute d'oro, spille da balia d'oro con smeraldi… Nessuno si accorse dello scambio. Soprattutto non se ne accorse il conte di Belvì, che aveva già in mente il suo progetto criminoso perché già se ne andava in giro a piangere per l'imminente morte della figlia.

«Qualche tempo dopo, come già vi dissi, anch'io mi ammalai, e la culla principesca rimase incustodita per un'intera giornata. Era l'occasione che aspettava il conte! Ignaro che una prima sostituzione fosse già avvenuta, si introdusse negli appartamenti di Isabella, fece sparire quella che credeva sua nipote e sistemò nella culla la piccola Glinda, anch'essa rapata per somigliare il più possibile alla cugina.

«Il resto lo sapete. Anzi, evidentemente, sapete qualcosa più di me a proposito della sorte che toccò in seguito alla mia povera trovatella. Si è dunque salvata? Dove si trova adesso?»

— Qui — rispose Polissena con una vocina triste. — Sono io, la vostra trovatella.

— Ma come è possibile? Tu sei un ragazzo! — esclamò il vecchio sconcertato. — Non hai detto di chiamarti Ludovico il Ragno? Quella era una femmina, ne sono certo.

— Anche lei è una femmina — spiegò allora Lucrezia. — Abbiamo pensato che fosse più prudente farla viaggiare travestita da ragazzo. — E raccontò la parte della storia che il vecchio ignorava, fino alla confessione della signora Aspra e al loro arrivo a corte.

CAPITOLO QUINTO

Alla fine del racconto il vecchio dottore restò qualche minuto in silenzio, tormentandosi la barba con le unghie sporche di terra.

— … E così… tu sei la bambina del bosco… — mormorò alla fine. — A quanto pare ti incontro sempre in compagnia di un maiale. E se non avessi sbagliato a scavare e non fossi capitato proprio in questa cella, avresti continuato a credere di essere la vera Principessa… e magari saresti anche riuscita a convincere la Regina Madre…

Polissena piangeva in silenzio.

— Mi dispiace di aver distrutto ogni tua illusione — riprese il dottore. Si grattò la testa. — Potremmo anche fingere di non esserci mai incontrati — mormorò pensieroso. — Quando ho deciso di evadere, non l'ho fatto con l'intenzione di trasformarmi in un giustiziere, in un vendicatore. Il mio unico desiderio è quello di andarmene a vivere in campagna e dedicarmi all'allevamento delle api.

Mi è del tutto indifferente chi siederà d'ora in avanti sul trono dei Pischilloni.

— Volete dire che siete disposto a tacere la verità e a lasciare che Polissena diventi a sua volta un'usurpatrice? — esclamò Lucrezia scandalizzata.

Il vecchio si strinse nelle spalle: — Fate quello che vi pare. Io, appena uscito di qui, me ne andrò verso la montagna, oltre il bosco di Tarros, e non vorrò sentir parlare mai più di Mirenài.

Polissena continuava a piangere.

— E smettila! — le disse spazientita Lucrezia. — Davvero ci tenevi tanto a essere Principessa?

— Non è per il trono... — singhiozzò Polissena. — Ma credevo di aver finalmente ritrovato la mia famiglia, mia madre... e invece...

— ... E invece dobbiamo soltanto rimetterci per strada alla ricerca delle tue vere origini, visto che tutte quelle che abbiamo trovato finora erano false — disse Lucrezia in tono ottimista. Poi si rivolse al dottore: — Com'era vestita la mia amica quando la trovaste nel bosco? Aveva addosso qualcosa? Un medaglione? Uno scritto? Un gioiello?

Il vecchio scosse la testa: — Aveva delle fasce e degli abiti confortevoli, ma assolutamente normali. E nessun segno di riconoscimento. Chi l'aveva abbandonata non aveva nessuna voglia di ritrovarla, credete a me.

Polissena raddoppiò i singhiozzi.

— Però... però — proseguì il dottore — forse, un debolissimo indizio... La bambina era stata avvolta, come per nasconderla durante il trasporto, in una camicia maschile, di battista finissimo, e, se non sbaglio, c'erano ricamate delle iniziali.

— L'avete conservata? — chiese Lucrezia.

— Ricordate quali erano queste iniziali? — incalzò Polissena asciugandosi le lacrime col dorso della mano.

Il dottore esitò. — Sì, l'ho conservata — disse infine. — Ma non per agevolare il possibile riconoscimento della trovatella. Mi auguravo anzi con tutta l'anima che il fatto della sostituzione non venisse mai alla luce. La conservai, e mi vergogno a confessarlo, perché ero un uomo vanitoso, e si trattava di una camicia molto elegante. L'avevo addosso il giorno in cui fui arrestato e portato in prigione.

— Quali erano le iniziali? — insistette Polissena, a cui di tutto il resto importava ben poco.

— Calma, adesso vediamo… — disse il vecchio. Svolse il fagotto che, togliendosi la cintura, aveva poggiato a terra e ne tolse un libricino che si mise a sfogliare febbrilmente. — C'è troppo buio. Non riesco a vedere nulla… — borbottava.

— Ma per quale motivo ve le siete trascritte? — chiese Lucrezia meravigliata.

— Non le ho trascritte. Sono qui, ricamate su qualche pagina, ma non riesco a trovarle.

Davanti allo sguardo meravigliato delle due amiche, spiegò che dopo qualche mese di prigionia, sentendo l'impellente bisogno di scrivere un diario, aveva tagliato la camicia in tanti quadratini di tela e ne aveva ricavato un piccolo volume, sul quale ogni giorno scriveva le sue impressioni e i suoi propositi per il futuro.

— E l'inchiostro? — chiese Lucrezia incuriosita.

— Fuliggine della lampada impastata con lo sputo. Come penna usavo un bastoncino oppure un chiodo, se il carceriere non me lo sequestrava.

— Allora, queste iniziali? — scalpitava Polissena.

Finalmente il vecchio le trovò. Ma ormai si era fatto troppo buio per distinguerle. Ci passò sopra più volte i polpastrelli. — Per fortuna sono ricamate in rilievo. Mi pare che siano... una A... e una... E. Sì, una E. Ti dicono niente, bambina?

Polissena scosse la testa delusa. "A. E.": non conosceva nessuno il cui nome cominciasse con quelle lettere.

— Non posso darti tutto il diario — si scusò il dottore.

— Ci sono dentro dieci anni della mia vita. Ma la pagina con le iniziali sì, te la regalo. O meglio, te la restituisco. E ti auguro che ti serva a qualcosa.

Fra una chiacchiera e l'altra si era fatto molto tardi. Polissena si arrampicò fino alla finestrella e vide che la strada era deserta. L'orologio della torre batté dieci rintocchi.

— Andiamo?

Lucrezia salì per ultima, portando sottobraccio il porcello e spingendo avanti il dottore, al quale, per l'emozione dell'imminente libertà, girava un poco la testa.

Spostarono con cautela l'inferriata e uscirono all'aperto. Il vecchio si appoggiò al muro. — Sapeste quante volte ho sognato questo momento! — sospirò piano.

Polissena lo guardò piena di compassione. Dieci anni, e nella cella più buia e profonda! Lei era stata rinchiusa soltanto quella mattina e le sembrava d'essere stata in prigione due secoli.

— Grazie di tutto! Addio, e buona fortuna — bisbigliò il dottore, stringendo le mani di entrambe.

— Aspettate un attimo! Non penserete di andarvene in giro così! — protestò Lucrezia. — Scalzo e vestito di sacco! Morireste di freddo! E poi, quella barba e quei capelli così lunghi! Capirebbero subito che siete un evaso e vi arresterebbero. Nascondetevi là, dietro quella statua. Solo per pochi minuti. Polissena vi farà compagnia. Vado e torno.

Scivolando silenziosa come un'ombra lungo il muro di cinta del Palazzo Reale, raggiunse la porta della stalla.

Spinse il battente che, come aveva promesso Isabella nel suo messaggio, cedette e ruotò senza rumore sul cardine ben oliato. — Zitti! — ordinò, prima che gli Animali Acrobatici la tradissero con i loro versi di benvenuto. — Tutti sul carretto! Si parte!

Quando il vecchio dottore vide comparire la Compagnia Ramusio al gran completo, non riusciva a credere ai suoi occhi.

— Allora il porcello non era che un assaggio!

Ma Lucrezia non stette a perdere tempo in convenevoli. Tirò fuori dal cestone di vimini gli abiti invernali del vecchio Giraldi che aveva conservato per ogni evenienza, compresi gli stivali imbottiti, e li fece indossare all'ex prigioniero. Il poveretto era così magro che gli abiti gli ballavano addosso. Però gli davano una piacevolissima sensazione di calore e di protezione. "Chissà se sono ancora capace di camminare con le scarpe" si chiedeva.

— E adesso, barba e capelli! — disse Lucrezia. Prese le forbici che usava per tosare gli animali e cominciò a tagliare, ciocca dopo ciocca, la lunga chioma candida. La notte era scura, e il taglio risultò un po' irregolare.

— Non fa niente! — disse il dottore. — Tanto porterò sempre il cappello. La barba però, se permetti, me la taglio da solo, e non così corta come vorresti tu.

Quando l'operazione fu terminata, sembrava un altro.

— Be', adesso ci salutiamo davvero! Grazie ancora! E, se capitate dalle parti di Pramontel, venitemi a trovare. Seguite le api e troverete la mia casa.

Le abbracciò entrambe e sparì nell'oscurità.

— E noi da che parte andiamo? — chiese Polissena. Ora che non era più principessa, non le dava più fastidio affidarsi completamente all'iniziativa dell'amica.

— Non c'è più motivo di aspettare il ritorno della Regina Madre. Io direi di allontanarci il più possibile da Mirenài, prima che il carceriere scopra la nostra evasione e dia l'allarme. Qualunque strada è buona, purché ci porti lontano.

Lucrezia si chinò su Ramiro e gli accarezzò la testa.

— Decidi tu, bello! Scegli la strada più comoda e più sicura.

Il cane annusò l'aria, poi, senza alcuna esitazione, si diresse verso sud. — Ci sta riportando indietro — osservò Polissena. Ma ormai, non avendo più una meta, parole come "avanti" o "indietro" non avevano molto significato.

PARTE OTTAVA

L'EREMITA E LA BISNONNA

Capitolo primo

La notte era buia. Aveva cessato di nevicare, ma soffiava un vento freddissimo che si infilava sotto i vestiti e mordeva la pelle con mille sottilissimi aghi di ghiaccio. Il fondo della strada era gelato e il povero Ramiro, attaccato alle stanghe del carretto, doveva continuamente irrigidire i muscoli e raddoppiare lo sforzo per impedire al veicolo di sbandare e di slittare fuori della carreggiata.

Il carretto viaggiava a pieno carico perché Lucrezia, oltre alle due scimmie, ci aveva fatto salire l'oca, il porcello e – dopo averle toccato la fronte che scottava – anche Polissena. Le emozioni della giornata: il carcere, l'incontro col dottore, la delusione per la nuova scoperta, adesso che tutto era finito, avevano fatto venire alla poveretta un febbrone da cavallo e Lucrezia era molto preoccupata per lei. Era preoccupata anche per Casilda e Lancillotto. Sapeva che per le scimmie era pericoloso viaggiare in quelle condizioni, nonostante le avesse ben avvolte nelle coperte più calde, e tendeva continuamente l'orecchio, spaventata alla prospettiva di un colpo di tosse.

Di tutta la comitiva, gli unici a sembrare a loro agio erano l'orso Dimitri, che si era messo dietro al carretto e cercava di aiutare spingendolo e bloccandone le sbandate, e il buon Ramiro, che essendo appunto un cane da valanga aveva pelo folto, muscoli robusti e coraggio sufficiente per ogni situazione d'emergenza.

Lucrezia però si sentiva responsabile anche di loro, e fu con grande gioia che, dopo tre ore di marcia faticosissima, vide in lontananza la sagoma di un fienile isolato in mezzo alla campagna.

— Ci passeremo il resto della notte! — annunciò ai compagni di viaggio. — Accenderemo un fuoco e metteremo i vestiti ad asciugare. Mangeremo qualcosa di caldo. Dormiremo sul fieno asciutto.

A queste parole tutti si riconfortarono. Nessuno avrebbe detto che solo il giorno prima alloggiavano tra i lussi e i comfort della Reggia, tanto fu l'entusiasmo suscitato dalla prospettiva di quelle rustiche comodità. Ramiro accelerò il passo e in brevissimo tempo il carretto raggiunse l'insperato rifugio.

Fortunatamente le scimmie non avevano risentito del freddo, e anche quella di Polissena era una febbre nervosa, dovuta all'emozione, che con una buona notte di sonno sarebbe scomparsa.

Lucrezia, negli anni passati a vagabondare col vecchio Giraldi, aveva imparato a distinguere i sintomi di una polmonite da quelli di una leggera indisposizione. A ogni modo, quando tutti gli altri si furono sistemati, andò a sedersi a fianco dell'amica e le prese una mano fra le sue.

— Ti senti un po' meglio, adesso?

Polissena gemette: — Lucrezia, aiutami! Non voglio morire prima di aver trovato i miei genitori.

— Non dire stupidaggini. Domani starai benissimo — rispose Lucrezia, cercando di fare la voce burbera. Era necessario che Polissena non si lasciasse andare. Doveva reagire. Altrimenti come avrebbero fatto, sole tra la neve, in quella regione straniera e ostile, forse con gli sbirri del Reggente alle calcagna? — Su, dormi. Sei coperta abbastanza?

Polissena le strinse la mano: — Lucrezia…

— Sì?

— La pagina del diario… Quella con le iniziali ricamate. Ce l'hai tu, vero? Fammela vedere ancora una volta…

Lucrezia se la tolse di tasca e gliela porse. Polissena la strinse con fervore contro la guancia. — Mamma… — mormorò — mamma… Come posso fare per ritrovarti?

— Io un'idea ce l'avrei… — disse a quel punto Lucrezia. — Non è gran che, ma non sono riuscita a farmi venire in mente nient'altro.

— Sentiamo.

— Dunque, ti ricordi della vecchia contadina che aiutava la madre di Pacuvio per il bucato? Quella col grembiule ricamato a papaveri e tulipani? L'ho sentita raccontare più volte che vicino al suo paese d'origine, Osùbez, in una zona deserta, vive un santo Eremita che ha la fama di poter risolvere qualsiasi problema.

— Vuoi dire uno di quei santi che fanno miracoli? — chiese Polissena un po' scettica.

— Non proprio miracoli. Sembra che pregando in continuazione, digiunando e flagellandosi, abbia raggiunto una saggezza così profonda da saper leggere nel cuore della gente e da poter rispondere a qualsiasi domanda. Ho pensato che potremmo andare a interrogarlo. Se non ci saprà dire il nome dei tuoi genitori, ci suggerirà almeno come continuare a cercarli, come interpretare l'unico indizio che ci resta, quelle dannate iniziali A. E.!

— Non dire dannate! — protestò Polissena. — Magari sono le iniziali del mio babbo!

— E magari sono invece quelle del tuo aspirante assassino.

Polissena si mise a piangere.

— Smettila, che ti fa salire la febbre! Se hai una proposta migliore dilla subito, perché ho sonno e voglio dormire.

— Dov'è questo paese, Osùbez? — chiese Polissena, tirando su col naso.

— A metà strada tra la fattoria di Pacuvio e Paludis — disse Lucrezia. — Lo so che è lontano, e che non è la stagione migliore per viaggiare. Ma non abbiamo altra scelta.

Quando Polissena si fu addormentata con gli occhi ancora imperlati di lacrime, Lucrezia ravvivò il fuoco e si avvicinò al cestone di vimini che stava sul carretto. Voleva fare un inventario di tutto quello che possedevano, in previsione del viaggio disagevole che le aspettava.

Sospirò di sollievo, vedendo che le fasce e le spille da balia d'oro erano ancora al loro posto. Nella fretta della fuga si era dimenticata di controllare quell'importantissimo dettaglio. Adesso poteva star sicura che il Reggente non sospettava di loro e che non avrebbe cercato di riacciuffarle a ogni costo per metterle a tacere.

Le venne da pensare che la vita della gente è proprio affidata al caso. Se il vecchio dottore non avesse sbagliato a scavare, chissà, probabilmente Polissena, in perfetta buona fede, avrebbe strappato il trono all'unica legittima erede dei Pischilloni e sarebbe diventata Principessa Reale.

E se qualche paggio curioso avesse frugato nel cestone

e avesse trovato le fasce e le spille, chissà, forse Polissena, che ormai aveva abbandonato ogni pretesa sul trono, sarebbe stata ugualmente uccisa come pericolosa rivale. E se la Regina Madre…

Lucrezia si fermò di colpo, irrigidita dallo spavento. Il contenuto del cestone non era intatto. Qualcuno ci aveva messo le mani. I costumi di scena degli animali erano fuori posto. I piatti e i bicchieri ereditati dal Giraldi erano spariti. Chi poteva averli presi? Erano così vecchi e sbreccati e ammaccati! Immerse nel mucchio di oggetti le mani trementi. Quel grosso fagotto prima non c'era. E neppure quella borsa di pelle. La aprì. Era piena zeppa di monete d'oro. E il fagotto conteneva due piatti e due bicchieri d'argento con le relative posate, oltre a provviste sufficienti a sfamare per quattro o cinque giorni l'intera compagnia.

— Isabella! — mormorò Lucrezia commossa. — Chissà se un giorno riusciremo a ricambiare tante prove di amicizia.

Si addormentò col cuore più leggero, e l'indomani informò Polissena che, grazie alla generosità della Principessa, avrebbero potuto noleggiare una diligenza tutta per loro e compiere il viaggio molto più rapidamente del previsto.

Man mano che si allontanavano dalla capitale e si avvicinavano alla costa, il clima si faceva più mite. Nonostante fosse ormai la metà di dicembre, spesso al mattino il cielo era così limpido e il sole così caldo, che la diligenza poteva viaggiare con i finestrini aperti. Questa volta non c'era stato bisogno di travestire gli animali per farli accettare a bordo. Tanto per cominciare non c'erano altri passeggeri, oltre a loro, e poi, davanti al bel mucchio di monete che Lucrezia gli aveva messo sotto il naso, il postiglione si era inchinato fino a terra esclamando: — Ai vostri ordini! — E non aveva trovato niente da ridire sulla strana composizione della Compagnia Ramusio.

Il viaggio procedeva rapidamente. A ogni stazione di posta cambiavano i cavalli, e così non era necessario fermarsi per la notte. I viaggiatori dormivano sui sedili della carrozza e Lucrezia, per far riposare il postiglione, gli dava il cambio a cassetta tutte le mattine.

Era felice che lo svolgersi degli eventi la riportasse verso la contea di Cepaluna. Aveva voglia di rivedere il mare e i vecchi amici, e le piazze dove la Compagnia Giraldi si era esibita tante e tante volte. Aveva voglia di riabbracciare Pacuvio, e i tredici pirati di Roccabrumosa. E, sebbene non osasse confessarlo a Polissena, aveva voglia di rivedere la famiglia Gentileschi, e in special modo la sua amica Ippolita. Molte volte, durante il viaggio, era stata tentata di scriver loro un biglietto: *Non preoccupatevi per Polissena. Sta bene, e io veglio su di lei giorno e notte.* Ma non l'aveva fatto, perché sapeva che l'amica non sarebbe stata contenta.

Polissena non si era ripresa completamente dalla delusione di non essere principessa. Era sempre di pessimo umore, sgarbata, insolente, aggressiva. Solo Biancofiore riusciva a sopportarla. Tutti gli altri animali si stringevano sui sedili per starle il più lontano possibile, e una volta Ramiro le aveva persino abbaiato contro.

Fra l'altro, osservando attentamente il pezzetto di battista alla luce del giorno, Polissena aveva scoperto che in realtà le iniziali non erano "A. E.", ma "A. F.". Ciò non cambiava affatto le cose, perché neppure questa nuova lettera le ricordava qualcuno. Però la scoperta le aveva dato modo di inveire contro quel rimbambito del vecchio dottore, contro quel guastafeste, come lo chiamava.

Lucrezia faceva finta di non sentire. Le prudevano le mani dalla voglia di mollare due ceffoni a quella lagnosa, ma si tratteneva ed esercitava la virtù cristiana della pazienza.

Finalmente arrivarono a Osùbez. Era poco più d'un villaggio, abitato da pastori e circondato da un vasto territorio roccioso, privo di vegetazione, arido, a parte un'erba bassa e ruvida che a malapena sfamava le pecore e le capre.

Presero alloggio nell'unica locanda, una modesta costruzione dai muri scrostati e dalle finestre sconnesse, che lasciavano penetrare il vento nelle stanze disadorne. Polissena sospirava, ricordando il lusso della Civetta Verde.

— Eh, cara mia, non si può avere tutto dalla vita! Qui almeno i proprietari non si danno tante arie e sembrano gente onesta — la rimproverò Lucrezia.

— Ma noi due, adesso che siamo marchese, meriteremmo un alloggio più confortevole, più elegante… (D'accordo, non era più una principessa. Marchesa però era sempre meglio di niente.)

Ma Lucrezia si mise a ridere: — Cos'è questa novità? L'hai detto tu stessa laggiù in prigione, che i titoli nobiliari conferiti da un'usurpatrice non hanno alcun valore!

— Be', se la vera Isabella è morta, quella falsa, che è sua cugina, si può considerare la sua erede legittima, e allora…

— Ma cosa te ne importa! Ci tieni davvero tanto a essere un'aristocratica? Preferisci davvero somigliare al Reggente o all'Arciduchessa Teodora piuttosto che a un giovanotto perbene come Pacuvio, o a una signora intelligente e gentile come Ginevr…

Dall'espressione turbata di Polissena, Lucrezia capì d'aver detto una cosa che non doveva.

— Scusa, scusa! — si affrettò a ritrattare. — Pensa quello che preferisci. Se vuoi ti cedo anche la mia parte di marchesato.

— Sei sempre la solita guastafeste! — protestò l'amica facendole il broncio.

Si informarono del Santo Eremita. Sì, certo che i padroni lo conoscevano. Era l'attrazione del luogo. Durante la buona stagione c'era un viavai incessante di pellegrini che arrivavano da tutte le parti per consultarlo. — E noi facciamo affari d'oro — confessò onestamente la locandiera.

— Quando c'è troppa ressa — aggiunse — l'Eremita perde la pazienza, si chiude nella grotta dove vive e non vuole parlare con nessuno. Ma d'inverno arrivano pochissimi devoti. Vi riceverà certamente con benevolenza.

Lucrezia pregò il postiglione di aspettarle nella locanda. Non le sembrava cortese presentarsi in carrozza al Sant'Uomo che aveva scelto una vita di rinunce e di mortificazioni.

Poi strigliò per bene tutti gli animali, indossò il suo vestito migliore, cioè quello con meno strappi e rattoppi, si pettinò con cura…

Polissena, subito dopo la fuga, aveva ripreso il travestimento da "Ludovico". I capelli ormai le arrivavano fin sotto le orecchie, ma erano ancora troppo corti per adattarsi a un abbigliamento femminile senza suscitare domande indiscrete.

Mangiarono una zuppa calda al tavolo della locanda e si misero in cammino. Era una splendida giornata, quasi primaverile. L'erba, scaldata dal sole, emanava un forte profumo asprigno, ma non sgradevole. Alcune farfalle ritardatarie si inseguivano nell'aria trasparente.

Ben presto si lasciarono alle spalle le ultime case e si inoltrarono in una zona rocciosa e brulla, assolutamente deserta. Cammina cammina, dopo circa un'ora avvistarono all'orizzonte una forma sottile e allungata, che puntava verso il cielo. Sembrava un albero della cuccagna, con il suo grappolo di prosciutti sulla cima.

— Adesso ricordo! — esclamò Lucrezia, dopo il primo attimo di sconcerto. — Quella vecchia, alla fattoria di Pacuvio, mi aveva detto che il Sant'Uomo è uno stilita.

— Un… cosa? — domandò Polissena.

— Uno che se ne sta a pregare tutto il giorno in cima a una altissima colonna, per essere più lontano dalle miserie terrene e più vicino al cielo. Stilo è una parola greca che vuol dire bastone sottile. E la colonna, in fondo, è un lungo bastone di marmo...

— Ma scusa, come fai tu a sapere queste cose di greco e di eremiti, che non sei mai andata neppure alla scuola della parrocchia? — chiese Polissena invidiosa.

— Viaggiando e parlando con la gente si imparano tante cose — spiegò Lucrezia modesta.

Quando si avvicinarono, risultò che aveva proprio ragione.

Tra le rocce si apriva una grotta, simile alla tana di un animale selvatico. Come porta aveva un arido cespuglio di spine. Dentro non c'era traccia di focolare, né di un giaciglio, né di recipienti per l'acqua e per il cibo. E davanti alla grotta si innalzava una colonna di pietra, alta circa tre metri, con in cima una piccola piattaforma quadrata. In piedi sulla colonna, anzi, su un piede solo perché la piattaforma non era abbastanza grande per entrambi, stava un uomo magrissimo, completamente nudo, a parte uno straccio legato attorno ai fianchi. Il vento gli scompigliava i capelli e la barba, che aveva lunghissimi e incolti, e lui stesso ondeggiava sotto le raffiche.

Pregava a gran voce, con le braccia tese verso il cielo, ma alle due amiche arrivava soltanto un vago mormorio.

In confronto, il vecchio dottore sarebbe parso un damerino agghindato per il ballo, venne da pensare a Lucrezia.

Il gruppo delle ragazzine e degli animali si raccolse sotto la colonna. L'Eremita non le aveva viste arrivare, perché teneva lo sguardo rivolto verso l'alto. Perciò, quando sentì Polissena che gridava per chiamarlo, sussultò di sorpresa e mancò poco che perdesse l'equilibrio e cadesse di sotto.

— Signor Eremita, scusate, non potreste scendere un

momentino? Abbiamo qualcosa da domandarvi — gridava Polissena.

— No, che non posso scendere. Ho fatto voto di stare quassù fino al tramonto.

— Tutti i giorni? — si informò, sempre gridando, Lucrezia.

— Tutti i giorni. Che piova, nevichi o tiri vento. Quando c'è vento, come potete vedere, è più scomodo, perché non è facile restare in equilibrio su un piede solo.

— Sempre lo stesso piede? — chiese Lucrezia.

— No. Ogni tanto posso cambiarlo. Ma devo fare un saltello, ed è molto pericoloso.

— Ma che motivo c'è di pregare in una posizione così disagevole? — non poté trattenersi di chiedere Polissena.

— Per espiare i miei peccati. E anche quelli della gente che se ne sta tutto il giorno a far baldoria. Come voi, per esempio.

— Noi non abbiamo mai fatto baldoria! Ne abbiamo passate di tutti i colori, ma ci siamo sempre comportate onestamente — protestò Polissena. — Io, per esempio, bastava che dicessi una piccolissima bugia, che nessuno poteva scoprire, e sarei diventata la Regina di questo Paese. Ma non l'ho detta.

La conversazione, tutta gridata tra le raffiche di vento, con la testa piegata all'indietro, era molto scomoda. Ciò che dava più fastidio a Lucrezia era che il Sant'Uomo parlava con loro senza guardarle, col viso sempre rivolto al cielo. Giraldi le aveva insegnato che non bisogna mai fidarsi di una persona che evita di fissarti negli occhi.

— Per favore, guardate in basso! — urlò. — Dobbiamo mostrarvi un pezzo di stoffa con due iniziali.

L'Eremita guardò in basso. — Cosa fanno con voi tutti quegli animali, vili bestie senz'anima? — chiese severo.

— Sono i miei artisti. E non sono vili. Hanno un cuore molto più coraggioso e affettuoso di certa gente che so io — rispose seccata Lucrezia.

— Artisti, hai detto? Siete attori di teatro, per caso?

— Siamo saltimbanchi. Lucrezia, Ludovico e gli Animali Acrobatici — disse Lucrezia tutta fiera. Ma dall'alto arrivò una specie di ruggito.

— Saltimbanchi? Peggio ancora! Razza dannata, lo sapete che quando sarete morti, non potrete essere sepolti in terra consacrata? Finirete fuori dalle mura del Cimitero.

Questo Lucrezia lo sapeva perché il vecchio Giraldi glielo aveva ripetuto molte volte, imprecando e prendendosela con i preti. A lei, dove l'avrebbero messa dopo morta, importava poco. E poi la morte le sembrava ancora tanto lontana. Ma Polissena si arrabbiò: — Meglio fuori che dentro, se dentro ci possono stare i peggiori delinquenti, purché fingano di pentirsi all'ultimo minuto — gridò in risposta.

L'Eremita guardò stupito colui che osava rispondergli a quel modo. — E tu, giovane femmina, perché indossi abiti maschili? — abbaiò, puntandole contro un dito ossuto e adunco. — Non lo sai che è peccato mortale?

"Come avrà fatto a capire che non è un maschio?" si chiese meravigliata Lucrezia. E, per difendere l'amica, gridò a sua volta: — Deve travestirsi per sfuggire ai suoi nemici. E non è vero che è peccato. Non fa male a nessuno. Peccato è mentire, uccidere, rapire i bambini dalle loro madri...

A quelle parole l'Eremita lanciò un urlo alto e stridulo e cominciò a piangere, graffiandosi la faccia.

— A me sembra un pazzo. Tu credi che dobbiamo fidarci di un tipo così? — chiese sconcertata Polissena. — Ho paura che abbiamo fatto tanta strada per niente.

— Proviamo — rispose Lucrezia. Tese verso l'Eremita il pezzetto di battista con le iniziali e gridò: — Dieci anni

fa una neonata fu trovata nel bosco di Tarros avvolta in una camicia da uomo. Non abbiamo alcun elemento per rintracciare chi l'aveva abbandonata, tranne due iniziali ricamate su quella camicia.

— Quali iniziali? — gridò l'Eremita, improvvisamente interessato, smettendo di lamentarsi.

— A come arrosto ed F come formaggio — rispose Polissena, che cominciava ad avere fame, perché era ora di pranzo.

A quelle parole l'Eremita dette un urlo altissimo, vacillò, annaspò nell'aria col piede che teneva sospeso, perse l'equilibrio e cadde rovinosamente dalla colonna. Dimitri e Ramiro balzarono avanti per cercare di afferrarlo al volo, o almeno per ammorbidirgli col pelo la caduta. Ma non arrivarono in tempo. Il Sant'Uomo atterrò di schianto sulla dura roccia, picchiò la testa contro un sasso e giacque immobile, con gli occhi chiusi e un pallore mortale diffuso su tutte le membra scheletriche.

— È morto, poveraccio. Guarda che espressione serena, dopo tutto quell'urlare e agitarsi — osservò Polissena. — Però adesso non potrà più rispondere alla nostra domanda — aggiunse delusa.

CAPITOLO TERZO

— Non è morto. È soltanto svenuto — disse Lucrezia, dopo aver constatato che l'Eremita respirava. — Aiutami a portarlo dentro alla caverna.

Lo sollevarono senza nessuna fatica, perché era così magro che pesava meno d'un bambino. Lo portarono dentro. L'unico vantaggio della grotta era che riparava dagli assalti del vento. Per il resto era il rifugio più spoglio e squallido che le due amiche avessero mai visto. Cercarono invano con gli occhi una stuoia, un pezzo di tela, uno straccio su cui deporre l'uomo privo di sensi, ma non videro altro che una frusta appesa alla parete con un chiodo.

— Ramiro! — chiamò allora Lucrezia. — Per favore, vieni, accucciati in quest'angolo. Gli farai da cuscino, perché poggi almeno la testa sul morbido.

Sciolse dal collare del cane la botticella d'acquavite e ne versò qualche goccia fra i denti serrati dell'Eremita.

L'uomo sussultò, il suo respiro si fece affannoso. Il corpo magrissimo era scosso da un tremito leggero, gli occhi roteavano sotto le palpebre chiuse, le labbra si muovevano senza che ne uscisse alcun suono.

— Bisognerebbe tenerlo al caldo — osservò Polissena.

— Se almeno avessimo portato il carretto! Ci vorrebbe una coperta.

— Dimitri! — chiamò allora Lucrezia. — Vieni, bello! Stenditi al fianco di questo poveraccio e abbraccialo. Senza stringere troppo, mi raccomando. E voi, Casilda e Lancillotto, massaggiategli i piedi: li ha congelati.

Dopo qualche minuto di questo trattamento, l'Eremita aprì gli occhi e cercò di mettersi a sedere.

— Come vi sentite? — chiese Lucrezia. — State abbastanza comodo? Vi sembra di avere qualcosa di rotto? Dobbiamo tornare in paese e chiamare un dottore?

L'Eremita non rispose. Guardava con grande interesse le due scimmie che gli stavano frizionando energicamente i piedi e le gambe.

— Siete in grado di parlare? Vi duole la testa? Ricordate che vi abbiamo fatto una domanda? Potete risponderci? Per me è molto importante — supplicò Polissena, inginocchiandosi al suo fianco e prendendogli una mano. L'Eremita la fissò con uno sguardo vuoto.

— Non ti vede. E non ti può sentire — sussurrò Lucrezia. — Sta delirando.

— Sono dunque arrivato in Paradiso? — esclamò l'uomo, con una grande meraviglia nella voce. — Ho spiccato il volo dalla colonna e poi ho volteggiato nell'aria, ho volato, volato attraverso il cielo e le nuvole… Il Paradiso! Eppure meriterei di essere all'Inferno — sospirò e sfiorò con la mano il muso dell'orso, che gli leccò amorosamente le dita. — Chi sono queste strane creature che si prendono tanta cura di un povero peccatore? — riprese l'Eremita. — Angeli? Li avevo immaginati molto diversi. Ma devono essere proprio angeli. I diavoli farebbero scempio di me, mi frusterebbero, mi insulterebbero, mi spingerebbero col forcone verso il lago di pece bollente... Grazie, grazie, cari angeli, della vostra dolcezza! Dunque sono stato perdonato? Dunque ho espiato la mia colpa? Far sbranare una neonata innocente dai lupi, solo perché non era mia figlia. Solo perché sua madre aveva respinto il mio amore preferendo quello di un altro...

— È stato lui — disse Polissena, sentendosi mancare. Era venuta a chiedere un consiglio, un suggerimento. L'ultima cosa che si aspettava era una confessione.

—Aspetta! Potrebbe trattarsi di una coincidenza — osservò Lucrezia. — Non è detto che si tratti della stessa bambina. Purtroppo l'abitudine di prendersela con i neonati è più diffusa di quanto non sembri.

— Io devo sapere la verità — protestò Polissena impaziente.

— Lascia fare a me. — Lucrezia si piazzò davanti all'Eremita e gli disse con voce alta e severa: — Io sono l'angelo guardiano della porta del Paradiso. Ti lascerò restare soltanto se mi confesserai il tuo peccato.

— Con tutti i particolari — suggerì Polissena. — I nomi e le date.

— Con tutti i particolari, i nomi e le date.

L'uomo sbatté le palpebre, cercando di mettere a fuoco la nuova apparizione. Lucrezia stava davanti all'imboccatura della caverna, con la luce alle spalle. I suoi capelli biondi risplendevano come un manto luminoso nell'oscurità della caverna.

— Sì. Tu sei proprio un angelo. Ti riconosco. È così che ti hanno sempre dipinto sui muri delle chiese. Oh, bel messaggero celeste, perché non mi sei mai apparso prima, in tutti questi anni di tormenti?

— Confessa il tuo peccato — ripeté Lucrezia.

— Tu lo conosci, angelo splendente. Ma se vuoi che io mi umili ai tuoi piedi, descrivendo la mia abbiezione, lo farò. Tu sai bell'angelo, che in gioventù ero il cavaliere più ricco e più corteggiato di tutta la contea di Cepaluna.

— Vedi? Il posto corrisponde — osservò Polissena.

— Credevo, nella mia superbia, che nessuna donna mi potesse resistere — continuava l'Eremita. — E scelsi, fra tutte le ragazze della città, la più bella, la più giovane, la più fresca, la più allegra, quella che ballava con più grazia e che cantava con una voce così dolce da far piangere i sassi. La chiesi in moglie, e suo padre non me la rifiutò. Ma lei, la bella sdegnosa, si prese gioco del mio amore. Mi fece sperare, mi volle come uno schiavo ai suoi piedi, si gloriò con le altre di avermi conquistato, ma non mi concesse una sola briciola del suo affetto. E alla vigilia delle nozze mi congedò. Pazzo di dolore feci di tutto per riconquistarla, ma l'ingrata mi mandò a dire che si era innamorata di un altro. Dopo qualche mese seppi che lo aveva sposato.

«Pieno di rabbia e di umiliazione, trasformai in odio l'amore di un tempo, e non sognavo altro che la vendetta. Il demonio mi suggerì di colpirla nell'affetto più caro. No. Non il marito. La sua bambina appena nata.

«Organizzai le cose in modo che nessuno potesse sospettare di me. Strappai la piccina dalla culla e, per farne perdere ogni traccia, la portai lontano, molto lontano da Cepaluna. Questo, tu lo sai bene, caro angelo, avveniva circa dieci anni fa.»

— E anche il tempo corrisponde — mormorò Polissena.

— La portai in un bosco popolato di lupi selvaggi e

l'abbandonai ai piedi di un albero. Tu sai, però, che me ne pentii dopo meno d'un'ora, e tornai sui miei passi per riprendere la piccola innocente e restituirla alla madre. Ma era troppo tardi. I lupi l'avevano già divorata, senza lasciarne alcuna traccia.

— Invece, per fortuna, era passato il medico di corte…

— Allora compresi l'enormità del mio delitto, e seppi che non mi sarebbe bastata la vita intera a espiarlo. Non tornai a Cepaluna. Feci donare tutte le mie ricchezze ai poveri e mi ritirai in questo deserto. Tu lo sai, angelo, come ho vissuto negli ultimi dieci anni, nutrendomi di erbe amare, di lucertole e di cavallette, bevendo l'acqua piovana rimasta negli anfratti delle rocce, dormendo sulla nuda terra, nudo io stesso, e flagellandomi ogni venerdì pomeriggio. Tu mi hai visto pregare sulla colonna, e consigliare i pellegrini, e ammonire i peccatori. Tu, che oggi mi hai lasciato entrare in Paradiso, e me ne hai fatto assaggiare le gioie, non mi scacciare, ti prego. Sarebbe uno scherzo troppo crudele!

— Sarebbe una sacrosanta punizione — esclamò indignata Polissena. A quel punto l'Eremita si accorse della sua presenza, anche perché Biancofiore si era avvicinato e cozzava col capo contro le caviglie della padroncina per farsi prendere in braccio.

— Angelo, chi è costei? — domandò il Sant'Uomo, che nonostante il delirio e il travestimento, "sentiva" che Polissena non era un ragazzo.

— Costei? Una santa — rispose pronta Lucrezia. — Santa Polissena.

— Santa Polissena del Porcello, bella santa misericordiosa, unisci le tue preghiere alle mie, perché non venga cacciato dal Paradiso! — supplicò l'Eremita con le lacrime agli occhi.

— Pregherò per te se mi dirai il tuo nome e quello della donna che hai fatto tanto soffrire.

— Il buon angelo li sa entrambi. Io ho giurato di dimenticare me stesso. E anche quella donna crudele voglio dimenticare.

— Li dimenticherai tra un istante — disse Lucrezia. — Ora però la tua confessione deve essere completa. Altrimenti, sarò costretto a cacciarti.

L'Eremita trasse un lungo sospiro. Polissena, pallidissima, pendeva dalle sue labbra.

— Il mio nome è Arrigo Filippucci. A come arrosto ed F come formaggio. E quello della donna…

Quando sentì il nome della donna, Polissena lanciò un grido e cadde a terra svenuta.

CAPITOLO QUARTO

Ma tu, lettore, l'avevi già capito, vero, che la "donna crudele" non poteva essere altro che Ginevra Assarotti, la moglie del mercante? E che Polissena, alla fine, era proprio la loro figlia primogenita?

Avevi già cominciato a sospettarlo sulla diligenza, quando le iniziali sul pezzetto di battista si erano rivelate per A. F. Altrimenti, perché mai lo scrittore avrebbe perduto tanto tempo a raccontare la storia del primo fidanzato della bella Ginevra?

Lucrezia invece rimase sconvolta da quella strana collana di equivoci e di coincidenze. Sconvolta, ma anche felice per l'amica. Fin dall'inizio dell'avventura era sempre stata convinta che per Polissena non ci potesse essere una famiglia migliore di quella in seno alla quale era cresciuta fin dalla primissima infanzia.

L'Eremita, ignaro delle emozioni che le sue parole avevano suscitato, continuava a guardarla supplichevole, tirandole un lembo della veste. — Adesso che ho confessato tutti i miei peccati, bell'angelo, mi lascerai restare in Paradiso? Sono così stanco!

Impietosita, Lucrezia gli posò una mano sulla fronte.

— Nessuno ti caccerà più via, Arrigo Filippucci. Dormi, adesso. Riposati.

Sospirando di beatitudine, l'Eremita si abbandonò tra le braccia dell'orso e chiuse gli occhi.

Biancofiore intanto si agitava frenetico attorno alla testa di Polissena, tirandola per i capelli con le zampe, annusandola, leccandole il naso e gli occhi, grugnendo lamentoso nel tentativo di farla rinvenire.

Lucrezia si chinò sull'amica e la schiaffeggiò leggermente sulle guance. Le fece bere qualche goccia d'acquavite. — Polissena, svegliati! Polissena, è tutto finito!

L'altra socchiuse gli occhi, sollevò la testa. — Dove sono?

— Non cominciare anche tu, adesso! NON sei in Paradiso. Sei nella grotta dell'Eremita. E hai appena saputo che tua madre non è altri che… tua madre, la moglie del mercante. E che messer Vieri è il tuo vero padre, e Ippolita e Petronilla sono le tue vere sorelle. Non sei contenta?

La aiutò ad alzarsi. Polissena era stordita, confusa. — Ma è assurdo! Ti rendi conto, Lucrezia, che in tutti questi mesi non abbiamo fatto altro che girare in tondo? Tante avventure, tanta fatica, tanti pericoli, solo per tornare al punto di partenza.

— Cosa c'è di strano? — ribatté Lucrezia. — Anche noi saltimbanchi tutti gli anni facciamo lo stesso giro e torniamo negli stessi posti. Ma ogni volta abbiamo storie nuove da raccontare. Non sarebbe così bello ritrovare i vecchi amici, se non si fossero fatte, nel frattempo, tante nuove esperienze. Pensa a tutta la gente che hai conosciuto in questo che adesso ti sembra un giro inutile. A tutti i posti che hai visto, a tutte le cose che hai imparato. Pensa a quanto sei cambiata tu stessa!

— È vero! Adesso sì, che saprei cosa rispondere a quella stupida di Serafina!

— Bene. A questo punto non abbiamo più niente da fare qui. Torniamo a Osùbez. Te la senti di camminare?

— Sto benissimo. Ho una fretta di tornare a casa che nemmeno te l'immagini.

Poi lo sguardo le cadde sull'Eremita addormentato.

— E di Arrigo Filippucci cosa ne facciamo? Lo portiamo con noi? Oppure lo leghiamo in attesa che le guardie lo vengano a prendere?

— Quali guardie? Non vorrai mica denunciarlo.

— Perché no? È un ladro di bambini. Voleva farmi morire. Pensa quanta sofferenza deve aver procurato ai miei genitori!

— Se è per questo pensa a quanta gliene hai procurata tu! Sono quasi sei mesi che non hanno più tue notizie…

Polissena arrossì. Ma non voleva darsi per vinta. — Cosa c'entra? Io me ne sono andata perché credevo…

— Senti un po' — tagliò corto Lucrezia — mentre eri svenuta, io gli ho perdonato anche a nome tuo. Pensa alla vita che ha fatto in questi dieci anni… e che continuerà a fare dopo che noi ce ne saremo andate. Credi che in prigione starebbe peggio?

A queste parole alla mente di Polissena si presentò la cella del Palazzo Reale, con i suoi muri umidi, la paglia marcia, la puzza, i topi e gli scarafaggi. — D'accordo. Lasciamolo restare qui — concesse. — Però, se si sveglia prima che partiamo, mi toglierò la soddisfazione di dargli un bel pugno sul naso.

Ma l'Eremita non si svegliò. Prima di andarsene Lucrezia gli mise accanto la botticella d'acquavite e un uovo fresco fresco, appena fatto da Apollonia. Poi strappò dal petto dell'oca, dopo averle chiesto scusa, una piccola piuma fra quelle più morbide e leggere, e la infilò fra le dita del poveretto.

Arrigo Filippucci riprese i sensi soltanto dopo il tramonto, quando già le due amiche e gli animali erano arrivati alla locanda di Osùbez. Aveva un ricordo molto confuso di ciò ch'era accaduto. Sulle prime pensò d'aver sognato. Ma quando sentì fra le dita la morbidezza della piuma, si convinse che veramente un angelo era sceso dal cielo a consolarlo e a mostrargli in anticipo la ricompensa per la sua dura vita di penitenza.

Tutto contento, con l'uovo e l'acquavite si fece uno zabaione e, senza alcun senso di colpa, poiché si trattava di un dono dal cielo, lo trangugiò. Poi, ristorato dall'insolito pasto, uscì e benché fosse ormai buio, si arrampicò sulla colonna e ricominciò a pregare.

E da quel giorno, tra le sue suppliche, un posto speciale fu riservato a Santa Polissena del Porcello, che si era degnata di scendere dal cielo con uno stuolo di angeli per visitare personalmente la sua umile grotta.

Capitolo quinto

Il postiglione aveva approfittato dell'assenza delle due amiche per farsi preparare dall'ostessa un bagno caldo nel mastello del bucato. Poi si era fatto massaggiare la schiena dalle due robuste sguattere e finalmente si era infilato fra le lenzuola del miglior letto della locanda, dove aveva dormito saporitamente, rifacendosi di tante notti passate a cassetta, sveglio, con le redini in mano e gli occhi attenti alla strada buia, e dei brevi sonnellini sballottato sui duri sedili della diligenza.

Anche i due cavalli nella stalla avevano mangiato a sazietà, erano stati strigliati e avevano potuto riposare.

Perciò quando Lucrezia e Polissena tornarono dicendo che volevano ripartire immediatamente, non incontrarono alcuna obiezione. Polissena smaniava dall'impazienza di tornare a Cepaluna. Oltre al desiderio di riabbracciare i genitori e le sorelle, c'era quello di soddisfare l'ultima curiosità, di dissipare l'ultimo dubbio, il dubbio cui il racconto dell'Eremita non aveva potuto dare risposta. Per quale motivo i suoi genitori, invece di aspettare la nascita di un nuovo figlio (fra non molto sarebbe arrivata Ippolita) erano andati a prendere un bambino al convento della Mangiatoia di Betlemme? E come mai avevano scelto proprio lei?

Forse per qualche strana combinazione l'avevano vista e riconosciuta? Ma in quel caso, perché non avevano mai raccontato né a lei né alle sorelline di quella temporanea sparizione che poi si era risolta felicemente? E perché non avevano detto alla Superiora del convento che la trovatella era la loro figliolina ritrovata?

Oppure l'avevano adottata credendola figlia di chissà chi e ancora ignoravano che quella Polissena che avevano accolto e allevato come una figlia – e che un giorno della scorsa estate se n'era andata via – non era una trovatella qualunque, ma la loro stessa primogenita, tornata miracolosamente a Cepaluna dopo tante peripezie per terra e per mare?

— È inutile che ti rompa la testa con tutti questi interrogativi — le diceva Lucrezia. — Fra pochi giorni avrai la risposta dalle loro stesse labbra. E poi, alla fine, è così importante? Ti hanno voluto bene, e tu ne hai voluto loro. Non basta?

La diligenza correva, fermandosi solo per cambiare i cavalli. Ormai, guardando fuori del finestrino, le due amiche vedevano sfilare paesaggi conosciuti: i vigneti di Pacuvio, la costa, Roccabrumosa, le spiagge di Tempestàl…

Quando arrivarono in vista di Cepaluna, era la vigilia di Natale.

Lucrezia, che in quel momento sedeva a cassetta di fianco al postiglione, riconobbe da lontano il campanile, la macchia verde del parco del marchese, la piazza con la fontana e, fra i tetti bruno rossastri, quello di casa Gentileschi. Tirò le redini e fece fermare la carrozza lungo il ciglio della strada. Poi scese e andò a bussare al vetro del finestrino. — Polissena! Siamo arrivate!

A Polissena tremavano le gambe per l'emozione. Come l'avrebbero accolta i genitori? E Agnese? L'avrebbe sgridata per la sua disobbedienza, per la sua ingratitudine? L'avrebbe punita?

All'improvviso fu assalita da un'idea paurosa, che non le era mai venuta in mente prima d'allora. E se in casa non avesse trovato nessuno? Se fossero tutti morti? Sei mesi sono lunghi e possono succedere tante cose: un'epidemia, un incendio...

I genitori potevano anche essere morti di dolore per la sua scomparsa, e le due sorelline, orfane, potevano essere finite in casa dei nonni Assarotti, oppure in un ospizio. A quell'idea le si riempirono gli occhi di lacrime.

Lucrezia intanto aveva aperto la borsa di pelle e stava contando ciò che era rimasto del dono di Isabella, disponendo le monete d'oro in tre mucchietti. — Questi servono per pagare il postiglione. Di ciò che resta faremo esattamente a metà, sei d'accordo?

Polissena la guardò senza capire. Cosa c'entravano adesso questi conti? La cassa l'aveva sempre tenuta Lucrezia senza mai renderle conto di quanto spendeva.

— È arrivato il momento di separarci — spiegò l'amica un po' commossa. — Adesso non hai più bisogno del mio aiuto. La diligenza ti porterà fino alla porta di casa. Hai visto che, alla fine, sei tornata in carrozza come sognavi? — aggiunse con un risolino forzato.

— E tu cosa farai? — chiese sgomenta Polissena.

— Me ne andrò a passare l'inverno a Roccabrumosa, dai miei vecchietti. Oppure alla fattoria di Pacuvio.

Polissena questa non se l'aspettava. Scoppiò a piangere. — Non puoi abbandonarmi proprio adesso! Devi venire a casa con me. Devi aiutarmi a spiegare tutto a mia madre. Non mi crederanno altrimenti!

Lucrezia sospirò. — E va bene! A te bisogna proprio metterti in bocca la pappa già masticata. Smetti di frignare. Verrò — concesse. Però era contenta all'idea di rivedere la sua amica Ippolita.

Fece scendere gli animali dalla diligenza, scaricò il carretto, poi andò a pagare il postiglione. — Molte grazie e buon viaggio di ritorno! — gli disse.

Gli animali erano felicissimi di potersi di nuovo sgranchire le gambe, e si misero a correre e a fare capriole sul prato che costeggiava la strada. Lucrezia li lasciò sfogare, poi chiamò Ramiro e lo attaccò alle stanghe del carretto.

— Compagnia Ramusio! In cammino! — ordinò.

Capitolo sesto

Arrivarono in città ch'era già buio. Le strade erano deserte perché tutta la gente era in casa a festeggiare la Vigilia, in attesa di uscire per la Messa di Mezzanotte. Molte famiglie non avevano chiuso le imposte e, attraverso i vetri delle finestre, si potevano vedere le stanze piene di gente che mangiava e beveva, ballava e cantava, o raccontava accanto al caminetto. La luce delle candele faceva brillare le decorazioni di carta argentata, i rami di pino, le bacche rosse dell'agrifoglio e quelle bianche del vischio.

A quella vista Polissena sentiva una voglia fortissima di casa, di tenerezza, di intimità. Il cuore le si struggeva come un pezzo di burro su un crostino caldo. E già pregustava l'eleganza e l'abbondanza della tavola di casa sua. Agnese era sempre stata un'ottima cuoca, e sua madre era famosa in tutta la contea per le sue decorazioni raffinate.

Restò sconcertata, allo scoprire che casa Gentileschi era

l'unica di tutta la città a non essere illuminata e a non avere neppure un rametto di pino sulla porta.

Le finestre della facciata erano tutte chiuse, e la porta sprangata col catenaccio. "E se fossero tutti morti?" Quell'idea insopportabile tornò ad attraversare la mente di Polissena. Ma Lucrezia aveva già fatto il giro dell'edificio e aveva scoperto che dalla finestra della cucina trapelava un leggero chiarore.

— Vieni! — la chiamò sottovoce.

Tenendosi nascoste, spiarono all'interno da uno spiraglio dell'imposta. Nessun lume ardeva nella grande stanza, ch'era illuminata soltanto dal magro fuoco del camino.

Agnese, curva e invecchiata, toglieva dalla tavola disadorna i resti di un semplice pasto servito senza pretese, mentre l'intera famiglia, compresi i nonni Assarotti, sedeva con le mani in grembo sulla panca accanto al focolare. C'era anche uno sconosciuto di mezza età, che sembrava in grande confidenza con i nonni.

Il babbo, la mamma, Ippolita e Petronilla erano vestiti di nero. Quando Polissena si rese conto che portavano il lutto per la sua scomparsa, fu quasi travolta da una grande, egoistica soddisfazione. Subito dopo se ne pentì. La mamma era dimagrita, pallida, con gli occhi lucidi di lacrime a stento trattenute.

— Bussiamo? — chiese sottovoce a Lucrezia.

— Stt! Prima ascoltiamo quello che stanno dicendo.

Aguzzando l'udito si poteva seguire la conversazione che si svolgeva all'interno della cucina.

— E così non ce la sentiamo di fare festa il primo Natale che passiamo senza di lei — si stava scusando il mercante rivolto allo sconosciuto. A quelle parole Petronilla scoppiò a piangere e nascose il viso nel grembo della nonna. Polissena si sentì un verme. Però era anche contenta di scoprire quanto soffrivano per la sua mancanza.

— Ho sentito dire che è fuggita di sua spontanea volontà. Vale la pena di addolorarsi tanto per una piccola ingrata? — chiese l'ospite. — Bella riconoscenza per chi l'ha accolta e allevata come una figlia!

"Allora lo sanno proprio tutti che mi hanno presa al convento!" pensò Polissena contrariata. "Lo avevano tenuto nascosto solo a me."

— Non è un'ingrata! È una ragazzina molto sensibile — protestava intanto il babbo. — Se è scappata, lo ha fatto perché era sconvolta. La colpa è nostra. Dovevamo raccontarle subito la verità…

La mamma piangeva in silenzio, stringendo a sé Ippolita.

— Povera Ginevra! Bisogna capirla. È la seconda figlia che perde — osservò il nonno Assarotti.

— La seconda! Non sapevo che vi fosse morta una bambina — disse l'ospite stupito.

Il cuore di Polissena fece una capriola. La seconda! Allora non avevano capito che la loro figliolina scomparsa e la trovatella del convento erano la stessa persona.

— È successo tanto tempo fa — spiegava intanto il mercante. — Eravamo appena sposati e avevamo una piccina di due mesi, la primogenita, ch'era tutta la nostra gioia. Ma un giorno sparì dalla sua culla. Nonostante tutte le ricerche, non siamo mai riusciti a trovarla. Probabilmente è stata rapita e divorata da un animale selvatico.

A queste parole la mamma raddoppiò i singhiozzi.

Polissena e Lucrezia, fuori della finestra, ascoltavano col fiato sospeso.

— Mia figlia, dal gran dolore, si ammalò — cominciò

a raccontare la nonna. — Piangeva tutto il giorno, non mangiava… Si stava lasciando morire.

— Non sapevo cosa fare per consolarla — aggiunse il babbo. — Era passato quasi un anno e Ginevra era ridotta all'ombra della ragazza che avevo sposato. Stava tutto il giorno a letto, anche se non riusciva più a dormire, non parlava, non voleva vedere nessuno…

— Mi sembrava tutto inutile — spiegò la mamma tristemente. — Tutto senza senso… come adesso.

Ippolita le afferrò una mano e gliela baciò. — Non piangere mamma, vedrai che Polissena tornerà.

— Deve tornare! — affermò decisa Petronilla. — Voglio farle vedere che ho imparato ad andare a cavallo… e lei diceva sempre che non ne sarei stata capace.

Fuori, nell'ombra, Polissena sorrise con indulgenza.

— Le cose stavano a quel punto — continuò a raccontare il mercante — quando capitai al convento di Betlemme. Dovevo ritirare due dozzine di tovaglie ricamate dalle suore, che avrei venduto alla fiera d'Occidente. Sapevo, come tutti, che le monache raccoglievano e allevavano i trovatelli che venivano lasciati nottetempo nella ruota del convento, ma non pensavo che la cosa mi riguardasse.

«Invece quella volta la Superiora mi fece chiamare e mi disse: "Messer Vieri, questo, come sapete, è un anno di grande carestia. Le campagne sono piene di orfani, e ogni notte il numero dei nostri piccoli ospiti aumenta. Ho saputo che vostra moglie è inconsolabile per la perdita della sua figliolina. Sarebbe un'opera di misericordia da parte vostra farle subito un altro figlio che assorba e rallegri i suoi pensieri. Ma misericordia ancora più grande sarebbe portarle uno dei nostri piccoli derelitti, che sono già al mondo, e non hanno fatto niente di male a nessuno, eppure sono già destinati a un futuro di privazioni e di dolore…"

«Io rimasi perplesso. Avevo proposto molte volte a Ginevra di fare un altro bambino che la consolasse, ma lei rispondeva furiosa: "Nessuno potrà sostituire la mia piccola Polissena!" L'avevamo chiamata così dal nome di mia suocera. Ora, come avrebbe accolto un bambino estraneo? Un trovatello sconosciuto?

«Senza badare alle mie proteste la Superiora mi fece accompagnare nel giardino del chiostro, dove si trovavano i bambini, accuditi dalle suore più giovani. Ce n'erano una ventina, ma la mia attenzione fu attratta immediatamente da una piccolina che si reggeva a stento sulle gambe. La guardai, e lei ricambiò il mio sguardo con fiducia. Aveva gli occhi come due stelle. La presi in braccio, e lei senza alcun timore mi tirò la barba e cercò di staccarmi un bottone dal giubbetto. Non era denutrita e pallida come gli altri bambini. Le sue guance abbronzate facevano capire che aveva vissuto all'aria aperta, forse in un paese vicino al mare.

«Contro ogni mia aspettativa – non avevo mai avuto un interesse particolare per i lattanti, neppure per la mia – ne fui conquistato. Ma ero convinto che mia moglie non avrebbe mai accettato una creatura estranea. Così resi alla suora la piccina, che non pianse, ma mi lanciò uno sguardo così malinconico da spezzarmi il cuore.

«Tornato a casa decisi di non dire niente a Ginevra di questo strano incontro. La trovatella però era sempre nei miei pensieri, come se ne fossi innamorato.»

— Lo vedevo triste, silenzioso — intervenne a quel punto la mamma — e pensavo che soffrisse come me per la nostra bambina perduta. Ma il dolore, invece di unirci, ci allontanava ogni giorno di più. Tanto che pensai di rompere il nostro matrimonio. Vieri non si oppose. Solo mi pregò di andare qualche tempo al convento, a meditare e

a pregare, prima di prendere una decisione così grave. Mi sembrava una richiesta ragionevole e accettai.

«Appena arrivata trovai che le monache erano tutte in subbuglio perché tra i bambini era scoppiata un'epidemia di morbillo. Alcuni dei piccoli erano molto gravi e mi fu chiesto di aiutare ad assisterli.

«Quando entrai nel dormitorio anch'io, come Vieri, fui colpita immediatamente da un visino arrossato, da una bocca gonfia che respirava a fatica, da una piccola testa bruna coi ricci sfatti dal sudore. Il farmacista aveva detto che la bambina non avrebbe passato la notte. Io, non so per quale motivo misterioso, decisi invece che avrei lottato per la sua vita. Passai cinque giorni accanto al lettino, senza prendermi un attimo di riposo. E feci un voto. Se la trovatella fosse guarita, l'avrei presa con me. Sarei tornata a casa da mio marito, e se lui non l'avesse accettata, me ne sarei andata dai miei genitori. Ero disposta a tutto: a girare per le campagne chiedendo l'elemosina, pur di non separarmi da quella creatura.

«Furono giorni molto tristi. Alcuni dei piccoli ammalati morirono, ma lei guarì. Quando il farmacista disse che poteva uscire all'aria aperta, la avvolsi in uno scialle e, con la benedizione della Superiora, me la portai a casa. Tutto potevo immaginare, tranne che fosse la stessa bambina per cui mio marito si stava struggendo da più d'un mese.»

— Figuratevi la mia gioia — riprese il babbo — quando le vidi arrivare. Temevo d'aver perduto mia moglie, e invece…! Adottammo la trovatella e la chiamammo Polissena, come la nostra povera piccina perduta. E lei portò tanta gioia e tanto amore nella nostra casa che l'anno seguente nacque Ippolita. Ma non ci fu mai la minima differenza fra le due piccine, nei nostri cuori, così come non ce ne fu tra lei e Petronilla. Polissena era anzi la nostra figlia prediletta. Per questo non le raccontammo mai delle sue origini. E fu un errore.

— Io sono certa che tornerà! — ripeté Ippolita testarda. — E non dovremo neppure aspettare a lungo.

— Che il Signore ti ascolti! — sospirò la nonna.

— Bussiamo? — sussurrò Lucrezia a quel punto, pregustando la sorpresa della sua amica Ippolita nel veder realizzare all'istante le sue previsioni.

— Aspetta! — la trattenne Polissena.

Terminato il racconto, lo sconosciuto era andato a prendere in un angolo un grande involto piatto, di forma rettangolare, e lo aveva poggiato sul tavolo ormai sgombro.

— Cos'è? — chiese Petronilla avvicinandosi curiosa.

— Un quadro — le spiegò il nonno. — Questo signore ha una bottega di pittura a Pontelucar, ed è bravissimo anche a restaurare i dipinti antichi. Due mesi fa la nonna e io abbiamo trovato in soffitta questa vecchia tela, così vecchia e sporca che non si riusciva a vedere niente di quello che c'era dipinto. Però la targhetta sulla cornice diceva: *Orlando ed Eugenia Vittoria Lanzi*. Lo sai chi erano, Petronilla?

— No — rispose la bambina.

— La tua bisnonna e il suo fratello gemello. Eugenia Vittoria era la madre della nonna Assarotti. Dalla data incisa sulla targhetta i due gemelli devono essere stati ritratti tra gli undici e i dodici anni.

Petronilla guardò incredula la nonna Assarotti. Già le sembrava impossibile che quella vecchia curva, dai capelli bianchi e dal volto pieno di rughe, potesse essere stata una bambina. Ma che fosse addirittura stata bambina sua madre! Era un pensiero che non riusciva ad accettare.

Il nonno intanto continuava il suo racconto: — Polissena... — (già... la nonna Assarotti si chiamava Polissena come le due nipoti, quella vera e quella adottiva, pensò Ippolita) — ... Polissena, come forse sapete, non aveva mai visto il volto di sua madre, che era morta nel darla alla luce. E suo zio Orlando era partito per le Americhe prima che lei nascesse. Naturalmente fu colta da un grandissimo desiderio di vedere il ritratto, e mi pregò di portarlo alla bottega di Pontelucar perché questo signore facesse tutto il possibile per riportare alla luce le figure dei due bambini.

— Siete riuscito a pulirlo bene? — chiese la nonna. — Si riesce a vedere qualcosa?

— È tornato come nuovo — rispose il restauratore. — Si tratta di un dipinto molto bello, di grande valore. È firmato Lapo Lapi, un artista famoso per la sua bravura nel cogliere le somiglianze.

— Su, scartiamolo! — propose Ippolita impaziente.

— Sarà una sorpresa per tutti — osservò il nonno Assarotti.

Polissena, al di là del vetro, provava una strana sensazione di disagio. Era un po' delusa che l'attenzione generale si fosse spostata dalla sua scomparsa al ritratto di quella bisnonna morta da tanto tempo. Però aveva abbastanza fantasia per potersi immedesimare nei pensieri della madre e della nonna, che fra un attimo avrebbero scoperto il volto bambino della rispettiva madre e nonna che non avevano mai conosciuto.

Seguì dunque con impazienza i gesti del nonno e del restauratore che svolgevano il quadro dall'imballaggio. Le sembrava che lo facessero troppo lentamente e con eccessiva cautela... Tutti gli occhi dei presenti – nella cucina – erano puntati sul dipinto che emergeva dal suo involucro.

— Porta un lume, per favore! — ordinò la mamma ad Agnese.

Il babbo accese i due candelieri sulla mensola del caminetto.

Finalmente l'ultimo lembo di carta fu strappato.

— Ecco! — Con un gesto d'orgoglio il restauratore sollevò il quadro e lo espose alla luce. La mamma impallidì e soffocò un grido, afferrando con un gesto convulso la manica del babbo, che le stava vicino.

— Ma quella è Polissena! — squillò la vocetta argentina di Petronilla.

— Come è possibile? — si chiese il nonno Assarotti con voce sorda. — Polissena è stata adottata. Chissà chi erano i suoi genitori, i suoi antenati...

Eppure la bambina del ritratto, Eugenia Vittoria Lanzi, a parte la foggia degli abiti che risaliva a ottant'anni prima, somigliava straordinariamente a Polissena. Stesso taglio d'occhi, stesso sguardo, stesse sopracciglia, stesse orecchie, stessa attaccatura dei capelli, stessa bocca, stessa fossetta, una sola, sulla guancia destra... Stesso naso, stesso mento, stesso modo di chinare leggermente la testa di lato. Persino lo stesso anulare della mano destra lungo esattamente come il dito medio... Dal focolare arrivò la voce petulante di Agnese: — Io lo avevo sempre detto che la nostra Polissena somiglia tutta al ramo della famiglia di sua nonna materna.

— Agnese! Ma che assurdità! — protestò il mercante. — Lo sai bene... eri già in casa nostra quando l'abbiamo portata a casa dal convento...

Ippolita e Petronilla non erano affatto interessate da quegli strani discorsi dei grandi. Si erano avvicinate al quadro e lo contemplavano piene d'attenzione. I due gemelli erano stati ritratti in piedi, sullo sfondo di una finestra dai tendaggi semiaperti su un giardino. Si tenevano per mano e si guardavano negli occhi con affettuosa complicità. Lei era vestita di rosso cupo, con un filo d'argento attorno alla scollatura. Lui di verde, con un giustacuore attillato e un paio di braghe a sbuffo sopra la calzamaglia bicolore.

— Se Orlando non avesse i capelli corti, sarebbero identici — osservò Ippolita.

A quel punto successe una cosa molto strana. Qualcuno bussò furiosamente al vetro della finestra e quando Agnese andò ad aprire, un ragazzo scavalcò d'impeto il davanzale, balzò dentro la stanza e andò a mettersi di fianco al ritratto.

— Orlando! — strillò Petronilla.

— Ma com'è possibile? — balbettò la nonna Assarotti sempre più confusa. — Non può essere Orlando. Se mio zio fosse ancora vivo, avrebbe quasi cent'anni...

Eppure il ragazzo del ritratto e quello in carne e ossa erano identici come due gocce d'acqua.

Tra lo sconcerto generale, l'unica a conservare la presenza di spirito fu Ippolita.

— Ma è Polissena, mamma! È Polissena con i capelli corti! Te l'avevo detto che sarebbe tornata — strillò, e corse ad abbracciare la sorella maggiore, subito imitata da Petronilla.

I genitori invece guardavano sbalorditi la nuova arrivata, come se fosse apparso loro un fantasma.

— Babbo! Mamma! Sono Polissena, davvero! Sono io. Sono ritornata a casa. Per la seconda volta.

Genitori e nonni la guardarono paralizzati dallo stupore. Era proprio lei. Nonostante i capelli e gli abiti maschili, adesso che l'avevano sentita parlare non potevano avere alcun dubbio. Ma di cosa stava parlando? Cos'era questa storia della seconda volta?

— Mamma — riprese Polissena, tutta rossa per l'emozione. — La bambina che ti è stata rapita dodici anni fa, ero sempre io. Lo vedi, no, come somiglio alla bisnonna e al suo gemello? È stato Arrigo Filippucci a portarmi via. Ma non ero morta. Ho fatto solo un giretto per il mondo e, dopo sei mesi, qualcuno mi ha riportata al convento. Voi pensavate di aver adottato una trovatella qualsiasi, invece era la vostra bambina che era tornata…

— Questa, poi! — esclamò il babbo, e cadde a sedere stordito.

— Fino allo scorso luglio, quando sono scappata, naturalmente non lo sapevo — continuò Polissena. — Durante questi mesi avventurosi, inseguendo il mistero delle mie origini, ho rifatto lo stesso giro, ma in senso inverso. E ho scoperto che i genitori della povera trovatella abbandonata nella ruota non eravate altri che voi!

A quel punto la mamma, col viso inondato di pianto, spalancò le braccia e Polissena corse a rifugiarvisi.

Poi, nella cucina, si misero a parlare tutti insieme, tanto che non si riusciva a capire niente di quello che dicevano. Petronilla, eccitata, correva dall'uno all'altro. A un certo punto inciampò e cadde: un porcello sconosciuto le aveva tagliato la strada.

— Biancofiore! — strillò Polissena. E le venne in mente che Lucrezia era sempre fuori della finestra, al freddo, e che forse per timidezza non osava entrare.

Corse ad affacciarsi. Ma la piccola girovaga era scomparsa. Se n'era andata zitta zitta, senza salutare. Di lei e degli animali non c'era più alcuna traccia nella notte nera, a parte una pila di monete d'oro poggiata sul marmo del davanzale.

— E pensare che lo devo a lei se sono ritornata a casa sana e salva… — singhiozzò Polissena piena di rimorsi.

— Non preoccuparti. A Pasqua tornerà, come tutti gli anni — la consolò Ippolita.

Ma Polissena non voleva rassegnarsi ad aspettare la primavera. E anche i suoi genitori, quando ebbero sentito il racconto delle sue avventure, furono d'accordo con lei che bisognava rintracciare Lucrezia immediatamente, per ringraziarla, per sdebitarsi del suo aiuto, per proteggerla, perché in fondo era soltanto una bambina e non poteva andarsene da sola per il mondo senza nessuno che pensasse a lei.

Prima ancora che Polissena avesse il coraggio di chiederlo, il babbo propose: — Visto che la tua amica è un'orfana, potremmo adottarla… se la mamma è d'accordo, naturalmente.

— Per me va bene — rispose la mamma. — Sarà la nostra quarta bambina. Se Ippolita e Petronilla sono d'accordo, naturalmente.

Figurarsi se Ippolita aveva qualcosa da ridire su questo progetto! Al contrario, si mise a fare le capriole dalla gran contentezza. Fin da prima che cominciasse tutta quella storia, aveva sempre voluto a Lucrezia un bene speciale, l'aveva sempre considerata la sua amica più cara. E anche Petronilla dette subito la sua approvazione, entusiasta all'idea che con la piccola girovaga sarebbero entrati a far parte della famiglia anche i suoi straordinari animali.

Anche i nonni furono d'accordo. L'unica a brontolare fu Agnese. — Non chiedetemi di trattare con rispetto quella piccola straccciona! — dichiarò offesa.

Ma erano tutti castelli in aria perché Lucrezia nel frattempo sembrava scomparsa nel nulla.

Vieri Gentileschi, attraverso i suoi corrispondenti commerciali, la fece cercare dappertutto, a cominciare da Roccabrumosa e dalla fattoria di Pacuvio. La fece cercare a Tempestàl, a Paludis, a Pratàle e a Pontelucar.

Fece spargere la voce che avrebbe dato una lauta ricompensa a chiunque gli avesse segnalato la presenza della piccola girovaga e dei suoi animali in qualsiasi parte del Paese. Ma senza alcun risultato.

Passò l'inverno. Polissena riprese la vita di sempre. La prima volta che incontrò Serafina, invece di darle uno schiaffo come si era ripromessa, si tolse la soddisfazione di invitarla a casa per mostrarle il ritratto dei gemelli.

— E tu stupida, che mi credevi una trovatella arrivata da chissà dove!

Davanti a quella straordinaria rassomiglianza, Serafina non poté far altro che balbettare: — È vero. Sei precisa identica ai tuoi antenati. Perdonami.

Polissena aveva voluto appendere il quadro in camera sua. Era felice che all'ultimo momento fosse saltata fuori anche una prova concreta della sua identità. Una prova che confermasse le parole di Arrigo Filippucci e che dimostrasse senza più ombra di dubbio il suo legame di sangue con le famiglie Gentileschi e Assarotti.

— Mamma, non sei più contenta, adesso che hai scoperto che sono davvero tua figlia?

La madre la osservava pensierosa. — A dire la verità, ti ho voluto bene fin da quel primo momento in cui ti ho visto ammalata nel dormitorio del convento. Ti ho sempre voluto bene esattamente come se tu fossi mia figlia. Adesso che possiamo eliminare quel "come se", per me non fa nessuna differenza. Ti volevo già così tanto bene, che non potrei volertene di più.

La vita delle tre sorelle proseguiva tranquilla, fra giochi, lezioni, passeggiate.

Agnese non sopportava di vedersi Biancofiore sempre fra i piedi e aveva proposto di mandarlo in campagna, a pascolare sotto le querce in compagnia degli altri maiali della famiglia. Ma Petronilla si era opposta strillando. Ora il porcello era diventato il suo beniamino e, sebbene fosse molto cresciuto, non se ne separava mai.

Tutte le ragazzine di Cepaluna invidiavano i capelli corti di Polissena e tormentavano le madri per avere il permesso di tagliarsi le trecce.

Ippolita e Petronilla non erano mai stanche di farsi raccontare e riraccontare dalla sorella le sue avventure. Fra gli episodi che le affascinavano di più c'era l'assalto della Civetta Verde da parte dei pirati e il naufragio della *Sanguinaria*, e quando il Reggente aveva fatto imprigionare le due amiche.

Ogni volta, ascoltando quei racconti, la mamma rabbrividiva all'idea dei pericoli corsi dalla sua bambina, sia quando era in fasce che più tardi, nel corso del secondo viaggio.

— Quest'anno c'era Lucrezia, con te — sospirava. —

Ma allora eri sola e indifesa, e così piccola… Attraverso quante mani sei passata mentre io me ne stavo qui a piangere! E ogni volta ti poteva succedere qualcosa di tremendo. Sono convinta che se alla fine sei potuta tornare a casa sana e salva, è stato perché il tuo angelo custode non ti ha perso di vista per un solo minuto.

Ciò che colpiva maggiormente la fantasia di Ippolita e di Petronilla era il fatto che per ben due volte la sorella aveva rischiato di diventare principessa e di salire sul trono.

Quando ci pensavano, guardavano Polissena con maggior rispetto. — Davvero non ti dispiace di avere rinunciato alla corona? Davvero non ti dispiace di essere tornata a casa con noi? — le chiedeva spesso Petronilla.

Ma Polissena non aveva alcuna nostalgia né della Reggia né della vita girovaga con gli animali. Il suo posto era Cepaluna, il suo nido era casa Gentileschi e non se ne sarebbe allontanata mai più.

Epilogo

— Vedrete che a Pasqua Lucrezia ritorna! — continuava a ripetere Ippolita fiduciosa. E infatti, la prima settimana di aprile, un venditore ambulante di pettini e nastri si presentò a casa Gentileschi per reclamare la ricompensa promessa da messer Vieri. Riferì che non solo aveva incontrato la Compagnia Ramusio in un villaggio poco lontano da Paludis; non solo aveva assistito allo spettacolo, ma aveva parlato con Lucrezia e le aveva detto che i suoi amici di Cepaluna la stavano cercando per mare e per terra. E Lucrezia lo aveva incaricato di riferire che non l'avrebbero dovuta aspettare a lungo, perché aveva ripreso da poco il suo giro primaverile di spettacoli e dunque, secondo il solito programma, sarebbe arrivata a Cepaluna la Domenica delle Palme.

«Dite loro di stare tranquilli, e che va tutto bene, anche se c'è una piccola novità, e che non vedo l'ora di riabbracciare le mie amiche.»

Poi gli aveva affidato una lettera da consegnare a Polissena. Una lettera molto voluminosa. — Anche l'altra bambina, quella che cammina sui trampoli, ci ha messo la sua firma — concluse l'ambulante poggiando la grossa busta sul tavolo.

"Un'altra bambina?" si chiese Polissena. E fu trafitta da una lama sottile di gelosia, al pensiero che Lucrezia l'avesse già sostituita. D'altronde era logico. Gliel'aveva spiegato fin da quel primo giorno che si erano incontrate nel bosco. Non poteva andarsene in giro da sola con gli animali. Aveva bisogno della compagnia di un altro artista di razza umana.

Mentre il padre dava la ricompensa promessa all'ambulante, Polissena sedette in disparte accanto alla finestra e cominciò a leggere, incuriosita soprattutto da quell'accenno alla "piccola novità". Ma non si aspettava certo che quei fogli di carta le avrebbero riservato tante sorprese.

Cara Polissena,

sapessi quante cose ho da raccontarti! La prima è che il mio vero nome non è Lucrezia Ramusio, ma un altro, e quando scoprirai quale resterai davvero a bocca aperta.

Il fatto è che non sono un'orfana, come ho sempre creduto fino a pochi mesi fa, e i miei genitori non sono quei due poveri contadini di cui abbiamo visitato insieme la tomba nel cimitero di Paludis.

L'ho scoperto per caso due giorni dopo la mia "fuga" da Cepaluna. Perdonami se quella sera me ne sono andata alla chetichella senza salutarti, e scusami moltissimo per questo anche con la mia amica Ippolita. Ma ormai ero tranquilla per te, perché ti avevo riportato sana e salva fra le braccia dei tuoi e non volevo disturbare con la mia presenza la vostra riunione familiare.

Come sai avevo ancora un bel po' di monete di Isabella, così, per non affaticare gli animali, ho pagato un carrettiere perché ci trasportasse sul suo carro a Roccabrumosa. Strada facendo, come capita, ci siamo messi a chiacchierare, e quando il carrettiere ha sentito che mi chiamavo Ramusio ed ero nata a Paludis, ha esclamato: — Oh bella! Non sarai per caso la figlia adottiva del mio povero cugino Egberto?

— In effetti mio padre si chiamava Egberto — faccio io — e mia madre Teresa. Però non mi avevano adottato. Ero proprio figlia loro!

— Questo te l'avrà raccontato qualcuno che non sa come sono andate le cose — bofonchia il carrettiere. — L'unica figlia naturale del povero Egberto, una piccina battezzata col nome di Lucrezia Maria Eleonora Adalinda, è morta a sette mesi, soffocata nella culla dal cuscino.

— No, guardi, si sbaglia — gli dico. — Sono io quella Lucrezia Maria Eleonora Adalinda. E non sono morta, come può constatare. Anzi, sono sopravvissuta io sola fra tutti gli abitanti del paese. L'ha scritto anche il parroco nel suo registro.

— Il parroco evidentemente parlava della seconda bambina, la trovatella — insiste il carrettiere. — La piccola Lucrezia Ramusio è morta e sepolta. Se vai a Paludis, troverai la sua tomba accanto a quella dei genitori.

Ti ricordi, Polissena, di quella tomba con sopra un nome uguale al mio che credevamo fosse di mia nonna? Abbiamo letto male la data. Non era così antica. Risaliva ad appena tre anni prima della morte di Teresa ed Egberto Ramusio. Un mese prima del mio arrivo.

Non volevo crederci, ma il carrettiere mi ha portato a Paludis e me l'ha fatto constatare con i miei stessi occhi. (Naturalmente, dopo quel primo discorso, non siamo più andati a Roccabrumosa, ma ci siamo dedicati alla ricerca delle mie

origini.) Mi ha fatto anche osservare che sul registro del par-
roco non c'è scritto "la figlia", ma "la bambina" dei Ramu-
sio, che mi custodivano, ma in realtà non mi avevano adot-
tata legalmente.

Insomma, le cose a quanto pare erano andate più o meno
come per i tuoi genitori. Circa un mese dopo la morte del-
la loro unica figlia, qualcuno aveva affidato loro una trova-
tella alla quale avevano dato lo stesso nome della piccola
morta.

Naturalmente mi è subito venuta la curiosità di control-
lare che la mia storia non fosse uguale alla tua. Ma la prima
Lucrezia non era sparita senza lasciare traccia come la pri-
ma Polissena. Era morta nella sua culla, sotto gli occhi del-
la madre. Su questo non c'erano dubbi. Cercando meglio sul
registro del parroco, che quel giorno insieme abbiamo sfo-
gliato troppo frettolosamente, ho trovato io stessa il suo cer-
tificato di morte. E, come se non bastasse, il becchino che
l'aveva sepolta e che aveva scolpito la lapide, Eugenio Bal-
zòc, era un lontano parente dei suoi genitori che era scam-
pato alla peste e poteva testimoniare.

Nessuno può capirmi meglio di te, se ti dico che quando

340

ho scoperto di essere una trovatella, ho subito cominciato a fantasticare su chi potessero essere i miei veri genitori.

— Non avevo addosso alcun segno di riconoscimento? — ho chiesto al carrettiere, pensando al tuo scrigno, al pesciolino e a tutto il resto.

— Non ne ho la minima idea — mi ha risposto. — Io non so neppure dove ti hanno trovato, se sul ciglio di una strada di campagna o nella ruota di un convento. Bisognerebbe domandarlo alla persona che ti ha portata in casa Ramusio.

Temevo che quella persona fosse morta come tutti gli altri abitanti di Paludis. E invece lo sai chi era? Era proprio l'unico superstite, Eugenio Balzòc, quel becchino che a suo tempo aveva seppellito la piccola Lucrezia numero uno.

Naturalmente non ho avuto pace fino a quando il carrettiere non mi ha accompagnato a casa di questo Eugenio, in un villaggio tra Paludis e Osùbez.

Eugenio è un vecchio stravagante, che vive da solo e non parla mai con nessuno. Quando esce, si guarda sempre attorno terrorizzato, come se avesse paura di qualcosa o di qualcuno. Eppure al suo villaggio tutti gli vogliono bene, anche se lo considerano un po' tocco.

Quando il carrettiere gli ha detto chi ero, Eugenio si è messo a piangere e a tremare. Poi ha balbettato: — Non è possibile! Non ci credo. Mostratemi una prova! — E pensare che era proprio quello che io ero andata a chiedergli! Una prova.

Per fortuna a quel punto mi è venuto in mente il medaglione. Avevo sempre pensato che i due ritratti fossero quelli di Teresa e di Egberto Ramusio. Ma forse non era così. Per fortuna lo avevo ancora al collo assieme agli altri ciondoli. Così l'ho tirato fuori e l'ho mostrato a Eugenio, che l'ha riconosciuto immediatamente.

— La montatura era d'oro e rubini! — ha esclamato. — Qualcuno deve averla fatta cambiare. Ma le miniature sono

proprio quelle che avevi al collo quando ti ho sentito piangere e ho schiodato la piccola bara...

Hai capito bene, Polissena? E non cominci a sospettare qualcosa?

— Ero andato a lavorare a Mirenài — ha proseguito Eugenio — perché con l'epidemia scoppiata a corte si potevano fare dei bei quattrini. Ogni giorno si celebravano sei o sette funerali e noi becchini non avevamo un attimo di riposo. Un giorno il pediatra reale mi mandò a chiamare e mi consegnò una piccola bara già chiusa. — Ho saputo che sei della zona di Paludis — mi disse. — Questo povero morticino è l'orfano di una guardarobiera originaria di quella regione, morta una settimana fa. L'ultimo desiderio espresso dalla povera madre fu che se anche il suo bambino fosse morto, venisse seppellito laggiù, nella terra dei suoi.

«Mi dette del denaro e mi ordinò di andare a seppellire la piccola bara nel cimitero di Paludis. Forse voi pensate che avrei dovuto sospettare qualcosa di poco chiaro in quella strana richiesta. Anche perché il dottore non mi disse il nome della guardarobiera, e io non sapevo di nessuna mia compaesana che fosse andata a lavorare nelle stirerie del Palazzo. Ma in quei giorni a corte c'era una tale confusione che le cose più stravaganti sembravano assolutamente normali.

«Montai a cavallo e, con la piccola bara legata alla sella, mi misi in cammino. Ero già lontano dalla città, e calava la notte, quando sentii un rumore che mi fece agghiacciare il sangue: dentro la minuscola cassa di legno il morticino piangeva. Un lamento fioco e debole come quello d'un pallido fantasma.

«Smontai immediatamente di sella e col pugnale schiodai il coperchio della bara. Appena in tempo perché il piccolo ospite, ch'era ancora vivo, non morisse soffocato! Lo solle-

vai, lo strinsi fra le braccia, lo colpii forte alla schiena per farlo gridare e riempire d'aria pura i polmoni. Gli massaggiai le manine gelate, gli feci bere un po' d'acqua che portavo nella borraccia da sella.

«*Era un bambino troppo ben vestito per essere il figlio d'una domestica. Indossava un abitino di broccato rosa ricamato a piccole perle. Al collo portava un medaglione d'oro incorniciato di rubini.*»

Puoi immaginare, Polissena, come sono rimasta turbata da queste parole! Già avevo cominciato a sospettare qualcosa quando Eugenio aveva parlato dello strano incarico ricevuto dal pediatra di corte. Ma poteva trattarsi ancora di una coincidenza. Però, quel dettaglio della vestina ricamata a piccole perle… Ci pensi? L'ho sempre avuta sotto gli occhi per tutti questi anni, e l'ho fatta indossare a Casilda ogni volta che rappresentavamo la scena del salotto… Quel bastardo del vecchio Giraldi deve aver scucito le perle a una a una per venderle, quando ero piccola, così come deve aver sostituito il medaglione originale con uno d'ottone. Chissà per quale strano slancio di generosità mi avrà lasciato le miniature, che erano veramente i ritratti dei miei genitori da giovani. Solo che, invece che dei Ramusio, si trattava del Re e della Regina.

Insomma a quel punto del racconto non potevo più avere alcun dubbio sulla mia vera identità. Sì, Polissena, sembra incredibile. Ma la tua amica Lucrezia non è l'orfana di due poveri contadini e neppure una trovatella qualunque. È la Principessa Reale, l'Erede al Trono, l'autentica Isabella, l'unica vera figlia del defunto Re Medardo e della Regina Madre!

Fra l'altro, non sono più giovane di te e di Isabella come avevamo sempre creduto. Ho la vostra stessa età. Quando Giraldi ha letto il registro del parroco di Paludis, c'era già quella macchia che cancellava la data, e lui di bambini se ne intendeva così poco che ha pensato avessi solo due anni, mentre ne avevo già quattro.

Poi mi ha sempre dato così poco da mangiare, che non sono cresciuta abbastanza. È per questo che ti arrivo soltanto all'orecchio, anche se ormai ho dodici anni come te.

Ma torniamo al fatto della mia "morte", laggiù a Mirenài, quando ero ancora in fasce.

Evidentemente il dottore, nella sua grande angoscia, ha sbagliato la sua diagnosi. Probabilmente ero svenuta o avevo avuto un collasso. Ma lui, poveraccio, mi ha creduta morta e si è visto giustiziato da mio padre, così si è affrettato a far scomparire il mio "cadavere" per poter mettere te al mio posto nella culla a forma di cigno.

Fortunatamente il coperchio della bara lasciava passare all'interno un po' d'aria. Per questo non sono morta soffocata e sono riuscita a far sentire i miei strilli al buon Eugenio Balzòc.

Eugenio non si rese conto di aver salvato la vita alla Principessa Reale. (Fra l'altro, ch'ero una femmina lo seppe soltanto più tardi, dopo avermi affidato a Teresa Ramusio.) Però capì che dietro alla menzogna del pediatra si nascondeva un intrigo che poteva diventare pericoloso. Ebbe paura di immischiarsi, e invece di riportarmi alla Reggia, proseguì verso

Paludis. Al dottore riferì d'aver sepolto laggiù la piccola bara, e non era una bugia, perché la seppellì davvero, ma vuota. Io fui affidata ai Ramusio, che mi curarono, perché, come ricorderai, ero gravemente ammalata. Le cure affettuose della mia madre adottiva poterono quello che non aveva potuto la scienza del dottore. Guarii, e i Ramusio mi allevarono come una figlia, chiamandomi Lucrezia come la loro figlioletta morta. A proposito, sono affezionata a questo nome e non intendo cambiarlo, anche se non c'è mai stata una Lucrezia nella dinastia dei Pischilloni.

Teresa Ramusio mi lasciò al collo il medaglione e conservò tra le sue cose del corredo l'abitino rosa con le perle.

Il resto della storia lo conosci. Avevo solo quattro anni quando scoppiò l'epidemia di peste e i miei genitori adottivi morirono, senza avermi potuto rivelare niente del mio passato. Giraldi mi prese con sé e mi spogliò delle poche cose preziose che possedevo. Ma io sono certa che mi credeva figlia dei due contadini, perché se avesse sospettato qualcosa di diverso, avido com'era, avrebbe cercato di approfittarne in qualche modo.

Poi Giraldi è morto e ho incontrato te. E inseguendo il mistero delle TUE origini, sono arrivata a Mirenài e alla Reggia e ho visto mia madre, anche se da lontano e soltanto per pochi minuti. Ti ricordi che entrambe abbiamo avuto la sensazione che il suo fosse un viso conosciuto? E che tu pretendevi d'essere l'unica a poterlo ricordare, e ti sei arrabbiata con me per questo?

Sul fatto che io non potessi ricordare il viso della Regina, avevi ragione. Praticamente non avevo mai visto in faccia mia madre, se non nel momento in cui ero nata. Ma quel tipo di ricordi in genere sono piuttosto confusi. La sensazione di conoscerla nasceva per entrambe dal fatto che avevamo guardato attentamente il suo ritratto, nella miniatura del mio me-

daglione. Poi lei ha lasciato la corte e non abbiamo più avuto modo di riflettere su quella somiglianza.

Lo so, Polissena, che a questo punto starai fremendo d'impazienza e ti starai chiedendo: "Ma insomma, se davvero Lucrezia è la Principessa Reale di questo Paese, perché non si è fatta riconoscere? Perché in questo momento sta continuando a fare le sue acrobazie nella piazza di Pontelucar? E dove si era andata a cacciare durante l'inverno?"

Ancora un po' di pazienza, amica mia, e avrai la risposta anche a queste domande.

Quando Eugenio Balzòc ha terminato il suo racconto, l'ho ringraziato e gli ho detto che le sue indicazioni mi sarebbero state di grande utilità. Ma non gli ho spiegato che avevo sentito raccontare la parte della storia precedente alla sua dal pediatra reale in persona. E tantomeno gli ho rivelato quello che avevo scoperto su me stessa. L'ho salutato e mi sono fatta accompagnare dal carrettiere fino a Pratàle. Ho lasciato gli animali affidati a uno stalliere di quella città e, per non destare sospetti, ho raggiunto Mirenài in diligenza, tutta sola, agghindata e vestita come una figlia di signori. Ero così elegante e ammodino che nessuno che mi avesse visto prima avrebbe potuto riconoscermi.

La Regina Madre era ritornata in città. (Mi riesce ancora difficile parlare di lei come di mia madre, anche se naturalmente sono molto contenta di non essere completamente orfana. Io non sono come te, che eri pronta a gettare le braccia al collo e a gridare "Babbo!" o "Mamma!" a qualsiasi sconosciuto. Ma penso che con un po' d'abitudine riuscirò ad affezionarmi, anche perché, come vedrai, lei si è comportata molto bene nei miei confronti e gode di tutta la mia stima.)

Per farla breve, sono riuscita a introdurmi nei suoi appartamenti, ho aspettato che fosse sola e poi le ho mostrato il me-

daglione, raccontandole chi ero e tutte le avventure che mi
avevano portato lontana da lei.

Ti sembrerà strano, e tu al mio posto ti saresti offesa moltissimo, ma la Regina non si è messa a fare i salti dalla felicità né a gridare: "Figlia mia! Finalmente ti ho ritrovato!"

D'altronde, è logico. In tutti questi anni lei non aveva mai
sospettato d'avermi perduta, né che Isabella non fosse la sua
vera figlia. Vuole molto bene a Isabella, ed era preoccupatissima all'idea che il mio ritorno le potesse nuocere. Solo quando le ho detto che anch'io volevo bene a Isabella e che non volevo assolutamente farla soffrire, mi ha abbracciato e si è
messa a piangere di sollievo.

Poi si è fatta ripetere tre o quattro volte la storia della sostituzione delle neonate. Le sembrava troppo complicata. Non

riusciva a capire come mai ci fosse anche una terza bambina arrivata da chissà dove ed estranea alla dinastia dei Pischilloni.

— Povero Medardo! Povero marito mio! — sospirava. — Per fortuna non si è accorto di niente. Anche lui voleva tanto bene a Isabella... Per fortuna è morto senza sapere che suo fratello Uggeri è un gran farabutto.

Su questo infatti ci siamo trovate subito d'accordo: che se Isabella era innocente dell'intrigo che l'aveva messa sul trono al mio posto, il Reggente era colpevole d'alto tradimento, di tentato omicidio e forse anche di Lesa Maestà. E che andava punito per questo, altrimenti nel regno non ci sarebbe stata più giustizia.

Ma abbiamo preferito non denunciarlo al tribunale, e neppure al Consiglio dei Nobili e dei Ministri. Mia madre la Regina lo ha fatto chiamare e gli ha rivelato di aver scoperto il suo inganno.

— Non è vero — ha protestato quella carogna. — Non potete dimostrarlo. Non avete alcuna prova contro di me.

Allora la Regina si è tolta l'acconciatura dalla testa, si è sciolta i capelli, si è lavata la cipria e il trucco dal viso, e mi ha stretto al suo fianco. A parte l'età, eravamo identiche.

(A proposito, ti starai chiedendo come mai, nel periodo in cui siamo rimaste a corte come valletti di Isabella, nessuno si sia accorto di questa somiglianza. Il fatto è che da un lato la Regina Madre non se ne va mai in giro col viso lavato e con i capelli sciolti, e dall'altro un valletto è così poco importante che nessuno deve avermi mai guardato con attenzione. Forse avrebbe potuto riconoscermi il vecchio dottore. Ma non dimenticare che il nostro incontro è avvenuto al buio della cella, e quando siamo usciti in strada era notte.)

Davanti a una prova così schiacciante, e alla notizia che

il dottore era ancora vivo, libero, e che conoscevamo il suo indirizzo e potevamo chiamarlo a testimoniare, il Reggente si è spaventato. È caduto in ginocchio e ha cominciato a supplicarci, a chiedere pietà, non per sé, ma per Isabella, che non meritava di essere punita per colpe non sue.

— Va bene — ha detto mia madre — se Lucrezia è d'accordo, terremo nascosto a tutti il vostro delitto. Anche a vostra figlia, che non dovrà crescere col dolore e con la vergogna di disprezzare il proprio padre. Diremo che lo scambio delle neonate è stato fatto per sbaglio, e in perfetta buona fede, da una delle balie. Il fatto che le poverette siano morte entrambe nel corso dell'epidemia ci garantisce due vantaggi. Il primo è che non ci possono smentire. Il secondo è che non sarà difficile per la gente credere che una povera donna in preda alla febbre e al delirio abbia deposto la piccina affidata alle sue cure nella culla sbagliata, e che l'altra, altrettanto sconvolta dalla malattia, non se ne sia accorta.

«Così Lucrezia potrà riprendere il posto che le spetta senza che Isabella subisca alcun danno. Anzi, come cugina prima dell'Erede al Trono, potrà restare con noi a Palazzo e godere di tutti gli onori dovuti a una Principessa della stirpe dei Pischilloni.

«La sua presenza al fianco di mia figlia fra l'altro sarà utilissima, perché Lucrezia è, non per sua colpa, un po' selvatica e ha bisogno di qualcuno che le insegni l'etichetta di corte. Per quel poco che la conosco, dubito che accetterebbe i consigli dell'Arciduchessa Teodora, mentre l'esempio di una coetanea gentile come Isabella le sarà prezioso.

«Quanto a voi, conte Uggeri, non crediate che i vostri crimini resteranno per questo impuniti. Stasera stessa riunirete il Consiglio dei Nobili e dei Ministri e darete l'annuncio del ritorno sul trono della vera Principessa Reale. Dopo di che spiegherete che questo evento ha provocato in voi un'improvvisa e fortissima vocazione religiosa, che vi spinge a cedere a me la Reggenza e a ritirarvi immediatamente nel monastero di clausura della Corona di Spine.»

Il Reggente non era tanto contento di questa soluzione, anche perché il convento scelto da mia madre si trova lontanissimo dalla capitale, in un luogo solitario e malsano, e i monaci di quell'Ordine sono tenuti a una vita di preghiera e di penitenza molto dura, simile a quella scelta da Arrigo Filippucci, ti ricordi? Questi monaci, anche se vivono in comunità, hanno il divieto assoluto di parlare tra loro, se non per salutarsi, quando si incontrano, con la frase: «Fratello, ricordati che devi morire.» Pensa che allegria! Ma pensa anche alla vita che il Reggente faceva fare ai suoi prigionieri in quelle terribili celle, laggiù nel sotterraneo. La prima cosa che ho chiesto a mia madre è stata di liberarli tutti.

— Ma ci sono anche degli assassini, della gente pericolosa! — ha protestato.

— D'accordo — ho detto io — vuol dire che li faremo trasferire in una fattoria, dove potranno lavorare all'aperto, e vedere il cielo. Così oltre a espiare i loro delitti, potranno rendersi utili a se stessi e agli altri.

Qualche volta penso che essere principessa offre anche qualche vantaggio, come quello di veder eseguire i propri ordini anche se capisci benissimo che gli altri li giudicano assurdi.

Per tornare al Reggente, mia madre gli ha fatto capire che non aveva scelta. O il monastero di clausura o il processo e la prigione, con tutte le conseguenze spiacevoli per Isabella.

Pieno di rabbia, lui ch'era abituato da tanti anni a comandare, ha accettato e ha eseguito alla lettera tutti gli ordini.

Isabella, puoi immaginartelo, è rimasta sconvolta da tutte le rivelazioni che mia madre le ha voluto fare personalmente. Poveretta! In un colpo solo ha scoperto che sua madre era invece sua zia, mentre suo zio viceversa era suo padre. E, come se non bastasse, questo padre appena ritrovato l'indomani avrebbe lasciato la Reggia per farsi monaco. Ha scoperto che il suo vero nome era Glinda (ma abbiamo deciso che, come io continuerò a chiamarmi Lucrezia, continueremo a chiamare lei Isabella) e che per tutti questi anni ha occupato abusivamente il titolo e il ruolo di Principessa Reale.

E che la Principessa Reale ero io, una "piccola stracciona pidocchiosa", come mi ha definito l'Arciduchessa Teodora, capace di fare il doppio salto mortale attraverso il cerchio di fuoco mostrando le gambe a tutti, ma non un inchino come si deve al Vescovo o all'Ambasciatore.

Però si è comportata benissimo. Tu lo sai che fin dall'inizio io ho sempre giudicato Isabella una ragazza buona e intelligente. E anche mia madre si è comportata bene. Le ha detto:
— Per me tu resterai sempre la mia bambina. E ti prego di continuare a considerarmi tua madre. Il fatto che d'ora in poi vorrò bene anche a Lucrezia non significa che ne vorrò

di meno a te. — E l'ha abbracciata. — Quanto a tuo padre — ha proseguito — potrai andarlo a trovare al monastero tutte le volte che ne avrai voglia. Se ne avrai voglia.

Isabella ha dato un gran sospiro di sollievo. — Sono così contenta! — ha esclamato. — Adesso non sarò più costretta a fidanzarmi con uno di quei brutti musi, solo perché ha una corona in testa. E non dovrò più andare ad assistere alle esecuzioni, né pranzare con l'Arciduchessa Teodora. Povera Lucrezia! Adesso toccherà a te fare tutte le cose spiacevoli che toccano a una principessa!

A quel punto la Regina mi ha guardato con un'occhiata perplessa. Evidentemente, nonostante il mio travestimento da ragazzina borghese, mi giudicava troppo malconcia per potermi presentare in giro come sua figlia.

— Presto, chiamiamo le cameriere che le preparino un bel bagno caldo! E il parrucchiere che la pettini. Isabella, in attesa che il sarto le faccia un corredo adatto al suo rango, potresti prestarle qualcuno dei tuoi vestiti. Basterà restringerli con qualche punto e accorciare le gonne.

Io però non ero d'accordo con questo programma.

— Signora madre — ho detto nel tono più rispettoso possibile — sono felice di avervi ritrovato e non intendo sottrarmi alle responsabilità che la mia nascita mi impone. Ma non penso affatto di lasciarmi mettere in gabbia dall'etichetta di corte. Ho solo dodici anni e, fino a quando non ne compirò venti, sarete voi a governare il Regno. Nel frattempo credo che per me sia molto più utile continuare a girare il Paese in incognito per conoscere quali sono i veri bisogni dei miei sudditi, i loro problemi, i loro desideri. Credo che questo sia molto più importante per una regina che dovrà fare le leggi, e amministrare la giustizia e decidere l'economia del paese, che non sapere usare nel modo giusto le posate d'argento o fare

l'inchino con eleganza. A parte il fatto che, quando verrà il momento, vi assicuro che non ci metterò più di una settimana a imparare tutti i vostri salamelecchi. Non dimenticate che sono un'artista e che sono allenata a imparare velocemente e a rappresentare qualsiasi parte.

— Ma sei l'Erede al Trono! — ha osservato tutta sgomenta mia madre. — Non puoi mancare alle cerimonie pubbliche! Il popolo vorrà vederti. I nobili, gli ambasciatori, vorranno presentarti i loro omaggi…

— Dovranno accontentarsi di voi, signora madre — ho risposto. — A meno che… Isabella è abituata al cerimoniale.

Le farete indossare una parrucca bionda e direte che si tratta della nuova Principessa.

Ma Isabella non era d'accordo. — Ho recitato questa commedia per dodici anni — ha protestato — e mi sono persino ammalata dalla noia. Adesso sono stufa. Ho voglia di vedere il mondo. Perché non mi porti con te, Lucrezia? Perché non mi assumi nella tua compagnia? Sono certa che imparerò subito a fare qualcosa di divertente.

— Ma questa è una vera e propria insubordinazione! — si è disperata la Regina.

Alla fine però ha ceduto. Te l'ho detto che è una donna intelligente e generosa. Così io, in cambio, ho accettato di ripulirmi per qualche giorno e di camuffarmi con gli abiti di mia cugina, e sono stata presentata dal Reggente ai nobili, ai ministri, ai cortigiani, alla popolazione di Mirenài. Isabella stava sempre al mio fianco per dirmi all'orecchio come dovevo muovermi e cosa dovevo dire.

Poi il Reggente ha passato le consegne a mia madre e se n'è partito di pessimo umore per il monastero. Mia madre a quel punto ha riunito il Consiglio e ha informato tutti che, com'è abitudine per i principi di sesso maschile negli altri paesi, anch'io sarei partita per un lungo viaggio di istruzione in compagnia di mia cugina.

Naturalmente non ha spiegato di che tipo di viaggio si trattava e ha lasciato credere che saremmo state accompagnate da un gruppo di insegnanti e di camerieri. L'Arciduchessa Teodora si è offesa a morte quando ha saputo che non avrebbe fatto parte della comitiva.

Allora perché la smettesse di tormentare mia madre ho suggerito che la mandassero a fare un lungo ritiro spirituale in un convento di Carmelitane Scalze.

Prima di lasciare la Reggia mi sono anche voluta togliere la soddisfazione di punire la signora Aspra, facendola con-

dannare e rinchiudere nella nuova prigione-fattoria, dove è addetta a spazzare i dormitori e deve alzarsi all'alba per mungere le mucche.

La Civetta Verde l'ho fatta trasformare in una scuola, dove le cameriere e le sguattere potranno studiare quello che vorranno, sotto la guida dei migliori insegnanti del Regno.

Ai tredici pirati di Roccabrumosa ho fatto spedire una grande cassa piena di occhiali e di cornetti acustici di tutte le gradazioni. Invece agli altri amici che mi hanno sempre aiutato non ho mandato un bel niente. Prima di tutto per non insospettirli, perché naturalmente tutti devono continuare a credermi una povera attrice girovaga. E poi perché sono convinta che l'affetto della gente si deve conquistare con la gentilezza, l'allegria e la sincerità, non con i regali.

A mia madre Isabella e io abbiamo promesso di scrivere tutte le settimane e di tornare a trovarla almeno ogni quattro mesi. Poi abbiamo lasciato la Reggia, siamo passate da Pratàle a recuperare gli animali e abbiamo cominciato un nuovo giro di spettacoli. Ti chiederai forse per quale motivo non ho allargato la compagnia scritturando tutti gli animali del serraglio di corte – ti ricordi? – i pinguini, le giraffe, le tartarughe giganti e tutti gli altri, che adesso erano miei.

Certo, avrei potuto organizzare uno spettacolo davvero straordinario. Non credere che non ci abbia pensato. Ma loro, gli animali esotici, sarebbero stati contenti? A te sono bastate poche ore di prigione per farti impazzire dalla rabbia e dal dolore.

Io sono meno delicata, ma non me la sentivo di portarmi dietro quei poveretti chiusi nelle loro gabbie. E neppure di lasciarli prigionieri nel serraglio. Così ho dato ordine che li riportassero ciascuno nella sua terra d'origine e che li rimettessero in libertà.

Per i miei Artisti è diverso. Le scimmie e l'orso sono nati in cattività e non saprebbero cavarsela da soli. E il cane e l'oca sono animali domestici. E poi, ci vogliamo così bene che ci si spezzerebbe il cuore a separarci. Cosa faresti tu se ti portassero via il tuo porcello?

Così la Compagnia Giraldi è rimasta tale e quale com'era prima, con l'unica differenza che Isabella ha preso il tuo posto. Come nome d'arte ha scelto quello di Clorinda la Gigantessa perché ha imparato a fare un numero divertentissimo sui trampoli. Si sta allenando anche a fare le capriole e il doppio salto mortale e non dubito che presto diventerà ancora più brava di me. La Compagnia Ramusio sarebbe al gran completo se avessimo con noi anche Ludovico il Ragno. Capisco però che la tua non era una vera vocazione artistica, ma soltanto un ripiego. Pazienza. Ognuno ha diritto di fare le sue scelte.

Ho tanta nostalgia di Biancofiore e sono impaziente di riabbracciarti. Arriveremo a Cepaluna la Domenica delle Palme e, se tuo padre è d'accordo, verremo ad alloggiare nel vostro magazzino. Mi raccomando, non riferire a nessuno il contenuto di questa lettera. Neppure ai tuoi genitori. Ti do il permesso di raccontarlo solo alla mia amica Ippolita, raccomandandole il più assoluto segreto.

Spero che, quando saremo grandi, qualche volta verrete a trovarmi a corte.

Un saluto affettuoso anche da parte di Isabella.

La tua fedele amica

Lucrezia

"Se Lucrezia non fosse una principessa, dovrebbe fare la scrittrice" pensò Polissena quando ebbe finito di leggere la lettera.

Ma a quel punto dalla busta cadde un foglio di pergamena col sigillo dei Pischilloni, dove c'era scritto:

Cara Polissena,

*so che hai ritrovato la tua casa e i tuoi genitori e sono fe-
lice all'idea che fra qualche giorno ti potrò riabbracciare. Hai
raccontato alla tua famiglia che durante il viaggio sei diventata marchesa? Il tuo titolo è validissimo, puoi stare tranquilla. Ce lo ha confermato l'Arciduchessa Teodora che è la
massima autorità a proposito di titoli e onorificenze. È vali-
do prima di tutto perché è stata mia zia, nel suo Bando, a
prometterlo. E lei è una Regina Madre autentica, che ha il
potere di fare nobile chi vuole. E poi perché anche le Principesse Cugine come me possono conferire titoli nobiliari.*

*Comunque, perché a nessuno venga l'idea di contestarte-
lo, con questa pergamena Lucrezia e io ti confermiamo ufficialmente che sei marchesa. Il tuo titolo d'ora in poi sarà Polissena del Porcello.*

Un abbraccio affettuoso e a presto,
Glinda, Principessa Cugina (ex Isabella)
controfirmato Isabella, Principessa Reale (ex Lucrezia)

— Allora, cosa ti racconta di bello la tua compagna
d'avventura? — si informò la mamma.

"Che sono marchesa..." stava per rispondere Polissena piena d'orgoglio, ma si trattenne in tempo. Isabella era
proprio una scervellata. Come faceva a mostrare la pergamena senza rivelare il segreto delle due amiche? Avrebbe potuto mostrarla in giro solo a vent'anni, quando Lucrezia fosse diventata Regina.

Nel frattempo quel titolo, "Polissena Gentileschi, Marchesa del Porcello", poteva solo assaporarlo in segreto, o
al massimo confidarlo a Ippolita.

Così fece finta di niente e rispose tranquilla: — Scrive
che sta per arrivare, e che le piacerebbe alloggiare come

al solito nel nostro magazzino. E che ha una nuova acrobata di nome Clorinda. Non un animale, una ragazza.

— Pensi che dovremmo offrirci di adottare anche questa Clorinda? — domandò il babbo.

— Penso che Lucrezia non riuscirà mai a vivere tutto l'anno sotto lo stesso tetto — rispose Polissena. — Quindi è inutile farle una proposta del genere.

— Non si deve chiudere in gabbia un uccello del cielo — approvò la mamma. — Però Lucrezia deve sapere che la nostra casa è la sua, e che ogni volta che verrà a trovarci, sarà un'ospite graditissima. E non la alloggeremo in magazzino, ma al piano nobile, checché ne dica Agnese.

— Piuttosto mamma, c'è un ragazzo, Bernardo, il figlio del pescatore di Tempestàl… — disse Polissena timidamente. — Sono così poveri, e lui è così intelligente… Non potremmo farlo venire a studiare a Cepaluna? Per qualche tempo ho pensato che fosse mio fratello…

Non era come farlo ministro… Ma più avanti avrebbe potuto raccomandarlo a Lucrezia, trovargli una buona sistemazione a Corte. Chissà, forse Bernardo poteva sposare Isabella…

Polissena si affacciò alla finestra, stringendo Biancofiore tra le braccia, e si mise a guardare la strada da cui sarebbero presto arrivate le due Principesse-saltimbanche con i loro Animali Acrobatici.

Guardava, ma non vedeva, perché la sua mente era troppo occupata a fantasticare.

INDICE

POSTFAZIONE

La storia del bambino scomparso, cresciuto lontano dai genitori e poi ritrovato, è un elemento presente in moltissimi romanzi dell'Ottocento, ma si trova anche nelle tragedie dell'antica Grecia e nelle commedie dei Romani. Evidentemente nella storia dell'umanità tutti i genitori hanno paura di perdere il loro bambino, e tutti i bambini hanno paura di perdere i genitori. Purtroppo molto spesso succede, come nella fiaba di Pollicino, che il padre e la madre non "perdano", ma abbandonino i propri figli perché sono troppo poveri per mantenerli. È il caso della maggior parte dei "trovatelli", dei quali non si conosce l'origine familiare. Eppure gli studi degli psicologi ci dicono che ogni bambino abbandonato, quando pensa ai genitori che non ha mai conosciuto, immagina che siano persone ricche, importanti, alle quali è stato rapito da qualche malvagio.

Di romanzi con questa storia, raccontata in diverse varianti, ne ho letto moltissimi. Tanti che a un certo punto mi sono voluta divertire a prenderne gli elementi che li caratterizzano e a moltiplicarli.

Polissena non riceve dalle suore che l'hanno trovata da piccola un solo oggetto "di riconoscimento". Ne riceve molti, troppi. E nel suo viaggio incontra una infinità di persone che "potrebbero" essere, ognuna, sua madre o suo padre. Ma ogni pista è una falsa pista. Invece di piangere per la delusione, al lettore viene da ridere per la testardaggine con cui la piccola ambiziosa ha voluto illudersi.

Polissena non è una ragazzina troppo simpatica. Disprezza gli altri, non ha molto senso della realtà, come purtroppo molte sue coetanee di oggi che sognano di essere principesse. La vera principessa che ignora di esserlo ha molto più buon senso di lei, e la terza ragazzina che siede sul trono ha imparato quanto il potere e la ricchezza usati male possono rendere infelici e schiavi degli altri. La mia intenzione però, nello scrivere questo libro, non era quella di fare un predicozzo. Volevo fare sorridere il lettore offrendogli una affettuosa parodia di tutti i romanzi strappalacrime che ho incontrato nel corso della mia vita di lettrice.

BIANCA PITZORNO

L'AUTRICE

Nata a Sassari, vive e lavora a Milano. Amatissima dai giovani lettori, dal 1970 a oggi ha pubblicato più di quaranta libri per bambini e per ragazzi, molti dei quali di grande successo. Oggi Bianca Pitzorno è considerata la più importante autrice italiana per l'infanzia, e i suoi romanzi sono tradotti in Francia, Germania, Spagna, Grecia, Polonia, Ungheria, Corea e Giappone. È Goodwill Ambassador dell'Unicef.

Dopo essersi laureata in Archeologia preistorica si è trasferita a Milano per frequentare la Scuola Superiore delle Comunicazioni, dove si è specializzata in cinema e televisione. Per alcuni anni ha lavorato alla RAI, occupandosi di programmi per ragazzi come *Chi sa chi lo sa?* e *Il Dirodorlando*, e in tempi più recenti è stata fra gli autori de *L'albero azzurro*. Al suo primo libro, uscito nel 1970, ne sono seguiti molti altri destinati quasi sempre ai ragazzi, che non mancano di identificarsi con personaggi che l'autrice cerca sempre di rappresentare con una forte dimensione etica. Per i più piccoli ricordiamo: *Giulia Bau e i gatti gelosi, Clorofilla dal cielo blu, La bambola dell'alchimista, La bambola viva, La casa sull'albero, Una scuola per Lavinia, La Voce Segreta;* e per i ragazzi: *Ascolta il mio cuore, Diana, Cupìdo e il Commendatore, Parlare a vanvera, Re Mida ha le orecchie d'asino, Quando eravamo piccole, Tornatrás.*

QUENTIN BLAKE

È nato in Inghilterra (Sidcup, Kent) nel 1932 e ha cominciato l'attività di disegnatore a soli sedici anni, collaborando con varie riviste. Si è laureato in letteratura inglese a Cambridge e per molti anni ha insegnato al Royal College of Art, dove, dal 1978 al 1986, ha guidato il Dipartimento di Illustrazione.

È noto in tutto il mondo per le sue straordinarie e originalissime illustrazioni dei libri di Roald Dahl, ma sono tantissimi gli autori famosi con cui ha collaborato, e lui stesso ha inventato personaggi e creato storie per ragazzi. Ha ricevuto molti premi, tra cui, nel 2002, il prestigioso Hans Christian Andersen Award, tra i più alti riconoscimenti internazionali conferiti agli illustratori.

QUENTIN BLAKE